As Cruzadas

THOMAS ASBRIDGE

A CHEGADA DOS CRUZADOS

São Paulo, 2021

A chegada dos cruzados
The Crusades – The War for the Holy Land
Copyright © Thomas Asbridge, 2010
Copyright © 2021 by Novo Século Editora Ltda.

EDITOR: Luiz Vasconcelos
COORDENAÇÃO EDITORIAL: Nair Ferraz • Vitor Donofrio • João Paulo Putini
TRADUÇÃO: Johann Heyss • Valter Lellis Siqueira
PREPARAÇÃO: Samuel Vidilli
REVISÃO: Agnaldo Alves • Equipe NS
DIAGRAMAÇÃO: Vitor Donofrio
CAPA: Ygor Moretti

Texto de acordo com as normas do Novo Acordo Ortográfico
da Língua Portuguesa (1990), em vigor desde 1º de janeiro de 2009

Dados Internacionais de Catalogação na Publicação (CIP)
Angélica Ilacqua CRB-8/7057

Asbridge, Thomas
A chegada dos cruzados
Thomas Asbridge ; tradução de Johann Heyss, Valter Lellis Siqueira
Barueri, SP: Novo Século Editora, 2021.
256 p.; il. (As Cruzadas ; vol 1)

Bibliografia
ISBN 978-65-5561-287-5

Título Original: The Crusades : The War for the Holy Land

1. Cruzadas 2. Cristianismo e outras religiões 3. História da Igreja - 600-1500 – Idade Média 4. Oriente Médio – História 5. Europa – História da Igreja I. Título II. Heyss, Johann III. Siqueira, Valter Lellis IV. Série

21-3676   CDD-909.07

Índice para catálogo sistemático:
1. Cruzadas

Alameda Araguaia, 2190 – Bloco A – 11º andar – Conjunto 1111
CEP 06455-000 – Alphaville Industrial, Barueri – SP – Brasil
Tel.: (11) 3699-7107 | Fax: (11) 3699-7323
www.gruponovoseculo.com.br | atendimento@gruponovoseculo.com.br

Para meu pai,
Gerald Asbridge

SUMÁRIO

PREFÁCIO 15

INTRODUÇÃO – O MUNDO DAS CRUZADAS 21

I. A CHEGADA DOS CRUZADOS
1. Guerra santa, Terra Santa 55
2. Suplício sírio 83
3. A Cidade Sagrada 107
4 Criando os Estados cruzados 133
5 Ultramar 179
6 O renascimento da cruzada 211

NOTAS 235

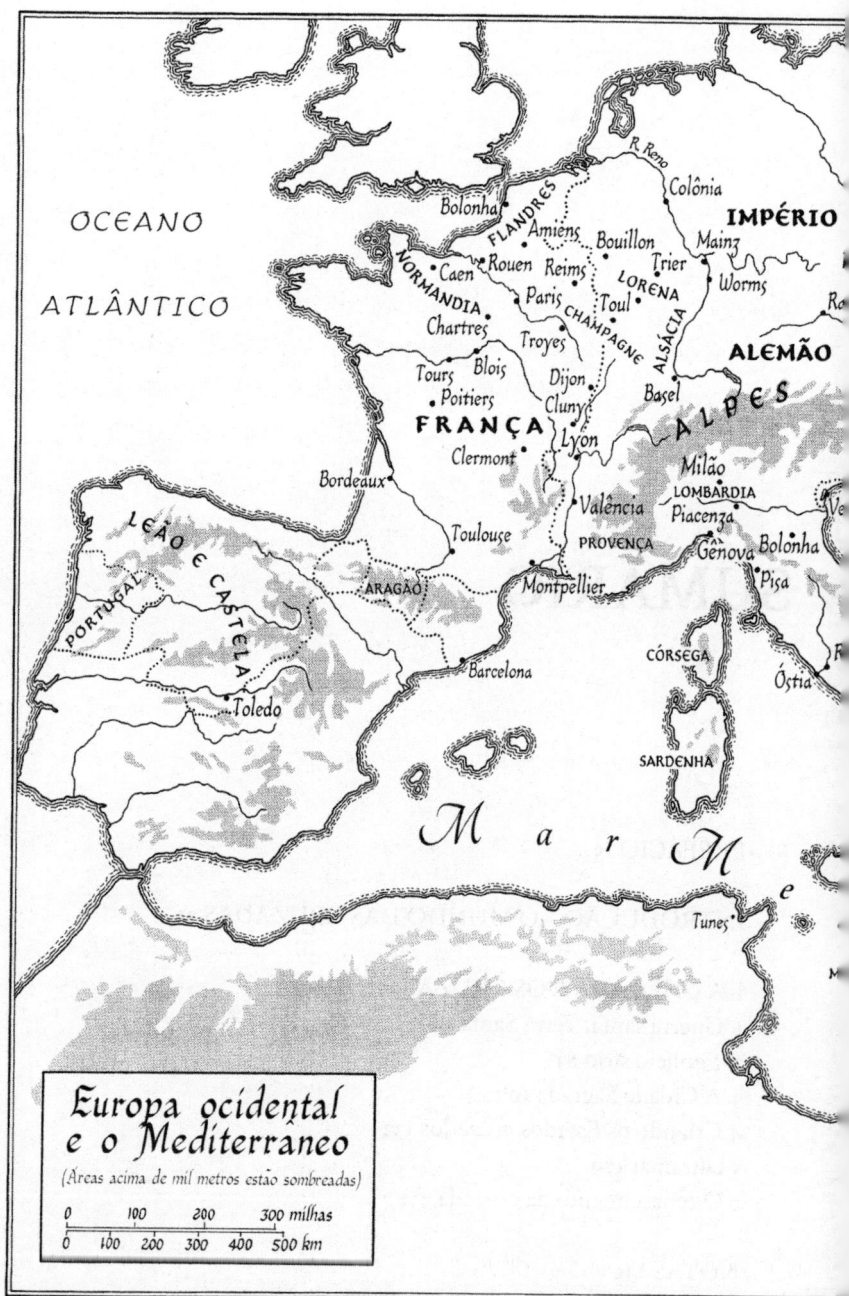

Europa ocidental e o Mediterrâneo

(Áreas acima de mil metros estão sombreadas)

A CHEGADA DOS CRUZADOS

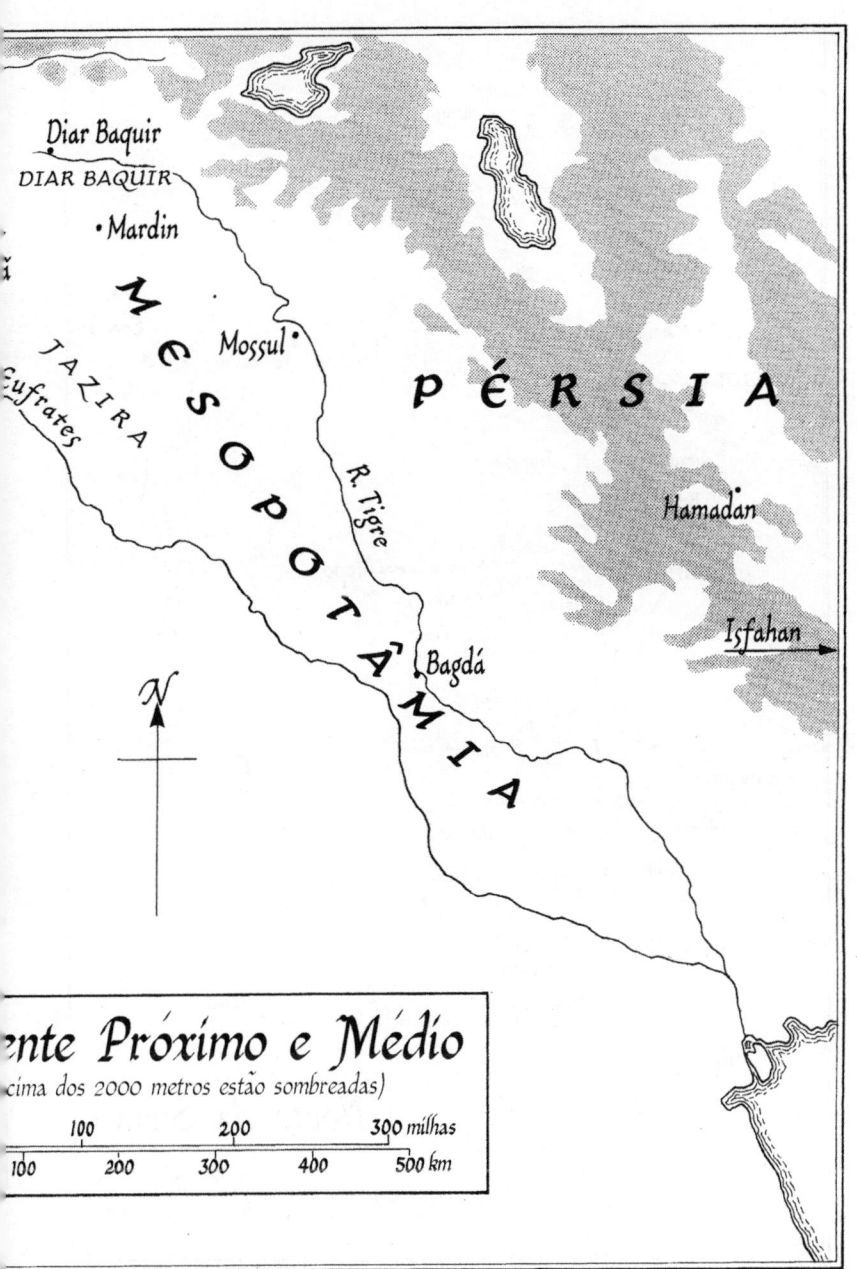

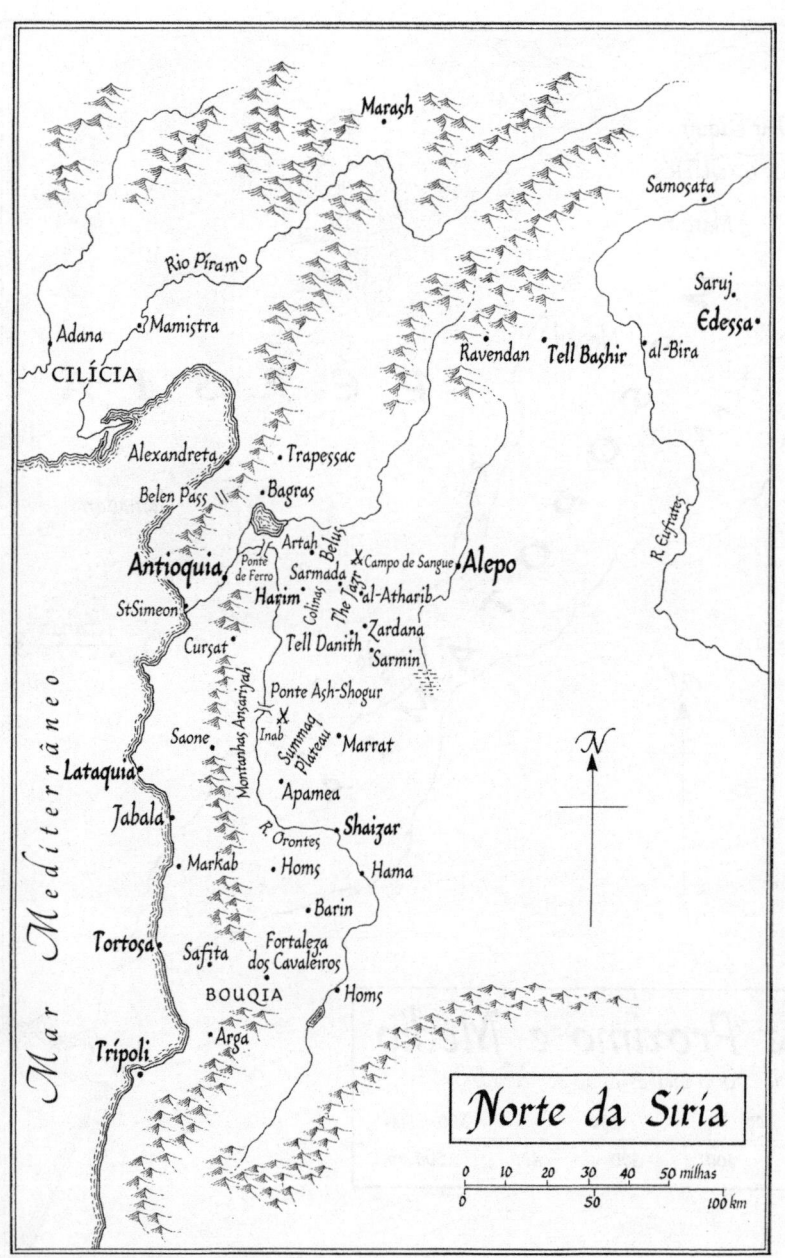

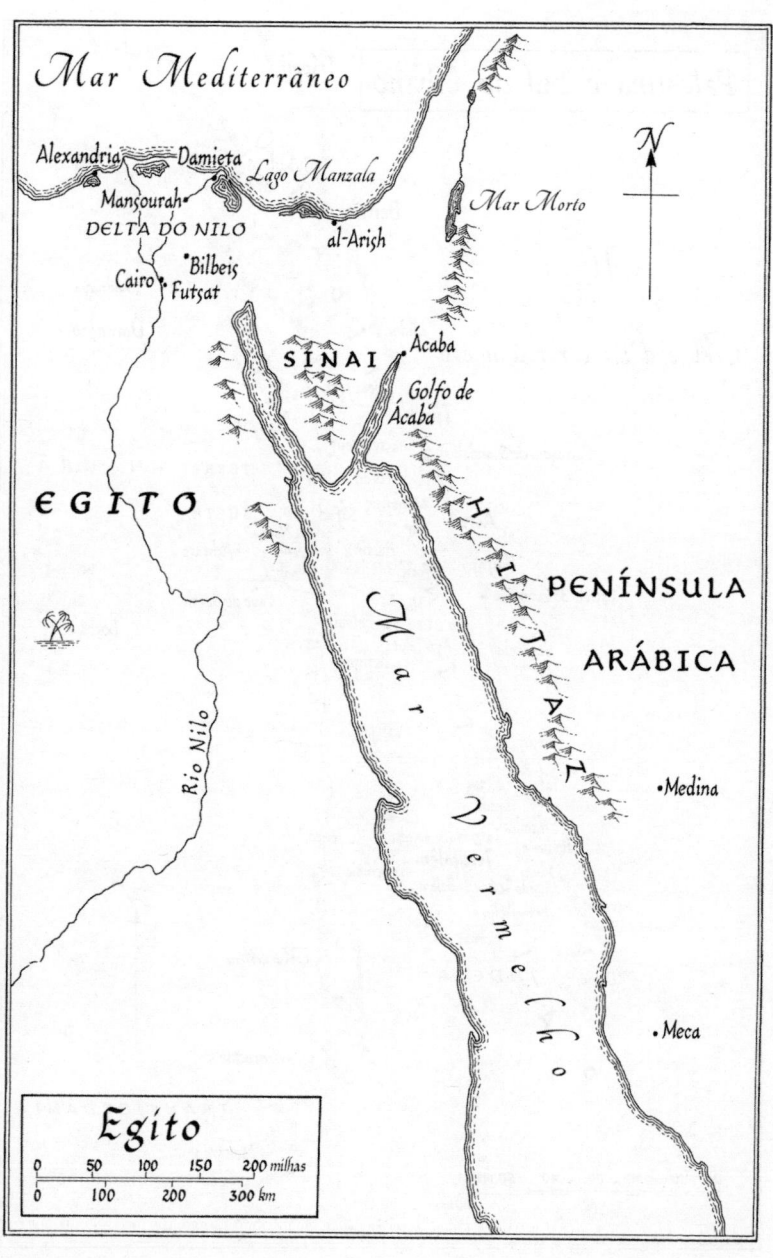

PREFÁCIO

Nos últimos meses tive a sorte de viajar pelo Oriente Próximo e Médio e pela Europa filmando uma série-documentário para a BBC baseada no meu livro. Apesar de algumas locações que visitei me serem novas, a maioria eu já conhecia de viagens anteriores relacionadas à minha pesquisa de décadas sobre a história das cruzadas. Ainda assim, em cada lugar eu tive uma poderosa sensação de envolvimento com algo que, para mim, era novo, desafiador e profundamente esclarecedor. Eu estava procurando canalizar minha permanente paixão pelas cruzadas, contar a história dessas guerras santas, e bem nos locais onde o drama (e algumas vezes, o horror) desses eventos ocorreu.

Procurei transmitir em inúmeras palestras e aulas ao longo dos anos o amálgama febril de fé e violência que alimentou a Primeira Cruzada, mas outra coisa, bem diferente, é estar em Jerusalém e parar em frente ao Santo Sepulcro, descrevendo a alegria religiosa vivida pelos cruzados respingados de sangue que, em 1099, adentraram enfim o sacrossanto santuário cristão. E eu senti a mesma sintonia eletrizante dentro da mesquita de Al--Aqsa, falando sobre como o grande Sultão Saladino chorou ao encabeçar a prece de sexta-feira na mesma construção em 3 de julho de 1193, agoniado por ter de abandonar Jerusalém.

Não vou dizer que essas experiências de alguma forma me proporcionaram percepções peculiares ou explosivas sobre a era das cruzadas, e nem que de repente agora estou mais apto a alcançar uma compreensão solidária sobre os protagonistas da história. Afinal, o local por si só (frequentemente alterado de seu estado medieval) não passa disso, e sempre se precisa recorrer às fontes históricas, sejam elas textuais ou materiais. Mas a minha imaginação se acendeu e meu entusiasmo pela história das cruzadas – que já era uma obsessão de bem mais que a metade da minha vida – se revigorou. Em particular, fui levado a ponderar sobre as maneiras pelas quais nos lembramos – e às vezes nos esquecemos – dos eventos.

Poucas semanas atrás entrei na Sainte-Chapelle – o imponente santuário construído pelo rei Luís IX da França no coração de Paris – uma hora antes do amanhecer. Essa estrutura foi um milagre tecnológico em seu tempo; construída para abrigar a preciosa coleção do rei de relíquias da Paixão (entre elas a Coroa de Espinhos de Cristo), suas delicadas colunas de pedra e amplos suportes parecendo expansões impossíveis de vibrantes vitrais. Normalmente cheia de visitantes, todos hipnotizados por sua beleza e seu esplendor gótico da Alta Idade Média, a capela estava agora escura e vazia. Com o nascer do sol, a luz começou a entrar pelas deslumbrantes janelas e me ocorreu que o rei Luís – um homem que dedicou a vida à guerra pela Terra Santa mais de setecentos anos antes – havia caminhado por este mesmo espaço. Sainte-Chapelle sobrevive como um talismã da memória desse rei, evocando sua inabalável dedicação religiosa; trata-se de um celebrado ícone da história da França e sua identidade nacional. Mas há outros lugares tão intimamente associados à vida desse monarca cruzado, que foram, contudo, esquecidos.

Mansoura, no delta do Nilo, onde o rei Luís travou uma batalha épica pelo controle do Egito no século XIII, agora é uma cidade extensa e industrializada. Por mais improvável que seja, o local do acampamento cruzado do rei Luís permanece um bolsão isolado e abandonado de terra agrícola que serve de vista para três chaminés cuspindo nuvens de fumaça amarela tóxica. Ninguém vai ver – que dirá filmar – esse lugar, onde o exército cristão foi esmagado pela força emergente dos mamelucos, e onde o próprio rei acabou em estado deploratório por um caso extremo de disenteria que o obrigou a cortar um buraco na calça. Foi uma experiência peculiarmente chocante, ainda que comovente, estar nesse local e descrever em câmera como, no crepúsculo de 4 de abril de 1250, cruzados feridos e abandonados tentavam, desesperados, se arrastar até as poucas embarcações ainda ancoradas na beira do rio depois que os muçulmanos invadiram seu acampamento, só para acabarem caçados e executados sem clemência.

Eu senti algo semelhante – a sensação de ressuscitar brevemente um momento esquecido do passado distante – ao recontar a história de mais um massacre, desta vez decretado pelos cruzados, nas planícies arenosas para além da cidade israelita de Acre. Depois de passar alguns anos me dedicando a um estudo particularmente próximo de todos os relatos em primeira mão desse evento específico, talvez eu esteja um pouco familiarizado demais com os detalhes aterradores e macabros de como, no meio da Terceira Cruzada, Ricardo Coração de Leão conduziu a marcha para fora da cidade de 2700 muçulmanos capturados, e em seguida sua trucidação a sangue frio. Pelo menos para mim, mostrou-se impossível não ponderar sobre a terrível sensação de medo e confusão que grassou nos prisioneiros momentos antes da morte; antes de serem atacados pelos cruzados com "punhaladas e golpes de espadas", de acordo com uma das testemunhas.

É claro que um dos objetivos essenciais do meu trabalho tem sido enfatizar que as cruzadas não eram simplesmente um catálogo de batalhas e campanhas incessantes. Mas é fácil demais partir de provas selecionadas para conceber essa era como uma "guerra total" entre o Islã e o Ocidente; uma amargurada era de conflitos alimentados pelo ódio arraigado e ciclos de violência recíproca. Essa é, certamente, a visão dos cruzados usada para promover a ideia de um confronto inevitável de civilizações entre a Europa e o mundo muçulmano. Mas ao longo da guerra pela Terra Sagrada, a realidade pragmática e a conveniência, tanto comercial como militar, levaram os colonizadores "cruzados" a entrar em contato frequente com os povos nativos do Levante, inclusive os muçulmanos. Assim, os cruzados criaram um dos ambientes de fronteira em que europeus conseguiam interagir com a cultura "oriental" e absorvê-la. Não era um ambiente aconchegante de harmoniosa concordância, mas, considerando-se as realidades que prevaleciam no mundo como um todo, não deveria ser surpresa. O próprio Ocidente medieval estava partido pela rivalidade entre cristãos e por intermináveis conflitos militares; e, além disso, a intolerância social e religiosa também estava em alta. Por esses padrões, a mistura difícil de contato e conflito latente no "cruzado" do Levante não foi das mais memoráveis.

Um dos grandes benefícios de trabalhar nessa série de televisão é que com ela veio o acesso privilegiado aos restos físicos – ou cultura material – da era cruzada medieval, muitas das quais dialogam com essa noção de contato intercultural. Enquanto acadêmico acostumado a ver o passado, sobretudo por meio de provas textuais, é enormemente excitante manusear objetos que sobreviveram a essa era, especialmente os de uso cotidiano. Em Israel, me peguei examinando uma série de moedas "cruzadas" forjadas por colonos cristãos ocidentais no Oriente Próximo, que iam de peças de cobre bem brutas – suficientes apenas para comprar uns nacos de pão – a peças preciosas de ouro. A mais fascinante dentre elas era uma série que, à primeira vista, assemelhava-se a moedas islâmicas, repletas de inscrições em árabe e parecendo ter sido lançada pelo egípcio Al-Amir, califa entre 1101 e 1130. Na realidade, são "fakes" produzidas por governantes cristãos como imitações (de peso ligeiramente alterado) das moedas de ouro muçulmanas para permitir que os colonos se inserissem mais rápida e prontamente no tecido comercial do Levante. O fato de – em plena era das cruzadas – colonos ocidentais cunharem moedas marcadas com textos islâmicos (algumas até com o nome do profeta Maomé) diz muito sobre a importância do comércio transcultural e como a necessidade supera a ideologia.

Também tive acesso a um dos maiores tesouros da Biblioteca Britânica: o saltério de Melisenda. É provável que esse pequeno e bem forjado livro de preces tenha sido produzido na década de 1130 como presente do rei Fulco para a Rainha Melisenda de Jerusalém. De fato, pode ter sido uma oferta de paz, projetada para ajudar a acalmar as águas após o casal ter se enredado em uma desavença matrimonial que quase terminou deflagrando uma guerra civil absoluta. Esse artefato excepcionalmente belo é testemunha da capacidade de fusão cultural nos Estados cruzados. Produzido por ao menos sete artesãos diferentes, ela exibe elementos de inglês, francês, bizantino, além de influência cristã oriental e mesmo islâmica. Talvez o mais espetacular de tudo seja sua capa de marfim, que é agora mantida em separado do resto do livro de preces. Talhada em minuciosos detalhes e incrustada com pedras semipreciosas, a capa retrata cenas da realeza e de devoção cristã: na parte frontal, momentos da vida do próprio rei Davi, inclusive a batalha contra Golias; na parte de trás, um monarca (provavelmente o próprio Fulco) todo enfeitado em seu traje imperial bizantino para parecer mais magistral, desempenhando diversos atos de devoção e caridade como dar de vestir aos pobres e cuidar dos doentes. Uma excelente reprodução dessa última capa aparece no caderno de imagens. O que torna esse objeto tão cativante é o fato de ele nos conectar com a história do reino conjunto de Melisenda e Fulco, mas ele também revela algo sobre o mundo mais amplo em que viviam.

Um dos objetivos da série da BBC era o de responder a mais fundamental das perguntas: como se faz isso? Em busca da resposta, voltei a consultar vários manuscritos medievais – frequentemente recorrendo à mais antiga cópia remanescente no mundo – para revelar as fontes históricas que usamos para reconstruir a era das cruzadas. Talvez o maior impacto tenha sido conseguir permissão para entrar nos arquivos da mesquita de Al-Aqsa, em Jerusalém, para ver uma cópia do começo do século XIII da biografia de Saladino por Baha al-Din. É um documento fantasticamente informativo que apresenta uma perspectiva única da personalidade de Saladino e do desenrolar de seu confronto com Ricardo Coração de Leão durante a Terceira Cruzada por meio da escrita de um homem que conheceu bem o sultão e testemunhou muito do que descreveu. E o que torna o manuscrito de Al-Aqsa tão especial é a quase certeza de que não se trata de cópia posterior, como a maioria dos textos medievais, mas um original escrito pelas mãos do próprio Baha al-Din. Segurar esse livro e me dar conta de ter nas mãos o trabalho de uma das pessoas mais íntimas de Saladino foi simplesmente extraordinário.

A vertente final de provas incorporadas à série veio da arqueologia. Há apenas quatro dias, debaixo do escaldante sol do deserto, eu visitei as ruínas do castelo de al-Wu'ayra (conhecido no Ocidente como o Vale de Moisés) – uma pequena fortificação de cruzados do século XII bem perto da ancestral Petra (Jordânia). Durante os estágios iniciais da colonização ocidental, os cristãos europeus tentaram se fixar nessa região isolada e inóspita, mas a adaptação a esse ambiente desconhecido mostrou-se nada simples. As escavações revelaram dezesseis sepulturas desse período talhadas na pedra dentro da fortaleza, e a análise dos esqueletos humanos que elas continham sugere que os colonizadores não sabiam juntar frutas e vegetais frescos para equilibrar a dieta, e que suas peles relativamente pálidas também lhes causava deficiência de ácido fólico. Em al-Wu'ayra examinei frágeis fragmentos do crânio de um pequeno bebê que morrera tantos séculos atrás, entre os seis e nove meses de idade. Os ossos exibiam gritantes evidências de lesões (deformações quase como esponjas) associadas à extrema deficiência de vitamina C, ou escorbuto.

O trabalho de adaptar este livro para se tornar uma série-documentário foi um enorme prazer e me sinto imensamente privilegiado por fazer parte de um projeto tão extraordinário. A experiência certamente enriqueceu meu próprio entendimento das cruzadas e aprofundou meu amor por essa era de nossa história. Tomei por base textos, cultura material e arqueologia para oferecer uma percepção do lugar e das evidências e assim revelar o que restou do mundo habitado pelos cruzados e muçulmanos que travaram uma guerra medieval pela Terra Santa. Minha esperança é que o resultado seja uma série de televisão que faça justiça a esse assunto tão cativante e intrigante.

Thomas Asbridge
6 de novembro de 2011
West Sussex

INTRODUÇÃO
O MUNDO DAS CRUZADAS

Novecentos anos atrás, os cristãos da Europa travaram contra o mundo muçulmano uma série de guerras santas, ou cruzadas, lutando pelo domínio de uma região sagrada para as duas crenças: a Terra Santa. Esse confronto sangrento durou dois séculos, reconfigurando a história do Islã e do Ocidente. Ao longo dessas expedições monumentais, centenas de milhares de cruzados viajaram pelo mundo então conhecido para conquistar e depois defender uma faixa de território centrada na cidade sagrada de Jerusalém. Nas expedições – lideradas por nomes como Ricardo Coração de Leão, o rei-guerreiro da Inglaterra, e Luís IX, o santo monarca da França –, os combatentes enfrentaram cercos cansativos e batalhas atemorizantes, cruzaram florestas verdejantes e desertos áridos, suportaram fome e enfermidades, encontraram os lendários imperadores de Bizâncio e marcharam ao lado dos inacessíveis cavaleiros templários. Aqueles que morreram foram considerados mártires, ao passo que os sobreviventes acreditavam que o pecado lhes flagelara as almas através da tormenta do combate e das provações da peregrinação.

O advento dessas cruzadas provocou a reação do Islã, reacendendo a dedicação à causa da *jihad* (guerra santa). Muçulmanos da Síria, do Egito e do Iraque lutaram para afastar seus inimigos cristãos da Terra Santa – defendidos pelo impiedoso guerreiro Zengui e pelo poderoso Saladino; habilitados pela ascensão do sultão Baybars e seus *mamluk*, escravos-soldados de elite; às vezes ajudados pelas intrigas dos implacáveis Sicários. Anos de conflito geraram, inevitavelmente, maior familiaridade, e ocasionalmente até mesmo um respeito relutante e contatos pacíficos por meio de tréguas e comércio. Mas com o passar das décadas, o fogo do conflito continuou ardendo e a maré lentamente se voltou a favor do Islã. Não obstante ter sobrevivido o sonho cristão de vitória, o mundo muçulmano prevaleceu, garantindo a duradoura posse de Jerusalém e do Oriente Médio.

Essa história dramática sempre incendiou a imaginação e fomentou debates. E, ao longo dos séculos, os cruzados têm sido objeto de interpretações assustadoramente variadas: tidos como prova da insensatez da fé religiosa e da selvageria enraizada na natureza humana, ou promovidos como expressões gloriosas da cavalaria cristã e do colonialismo civilizatório. As cruzadas foram apresentadas como um episódio sombrio da história da Europa – quando hordas vorazes de ocidentais bárbaros e gananciosos deram início a ataques injustificados e cobiçosos contra os ilustrados inocentes do Islã – ou defendidas como guerras meramente justas, provocadas por agressões dos muçulmanos e motivadas pela recuperação de território cristão. Os próprios cruzados foram descritos tanto como brutos famintos por territórios quanto como soldados peregrinos inspirados por ardorosa devoção, e seus rivais muçulmanos representados como opressores cruéis e tirânicos, fanáticos fervorosos ou devotos exemplares em sua honra e clemência.

Os cruzados medievais também foram usados como espelho para o mundo moderno ao forjar laços tênues entre eventos recentes e o passado distante, e também através da duvidosa prática do paralelismo histórico. Portanto, durante o século XIX a França e a Inglaterra se apropriaram da memória dos cruzados para afirmar sua herança imperial, enquanto os séculos XX e XXI testemunharam uma tendência cada vez mais profunda em algumas partes do mundo muçulmano de equiparar batalhas políticas e religiosas modernas a guerras santas vistas nove séculos antes.

Este livro explora a história dos cruzados tanto da perspectiva cristã quanto da muçulmana – concentrando-se particularmente na competição pela Terra Santa – e examina como os contemporâneos medievais viveram e se recordavam das cruzadas,[a] tomando por base a maravilhosamen-

---

[a] Mesmo na era moderna, muitas histórias escritas sobre os cruzados por acadêmicos "ocidentais" foram tingidas (consciente ou inconscientemente) por algum nível de preconceito, pois muitos apresentam a época de um ponto de vista cristão. Essa parcialidade inata pode se manifestar de modo relativamente sutil – como na decisão de descrever o resultado de uma batalha como

te rica mina de evidências escritas disponíveis (ou fontes primárias) da Idade Média: textos como crônicas, cartas e documentos legais, poemas e canções registrados em idiomas tão diversos quanto latim, francês antigo, árabe, hebraico, armênio, sírio e grego. Além desses textos, o estudo de restos materiais – desde imponentes castelos a delicadas iluminuras e minúsculas moedas – lançou nova luz sobre a era das cruzadas. No geral, pesquisas originais foram complementadas pela grande produção acadêmica moderna dos últimos cinquenta anos nessa área.[1]

Incluir a história dos cruzados na Terra Santa entre 1095 e 1291 em um livro acessível é um desafio monumental que, contudo, oferece enormes oportunidades: a chance de traçar uma grande sondagem dos eventos, desvelando a realidade visceral da experiência humana – passando por agonia e exaltação, horror e triunfo; e de mapear as inconstantes sortes e percepções do Islã e da Cristandade. Outra oportunidade é possibilitar que seja levantada uma série de questionamentos cruciais, interligados e abrangentes sobre essas guerras santas épicas.

Questões ligadas às origens e causas da guerra pela Terra Santa são de fundamental importância. Como duas das maiores religiões do mundo chegaram a defender a violência em nome de Deus, convencendo seus seguidores que lutar por sua fé lhes abriria as portas do Céu ou do Paraíso? E por que milhares, incontáveis cristãos e muçulmanos responderam à convocação para a cruzada e a *jihad*, sabendo muito bem que deveriam enfrentar intenso sofrimento e mesmo a morte? Também é imperativo considerar se a Primeira Cruzada, iniciada no fim do século XI, foi um ato de agressão cristã, e o que levou à perpetuação do ciclo de violência religiosa no Oriente Médio pelos duzentos anos seguintes.

Os resultados e o impacto dessas guerras santas são igualmente significativos. Seria a era das cruzadas um período de discórdia desqualificada – produto de um inevitável "choque de civilizações" – ou um tempo que revelou a capacidade de coexistência e contato transcultural construtivo

vitória ou derrota, triunfo ou desastre. No presente relato, que é dividido em cinco partes, procurei deliberadamente evitar essa tendência ao passar do ponto de vista do típico europeu cristão para o do muçulmano do Oriente Médio em cada grande parte. O cerne do livro cobre a Terceira Cruzada, alternando-se entre seus dois grandes protagonistas, Saladino e Ricardo Coração de Leão.

entre o Cristianismo e o Islã? Precisamos perguntar quem, no final, venceu a guerra pela Terra Santa e por que; entretanto, mais urgente ainda é a questão de como esse conflito afetou a história e como essas antigas batalhas parecem lançar uma sombra sobre o mundo ainda hoje.

EUROPA MEDIEVAL

No ano 1000, o condado de Anjou (no centro-oeste da França) era comandado por Fulco (987-1040), chamado *Nerra* ("o Negro"), um voraz e brutal senhor da guerra. Fulco passou a maior parte de seus 53 anos de vida no poder, preso a uma batalha quase constante: lutar em todas as fronteiras para reter o controle de seu condado desgovernado; esquematizando para preservar sua independência da frouxa monarquia francesa; e atacando os vizinhos em busca de terras e pilhagens. Era um homem acostumado à violência, tanto dentro quanto fora do campo de batalha – capaz de queimar a esposa na fogueira por adultério e de orquestrar a morte cruel de uma nobre cortesã.

Mas, apesar de todo o sangue nas mãos, Fulco também era um empenhado cristão que reconhecia que seus modos brutais eram, pelos princípios de sua fé, inerentemente pecaminosos, o que poderia levá-lo à danação eterna. Ele admitiu em carta que havia "causado muito derramamento de sangue em várias batalhas" e que, portanto, vivia "aterrorizado de medo do inferno". Na esperança de purificar sua alma, ele fez três peregrinações a Jerusalém, a mais de 3000 quilômetros de distância. Na última dessas viagens, já um homem velho, Fulco teria sido levado nu ao Santo Sepulcro – local de morte e ressurreição de Jesus – com uma rédea curta no pescoço e espancado por seu serviçal enquanto implorava pelo perdão de Cristo.[2]

O que levou Fulco *Nerra* a gestos de arrependimento tão drásticos, e por que sua história era tão repleta de ferozes tumultos? Até mesmo as pessoas do século XI ficavam chocadas com o sadismo desenfreado do conde e seus bizarros gestos de devoção, de modo que sua carreira, evidentemente, era um exemplo extremo da vida medieval. Mas suas experiências e sua mentalidade refletiam as forças que moldaram a Idade Média e deram luz às cruzadas. E seria gente como *Nerra* – inclusive muitos de seus próprios descendentes – que assumiu a linha de frente dessas guerras santas.

A Europa Ocidental no século XI

Muitos dos que viveram no mesmo mundo do século XI do conde Fulco temiam estar presenciando os últimos dias sombrios e desesperados da humanidade. O horror apocalíptico alcançou seu ápice no começo da década de 1030, quando se pensava que o aniversário de mil anos da morte de Jesus seria um presságio do Juízo Final. Um cronista escreveu sobre essa época: "As regras que comandavam o mundo foram substituídas pelo caos. Então eles souberam que havia chegado o Fim dos Tempos". Essa ansiedade palpável por si só ajuda a explicar a mentalidade penitente de Fulco. Mas, pelo menos no que diz respeito a ele e seus contemporâneos, nem sempre fora assim. Eles cultivavam uma memória coletiva de um passado mais pacífico e próspero; uma era dourada quando os imperadores cristãos governavam em nome de Deus, trazendo ordem ao mundo de acordo com a Sua vontade divina. Esse ideal nebulosamente imaginado não era, de forma alguma, uma reminiscência perfeita da história da Europa, mas encapsulava alguns fragmentos da verdade.

O comando romano imperial proporcionou estabilidade e abundância no Ocidente até o fim do século IV da EC (Era Cristã). No Oriente, o Império Romano sobreviveu até 1453, com o comando na grandiosa cidade de Constantinopla, fundada em 324 por Constantino, o Grande – o primeiro imperador a se converter ao cristianismo. Hoje em dia, os historiadores se referem a seu duradouro reino como Bizâncio. No Ocidente, entre os séculos V e VII, o poder se deteriorou em uma desconcertante gama de tribos "bárbaras", mas por volta do ano 500 um desses grupos, os francos, se estabeleceu no controle do nordeste da Gália, gerando assim um reino conhecido como Francia (do qual a moderna nação da França tirou seu nome).[b] Por volta de 800, um descendente desses francos, Carlos Magno (768-814), havia unido uma faixa de território tão grande – abrangendo boa parte da França moderna, Alemanha, Itália e Países Baixos

---

b   A França se revelou um dos principais polos de entusiasmo e recrutamento pelas cruzadas desde 1095, quando começaram as guerras pela Terra Santa. Mesmo assim, nem todos os cruzados eram franceses, mas contemporâneos que escreveram sobre essa era – especialmente aqueles que, como os muçulmanos, que observavam a Europa Ocidental de fora – tendiam a rotular todos os participantes cristãos de "francos" (em árabe, *Ifranj*). Portanto, tornou-se prática comum chamar de francos os cruzados e os europeus ocidentais que colonizaram o Oriente Próximo.

– que ele podia reivindicar o título há tanto sem representante: imperador do Ocidente. Carlos Magno e seus sucessores, os carolíngios, comandaram essa região durante um curto período de renovada segurança, mas seu império sucumbiu ao peso de sucessivas disputas e repetidas invasões dos vikings escandinavos e dos magiares do Leste Europeu. A partir de 850, a Europa foi novamente dividida pela fragmentação política, pela guerra e pela agitação generalizada. Os reis da Alemanha, cercados por inimigos, ainda reivindicavam o título imperial e uma casa real sobrevivia na França em estado desesperadamente emasculado. No século XI, Constantino e Carlos Magno já estavam transformados em figuras lendárias, símbolos de uma era distante. Ao longo da história da Europa medieval, muitos reis cristãos procuravam imitar e emular suas supostas conquistas – entre elas, alguém disposto a lutar nas cruzadas.

Na época de Fulco *Nerra*, o Ocidente estava gradualmente emergindo da decadente era pós-carolíngia (apesar das previsões do *Armagedom*), mas em termos de poder político e militar e organização social e econômica, a maioria das regiões ainda era altamente fragmentada. A Europa não era separada em nações-estados de acordo com o entendimento moderno do termo. Na verdade, lugares como Alemanha, Espanha, Itália e França eram divididos em vários pequenos estados comandados pelos senhores da guerra, a maioria dos quais estavam ligados apenas pelos laços frouxos de associação e lealdade a um monarca coroado. Como Fulco, esses homens tinham títulos como *dux* e *comes* (duque e conde), que remetiam aos tempos dos romanos e dos carolíngios, e saíram das fileiras de uma nascente aristocracia militar – a classe cada vez mais dominante dos lutadores bem equipados e semiprofissionais que viriam a ser conhecidos como cavaleiros.

A Europa do século XI não era um estado de anarquia totalmente deflagrada, mas a violência enlouquecida de rixas e vinganças era lugar-comum, e a ausência de lei era endêmica. A sociedade era altamente localizada. O domínio da natureza sobre o Ocidente ainda não havia enfraquecido; havia vastas faixas de terra ainda cobertas por florestas ou largadas abertas e sem cultivo, e a maioria dos grandes sistemas rodoviários datavam do Império Romano. Nesse mundo era comum passar pela vida sem viajar para mais longe do que oitenta quilômetros do local de nascimento – um fato que tornava ainda mais extraordinárias as várias viagens de *Nerra* a Jerusalém e a futura popularidade do engajamento em uma cruzada na distante Terra Santa. A comunicação de massa ainda não existia como a entendemos hoje, pois a maioria das pessoas era iletrada e a imprensa ainda não havia sido inventada.

Não obstante, ao longo da Idade Média central (entre 1000 e 1300), a civilização ocidental começou a mostrar sinais definitivos de desenvolvimento e expansão. A urbanização ia lentamente ganhando fôlego e o crescimento populacional nas cidades ajudava a estimular a recuperação econômica e o renascimento de uma economia baseada no dinheiro. Entre essas comunidades que protagonizaram um ressurgimento do comércio de longa distância estavam os mercadores marítimos da Itália, que vinham de cidades como Amalfi, Pisa, Gênova e Veneza. Outros grupos demonstravam marcante propensão pela conquista militar. Os normandos do norte da França (descendentes de colonos vikings) eram especialmente vigorosos na metade do século XI: colonizaram a Inglaterra anglo-saxã e tomaram o sul da Itália e a Sicília dos bizantinos e dos árabes do norte da África. Enquanto isso, na Ibéria, alguns domínios cristãos começaram a expandir suas fronteiras no sul, reconquistando território dos muçulmanos da Espanha.

Enquanto os europeus ocidentais começaram a olhar pra além de seus horizontes medievais iniciais, as forças do comércio e da conquista os puseram em contato mais próximo com o mundo de forma mais ampla e com as grandes civilizações do Mediterrâneo: o antigo Império Romano Bizantino do leste e o mundo árabe-islâmico em expansão. Esses "superpoderes" longamente estabelecidos eram centros históricos de potência material, cultural e militar. Como tal, tendia a considerar o Ocidente como pouco mais do que um fim de mundo bárbaro – o deprimente lar de bárbaros, de selvagens que, mesmo sendo guerreiros ferozes, não passavam de uma ralé essencialmente incontrolável que, portanto, não representava ameaça real. A chegada dos cruzados ajudaria a reverter essa dinâmica, ainda que confirmasse muitos desses preconceitos.[3]

Cristianismo latino

O domínio da Roma Antiga sem dúvida teve um efeito profundo sobre todos os aspectos da história ocidental, mas o legado mais importante e mais duradouro do império foi a cristianização da Europa. A decisão de Constantino, o Grande, de abraçar o cristianismo – então uma pequena seita oriental – após ter uma "visão" em 312 catapultou sua fé para o palco mundial. Em menos de um século o cristianismo havia substituído o paganismo como religião oficial do império, e por meio do serviço da influência romana a "mensagem de Cristo" se espalhou pela Europa. Mesmo com o esmorecimento do estado político que impulsionou a fé cristã, ela ganhou força. Os novos líderes "bárbaros" europeus se converteram e logo começaram a alegar que tinham direito divino de comandar suas tribos como reis. O poderoso unificador Carlos Magno se dizia um comandante "sacro", ou sagrado – detentor do direito e da responsabilidade de defender e promover a fé. No século XI, o cristianismo latino (assim chamado por ser a língua de sua escritura e seu ritual) havia penetrado quase todos os cantos do Ocidente.[c]

Uma figura central nesse processo foi o papa em Roma. A tradição cristã sustentava a existência de cinco grandes padres – ou patriarcas – da Igreja espalhados pelo mundo mediterrâneo: Roma, Constantinopla, Antioquia, Jerusalém e Alexandria. Mas o bispo de Roma – que veio a se chamar papa – quis alegar preeminência sobre todos esses. Ao longo da Idade Média, o papado lutou para não só fazer valer seus "direitos" ecumênicos (mundiais) como também para exercer autoridade significativa sobre a hierarquia eclesiástica do Império Romano do Ocidente. O declínio dos impérios Romano e Carolíngio rompeu arranjos de poder dentro da Igreja, assim como fizera dentro da esfera secular. Por toda a Europa, os bispos desfrutaram de séculos de autonomia e independência do controle papal, com a maioria dos prelados devendo lealdade a governantes políticos locais e a reis "sacros" do Ocidente. No começo do século XI, os papas se esforçavam para simplesmente fazer sentir sua vontade na Itália

---

[c] Os adeptos desse ramo latino do cristianismo – que hoje é mais conhecido como Igreja Católica Romana – são mais precisamente definidos em um ambiente medieval como os "latinos".

central, e nas décadas seguintes chegariam até mesmo a se verem exilados da própria Roma.

Não obstante, seria um papa romano a dar início às cruzadas ao incitar milhares de latinos a pegar em armas e lutar em nome do cristianismo. Esse feito memorável em si e por si mesmo serviu aumentar e reforçar o poder papal, mas a pregação dessas guerras santas não deveria ser considerada como um ato puramente cínico em interesse próprio. O papel do papado como progenitor das cruzadas de fato ajudou a consolidar a autoridade eclesiástica romana em regiões como a França e, para pelo menos começar, forças de cruzados pareciam obedecer aos comandos papais, funcionando quase como um exército papal. Mesmo assim, impulsos mais altruístas provavelmente também estavam em ação. Muitos papas medievais pareciam honestamente acreditar que tinham um dever maior, o de proteger o cristianismo. Eles também esperavam, na morte, responder a Deus pelo destino de todas as almas seus cuidados. Ao construir um ideal de guerra santa cristã – em que atos de violência santificada acabariam por ajudar a limpar a alma do guerreiro de pecados –, o papado estava abrindo um novo caminho de salvação para seu "rebanho" latino.

Na verdade, os cruzados eram apenas uma expressão de um impulso muito mais amplo de rejuvenescer a cristandade ocidental defendido por Roma a partir de meados do século XI no assim chamado "movimento reformador". No que dizia respeito ao papado, qualquer falha dentro da Igreja era apenas sintoma de um mal maior: a influência corruptora do mundo secular, longamente previsto pelas ligações entre o clero e os governantes. E a única maneira de quebrar o monopólio de imperadores e reis sobre a Igreja seria o papa finalmente concretizar seu direito a exercer a suprema autoridade por Deus concedida. O defensor mais extremo e ruidoso desses pontos de vista era o papa Gregório VII (1073-85). Ele acreditava ardentemente ter sido enviado à Terra para transformar a cristandade por meio do controle absoluto das questões eclesiásticas latinas. Para realizar sua ambição, estava disposto a aceitar quase qualquer modo disponível – mesmo o potencial uso de violência praticada por servos papais que ele chamava de "soldados de Cristo". Apesar de Gregório ter ido longe demais, rápido demais e terminado seu pontificado em ignominioso exílio no sul da Itália, seus passos ousados fizeram muito no sentido de avançar com as causas gêmeas que eram a reforma e o empoderamento papal, estabelecendo uma plataforma da qual um de seus sucessores (e antigo conselheiro), o papa Urbano II (1088-99), pôde instigar a Primeira Cruzada.[4]

A convocação de Urbano para a guerra santa encontrou público interessado em toda a Europa, em boa parte devido à atmosfera religiosa dominante no mundo latino. O cristianismo era uma fé aceita em todo o Ocidente (em contraste com a sociedade europeia moderna secularizada), e o século XI foi uma era profundamente espiritual. No cenário de então, a doutrina cristã afetava praticamente todas as facetas da vida humana – do nascimento à morte, do sono à alimentação, casamento e morte –, e os sinais da onipotência de Deus eram evidentes para todos, manifestos por meio de atos de curas "milagrosas", revelações divinas e presságios celestiais. Conceitos como amor, caridade, obrigação e tradição ajudaram, todos, a dar forma às atitudes medievais em se tratando de devoção, mas talvez a influência condicionadora mais importante tenha sido o medo; o mesmo que levou Fulco *Nerra* a acreditar que sua alma corria perigo. A Igreja Latina do século XI ensinava que cada ser humano enfrentaria um momento de julgamento – ou a "pesagem das almas", como se dizia. A pureza levaria à recompensa sempiterna da salvação celestial, mas o pecado resultaria em danação e em uma eternidade de tormento infernal. Para quem tinha fé naquela época, a realidade visceral de perigos envolvida era enfatizada por imagens violentas em pinturas e esculturas de inspiração religiosa retratando as punições a serem sofridas por quem fosse considerado impuro: pecadores deploráveis sendo estrangulados por demônios; os malditos sendo conduzidos como gado para as fogueiras do submundo por demônios assombrosos.

Sob essas circunstâncias, não era de surpreender que a maioria dos cristãos romanos medievais fosse obcecada por pecado, contaminação e a vida pós-morte. Uma expressão extrema do desejo premente de buscar uma vida perfeitamente cristã e invicta seria o monasticismo – em que monges e freiras faziam votos de pobreza, castidade e obediência, e viviam ordenados em comunidades, dedicando-se a Deus. No século XI, uma das formas mais populares de vida monástica era a adotada pelo monastério borgonhês de Cluny, no leste da França. O movimento cluniacense cresceu a ponto de ter duas mil casas subordinadas entre Inglaterra e Itália, além de exercer vasta influência, sobretudo em ajudar a desenvolver e promover os ideais do movimento reformador. Seu poder chegou ao ápice nos anos 1090, quando Urbano II, ele mesmo um ex-monge cluniacense, tornou-se papa.

É claro que as demandas do monaquismo estavam além do alcance da maioria dos cristãos medievais. E para os homens e mulheres comuns, o caminho para Deus estava repleto de perigos de transgressão, pois muitos aspectos aparentemente inevitáveis da existência humana – como orgulho, fome, luxúria e violência – eram considerados pecaminosos. Mas alguns "remédios" salvíficos interligados estavam disponíveis (apesar de suas estruturas teóricas e teológicas ainda precisarem ser inteiramente refinadas). Os latinos eram encorajados a confessar seus pecados a um sacerdote que, por sua vez, lhes determinaria uma penitência adequada, cuja consecução supostamente cancelaria os efeitos do pecado. O mais comum desses atos de contrição era a oração, além de dar esmolas aos pobres ou doações a casas religiosas. Fazer viagens devocionais purgativas (ou romarias) também era uma opção popular. Esses gestos meritórios também poderiam ser feitos fora do contexto formal de penitência, fosse como uma espécie de pagamento antecipado espiritual, ou para rogar ajuda a Deus ou a um de seus santos.

Fulco *Nerra* estava operando dentro dessa estrutura de crença estabelecida quando procurou a salvação no começo do século XI. Um dos remédios que ele buscou foi a fundação de um novo monastério dentro de seu condado de Anjou, em Beaulieu. De acordo com o testemunho do próprio Fulco, ele fez isso "para que os monges pudessem se juntar e rezar dia e noite pela redenção da (minha) alma". Essa ideia de aproveitar uma energia espiritual produzida em monastérios por meio de patrocínio secular ainda funcionava em 1091, quando o nobre do sul da França Gastão IV de Béarn decidiu doar algumas propriedades para a casa cluniacense de Sainte Foy, em Morlaàs, na Gasconha. Gastão era um apoiador confesso da reforma papal, fizera campanha contra os mouros da Ibéria em 1087 e acabaria sendo um cruzado. O documento legal com registro do seu presente a Morlaàs dizia que ele estava agindo em benefício de sua própria alma, da de sua esposa e dos seus filhos, e na esperança de que "Deus possa nos ajudar neste mundo em todas as nossas necessidades, e no futuro nos conceder a vida eterna". Na verdade, na época de Gastão a maioria dos nobres da cristandade ocidental tinha boas relações com os monastérios, o que teve efeito marcante sobre a velocidade com que o entusiasmo diante das cruzadas se espalhou pela Europa depois de 1095. Em parte isso se deu porque, ao se comprometerem com a guerra sagrada, os cavaleiros faziam um voto semelhante ao feito pelos monges – uma semelhança que parecia confirmar a eficácia de lutar por Deus. Mais importante ainda era o fato de que o papado, com suas ligações com casas religiosas como Cluny, contava com os monastérios do Império Romano do Ocidente para ajudar a espalhar e apoiar seu chamado às cruzadas.

O segundo caminho para a salvação abraçado por Fulco *Nerra* foi a romaria, e, considerando-se suas múltiplas viagens a Jerusalém, é evidente que ele achava esta forma de penitência devocional particularmente interessante – ele viria a escrever que a força limpadora de suas experiências o deixou "animado [e] exultante". Peregrinos latinos costumavam viajar para locais menos distantes – inclusive grandes centros como Roma e Santiago de Compostela (no noroeste da Espanha), e mesmo a templos e igrejas locais – mas a Cidade Sagrada estava rapidamente emergindo como o destino mais reverenciado. A santidade sem precedentes de Jerusalém também refletia a prática medieval comum de colocá-la como o centro dos mapas do mundo. Tudo isso teve efeito direto na reação exultante à pregação cruzada, pois a guerra santa foi apresentada como uma forma de romaria armada, cujo objetivo final era Jerusalém.[5]

Guerra e violência na Europa latina

Ao lançar as cruzadas, o papado procurava recrutar membros de um grupo social acima de todos os outros: os cavaleiros da Europa latina. A classe militar ainda estava em estágio inicial de desenvolvimento no século XI. A característica fundamental da cavalaria medieval era a capacidade de lutar como guerreiros montados.[d] Cavaleiros eram quase sempre

---

d   Pelos padrões modernos, os cavalos de guerra do século XI eram relativamente pequenos – de fato, eram cerca de trinta centímetros mais baixos, o que atualmente faria esses animais serem classificados, em sua maioria, quase como pôneis. Mesmo assim, eram extorsivamente caros e igualmente dispendiosos na manutenção (necessitando de comida, ferraduras e os cuidados de um dedicado escudeiro). A maioria dos cavaleiros também precisava de pelo menos uma montaria extra mais leve para viajar. Mas, por menores que fossem, esses cavalos ainda davam aos guerreiros enormes vantagens durante o combate corpo a corpo em termos de altura,

acompanhados por, pelo menos, quatro ou cinco seguidores que podiam atuar como serviçais – cuidar da montaria, das armas e do bem-estar de seu mestre – mas também capazes de lutar como soldados rasos. Quando começaram as cruzadas, esses homens não eram membros de exércitos de prontidão. A maioria dos cavaleiros eram guerreiros, mas também lordes ou vassalos, donos de terras e fazendeiros, todos esperando ceder para a guerra nada mais do que uns meses, e mesmo assim não lutavam em grupos estabelecidos e bem treinados.

As formas padrão de guerra na Europa do século XI, com as quais quase todos os cavaleiros estavam familiarizados, envolviam uma mistura de ataques de curta distância, embates – que costumavam ser bastante ásperos, caracterizados por caóticos combates corpo a corpo – e cercos de muitos dos castelos de madeira ou pedra que havia por todo o Ocidente. Poucos soldados latinos tinham experiência em batalhas campais de grande escala, pois esse tipo de conflito era incrivelmente imprevisível e, portanto, evitado de forma geral. Praticamente ninguém teria lutado em uma campanha prolongada do tipo envolvendo as cruzadas. Assim, as guerras santas no Oriente exigiriam dos guerreiros da cristandade latina adaptação e aprimoramento de suas habilidades marciais.[6]

Antes da pregação da Primeira Cruzada, a maioria dos cavaleiros latinos ainda considerava atos de derramamento de sangue como inerentemente pecaminosos, mas já estavam acostumados com a ideia de que, aos olhos de Deus, certas formas de guerra eram mais justificáveis do que outras. Também havia certo senso de que o papado poderia ser capaz até mesmo de punir a violência.

Inicialmente, o cristianismo mostra-se como uma fé pacífica. O Novo Testamento registra muitas ocasiões em que Jesus parecia rejeitar ou proibir a violência: desde seu aviso de que quem vivia de modo violento morreria de modo violento, até o Sermão da Montanha, que exortava a responder a uma agressão oferecendo a outra face. O Velho Testamento apenas se

---

alcance, velocidade e mobilidade. Enquanto equipamento, técnicas de luta e treinamento eram aprimorados, os cavaleiros montados em selas com estribos (portanto, mais estáveis) também desenvolveram a habilidade de carregar lanças e espadas pesadas debaixo do braço, além de aprender a cooperar em ataques em massa. A pura força bruta desse tipo de ataque podia derrotar um inimigo despreparado.

manifesta claramente quanto a essa questão em um dos Dez Mandamentos, que diz "não matarás". Ao longo do primeiro milênio da Era Cristã, entretanto, teólogos que ponderavam sobre a união entre sua fé e o império militar de Roma começaram a questionar se a escritura realmente oferecia uma condenação decisiva da guerra. O Velho Testamento certamente parecia inconclusivo, pois, em se tratando da história da luta desesperada dos hebreus por sobrevivência, descrevia uma série de guerras santas sancionadas por Deus. Isso sugeria que, à luz das circunstâncias, até mesmo guerras por vingança ou agressão poderiam ser permitidas, e no Novo Testamento Jesus dissera ter vindo trazer não a paz, mas a espada, e que ele usara um chicote de cordas para expulsar os vendilhões do templo.

O mais influente pensador do início do cristianismo a confrontar essas questões foi o bispo norte-africano Santo Agostinho de Hipona (354-430). Seu trabalho foi a pedra fundamental sobre a qual o papado acabou construindo a concepção de cruzada. Santo Agostinho argumentava que uma guerra poderia ser legal e justificável se a luta se desse sob estritas condições. Suas complexas teorias viriam a ser simplificadas para produzir apenas três pré-requisitos para uma Guerra Justa: proclamação por uma "autoridade legítima", como um rei ou um bispo; uma "causa justa", como a defesa contra ataque inimigo ou a recuperação de território perdido; e perseguição com "intenção correta", ou seja, da forma menos violenta possível. Esses três princípios agostinianos sublinhavam o ideal das cruzadas, mas estavam longe de defender a santificação da guerra.

No decorrer do começo da Idade Média, o trabalho de Agostinho foi julgado para demonstrar que certas formas inevitáveis de conflito militar seriam "justificáveis" e, portanto, aceitáveis aos olhos de Deus. Mas lutar nessas condições também era pecado. Em contrapartida, uma guerra santa cristã, como uma cruzada, era tida como uma guerra ativamente apoiada por Deus, capaz de trazer benefício espiritual para seus participantes. O abismo que separava essas duas formas de violência só foi superado após séculos de experimentação teológica esporádica e progressiva. Esse processo foi acelerado pelo entusiasmo marcial dos soberanos "bárbaros" pós-romanos da Europa. Sua cristianização injetou nova aceitação germânica da guerra e da vida de guerreiro na fé latina. Sob os carolíngios, por exemplo, os bispos começaram a patrocinar e até mesmo a dirigir campanhas brutais de conquista e conversão contra os pagãos do leste da Europa. E na virada do milênio havia ficado relativamente comum para o clero cristão abençoar armas e armaduras, bem como celebrar as vidas de vários "santos guerreiros".

Durante a primeira metade do século XI, o cristianismo latino começou a se inclinar em direção à aceitação da guerra santa. Nos primeiros estágios do movimento reformista, o papado começou a perceber a necessidade de um braço armado para reforçar seu plano e manifestar sua vontade. Isso levou uma sucessão de papas a patrocinar a guerra, chamando os apoiadores cristãos a defender a Igreja em troca de formas vagas de recompensa espiritual. A doutrina e a aplicação da violência sagrada só avançaram sob a mão de ferro do papa Gregório VII. Determinado a recrutar um exército papal obediente a Roma, ele se pôs a reinterpretar a tradição cristã. Teólogos passaram séculos caracterizando a batalha interna, espiritual, travada pelos devotos cristãos contra o pecado, como a "guerra de Cristo", e monges eram às vezes retratados como "soldados de Cristo". O papa distorceu essa ideia para adequá-la a seu propósito, proclamar que toda sociedade laica tinha uma obrigação acima de todas: defender a Igreja Latina como "soldados de Cristo" a ponto de ir à guerra de fato.

Logo no começo de seu pontificado, Gregório VII já fazia planos para uma grande empreitada militar que podia ser considerada como o primeiro protótipo real de cruzada. Em 1074, ele tentou começar uma guerra santa no leste do Mediterrâneo em socorro aos cristãos ortodoxos gregos de Bizâncio, que, segundo ele alegava, estavam sendo "chacinados diariamente feito gado" pelos muçulmanos da Ásia Menor. Aos latinos que lutavam nessa campanha foi prometida uma "recompensa celestial". Seu pomposo projeto fracassou: o número de recrutamentos foi muito restrito, talvez porque Gregório ousou anunciar sua intenção de liderar a campanha pessoalmente. A formulação do papa, de 1074, da conexão entre o serviço militar para Deus e a recompensa espiritual resultante ainda careciam de especificações. Mas no começo da década de 1080, ainda em pleno conflito com o imperador alemão, o papa deu um passo crítico rumo a deixar claras suas ideias. Ele escreveu que seus apoiadores deviam lutar contra o imperador e encarar "o perigo da batalha iminente para a remissão de todos os seus pecados". Isso parecia indicar que a participação nessa luta santa tinha o mesmo poder de purificar a alma que outras formas de penitência, pois, assim como em uma romaria, haveria perigo e dificuldade. Até então, essa explicação mais lógica para a qualidade redentora da violência santificada não pegou, mas abriu um importante precedente para os papas seguintes. Na verdade, o próprio caráter inovador da abordagem radical de Gregório à militarização da cristandade latina gerou condenação entre alguns contemporâneos, e ele foi acusado em círculos eclesiásticos de se envolver com práticas "novas e jamais ouvidas ao longo dos séculos". Sua visão era tão extrema que, quando seu sucessor, o papa Urbano II, ofereceu um ideal mais metódico e cuidadosamente construído, soou quase conservador em comparação ao seu antecessor, despertando assim menos críticas.[7]

Gregório VII havia levado a teologia latina à beira da guerra santa, alegando que o papa tinha o claro direito de convocar exércitos para lutar por Deus e pela Igreja Latina. Ele também se dedicou muito a embasar o conceito de violência santificada dentro de um âmbito penitencial – uma ideia que seria parte da essência das cruzadas. Não obstante, Gregório não podia ser considerado o principal arquiteto das cruzadas porque ele falhou claramente em construir uma concepção convincente e persuasiva da guerra santa que estavam em sintonia com os cristãos da Europa. Esse trabalho seria de Urbano II.

O MUNDO ISLÂMICO

A partir do fim do século XI, as cruzadas colocaram os francos europeus do Ocidente contra os muçulmanos do leste do Mediterrâneo. Isso não se deu porque essas guerras santas foram travadas, primeiramente e acima de tudo, para erradicar o Islã, ou mesmo para converter os muçulmanos à fé cristã. Na verdade, foi consequência do domínio do Islã sobre a Terra Santa e a sagrada cidade de Jerusalém.

A história inicial do Islã

De acordo com a tradição muçulmana, o Islã nasceu em 610 da Era Cristã, quando Maomé – um árabe de Meca (localizada na Arábia Saudita moderna), analfabeto, de quarenta anos – começou a vivenciar uma série de "revelações" de Alá (Deus) transmitida pelo Arcanjo Gabriel. Essas "revelações", consideradas palavras sagradas e imutáveis de Deus, foram posteriormente escritas, formando assim o Alcorão. Durante sua vida, Maomé se dedicou a converter os pagãos politeístas árabes de Meca e da região ao redor de Hijaz (na costa oeste da Península Arábica) para a fé monoteísta do Islã. A tarefa se mostrou nada fácil. Em 622, o Profeta foi forçado a fugir para a cidade próxima de Medina, uma jornada que servia como ponto de partida para o calendário muçulmano, e ele então travou uma guerra religiosa sangrenta e prolongada contra Meca, finalmente conquistando a cidade pouco antes de sua morte em 632.

A religião fundada por Maomé – Islã, que significa submissão à vontade de Deus – tinha raízes em comum com o judaísmo e o cristianismo. Durante sua vida, o Profeta entrou em contato com adeptos dessas duas fés na Arábia e no leste do Império Romano, e suas "revelações" foram apresentadas como o refinamento perfeito dessas religiões anteriores. Por esta razão, Maomé aceitou como profetas nomes como Moisés, Abraão e Jesus, e um *sura* (ou capítulo) inteiro do Alcorão é dedicado à Virgem Maria.

Durante a vida do próprio Maomé, e nos anos novos imediatamente após sua morte, as tribos em guerra da Península Árabe se uniram sob a bandeira do Islã. Por algumas das décadas seguintes, sob o comando de uma série de califas hábeis e ambiciosos (os sucessores do Profeta), esses árabes muçulmanos se mostraram uma força quase imbatível. Seu incrível dinamismo marcial associava-se a um apetite por conquista aparentemente insaciável – uma fome sustentada pela exigência explícita do Alcorão de que a fé muçulmana e o cumprimento da lei islâmica deveriam ser espalhados incessantemente por todo o mundo. A abordagem árabe-islâmica para a subjugação de novos territórios também abria caminho para o crescimento exponencial. Em vez de exigir submissão total e conversão imediata ao islamismo, os muçulmanos permitiam que os "Povos do Livro", como os judeus e os cristãos, seguissem professando sua fé em troca do pagamento de um imposto comunitário.

Em meados dos anos 630, exércitos ferozes de alta mobilidade compostos de árabes tribais a cavalo começaram a invadir a Península Arábica. Por volta de 650 já haviam alcançado um sucesso assustador. Com velocidade volátil, Palestina, Síria, Iraque, Irã e Egito foram absorvidos pelo novo Estado árabe-islâmico. Ao longo do século seguinte, o andamento da expansão diminuiu o ritmo estonteante, mas os ganhos inexoráveis continuaram – tanto que no século VIII o mundo muçulmano se expandiu do rio Indus e das fronteiras a leste da China para todo o norte da África, alcançando o Ocidente pela Espanha e pelo sul da França.

No contexto da história das cruzadas, a captura de Jerusalém em 638 pelos cristãos gregos de Bizâncio foi um ponto crítico do processo. Essa cidade ancestral veio a ser reverenciada como o terceiro local mais sagrado para o Islã, depois de Meca e Medina. Em parte isso se deve à herança abraâmica do Islã, mas também dependia da crença de que Maomé havia ascendido ao céu para Jerusalém durante sua "Jornada Noturna", e a tradição associada que identifica a Cidade Sagrada como foco do iminente Fim dos Tempos.

Houve época em que era popular sugerir que o mundo islâmico teria tomado conta de toda a Europa se os muçulmanos não tivessem sido frustrados em suas tentativas de tomar Constantinopla (em 673 e 718) e derrotados em 732, em Poitiers, pelo avô franco de Carlos Magno, Carlos Martel. Na verdade, por mais importantes que tenham sido esses reveses, uma fraqueza essencial e profundamente limitadora do Islã já havia mostrado sua face: facções religiosas intratáveis e amarguradas que levavam a uma divisão política. Em seu âmago, essas questões se ligavam a disputas sobre a legitimidade dos sucessores de Maomé do califado e sobre a interpretação de suas "revelações".

Os problemas já eram aparentes em 661, quando a linha estabelecida de "Califas Corretamente Orientados" terminou com a morte de Ali (primo e genro do Profeta) e a ascensão de um clã árabe rival – a dinastia omíada. Além de mudar a capital do mundo muçulmano para além dos confins da Arábia pela primeira vez, estabelecendo-a na grande metrópole síria de Damasco, os omíadas dominaram o Islã até meados do século VIII. De todo modo, esse mesmo período testemunhou o surgimento da Shi'a (literalmente o "partido" ou "facção"), uma seita de muçulmanos que alegavam que apenas os descendentes de Ali e de sua esposa Fátima (filha de Maomé) poderiam, por lei, assumir o título de califa. Os muçulmanos xiitas (*shi'itas*) inicialmente focavam em contestar a autoridade política da forma dominante do Islã, a sunita, mas com o tempo o cisma entre esses dois ramos da fé islâmica tomou um rumo doutrinário à medida que os xiitas desenvolviam abordagens distintas para a teologia e para os rituais e leis religiosas.⁸

A fragmentação do mundo muçulmano

Ao longo dos quatro séculos seguintes, as divisões entre o mundo muçulmano se aprofundaram e proliferaram. Em 750, um golpe sangrento acabou com o domínio omíada, o que impulsionou ao poder outra dinastia árabe: os abássidas. Os abássidas afastaram ainda mais o centro do Islã sunita de sua origem árabe, fundando uma espetacular nova capital no Iraque – a cidade de Bagdá, construída para este fim. Essa medida visionária teve consequências profundas e de longo alcance, espalhando na elite dominante sunita uma ampla reorientação política, cultural e econômica, que levou a um afastamento do Oriente próximo do Levante até a Mesopotâmia – o berço da antiga civilização entre os imponentes rios Eufrates e Tigre, às vezes chamado de Crescente Fértil – e um avanço mais ao leste, incluindo o Irã Persa e além. O patrocínio dos Abássidas também transformou Bagdá em um dos centros mundiais de aprendizado científico e filosófico. Pelos quinhentos anos seguintes, o coração do Islã sunita estaria não na Síria e nem na Terra Santa, mas no Iraque e no Irã.

Todavia, a ascensão abássida coincidiu com o gradual desmembramento e fragmentação do estado islâmico monolítico. Os comandantes muçulmanos da Ibéria (também chamados de mouros) se separaram para estabelecer um reino independente no século VIII; e, ao longo de décadas, a rixa entre os sunitas e os xiitas foi gradualmente se intensificando. Comunidades de muçulmanos xiitas continuavam habitando pacificamente, em sua maioria, junto aos sunitas ao longo do Oriente Próximo e Médio. Mas, em 969, uma facção particularmente assertiva dos xiitas tomou o controle do Norte da África. Defendidos por uma dinastia conhecida como fatímida (por se dizerem descendentes de Fátima, filha de Maomé), elegeram seu próprio califa xiita rival, rejeitando a autoridade sunita de Bagdá. Os fatímidas logo se mostraram adversários potentes – tomaram dos abássidas grandes áreas do Oriente Próximo, inclusive Jerusalém, Damasco e partes do sul da costa mediterrânea. No fim do século XI, os abássidas e os fatímidas eram inimigos declarados. Assim, na época das cruzadas, o Islã estava dilacerado por um cisma elementar – que impedia os comandantes muçulmanos do Egito e do Iraque de oferecer qualquer forma de coordenação ou resistência conjunta à invasão cristã.

Ao passo que a inimizade entre os sunitas e os xiitas se solidificava, encolheu o nível de influência exercido pelos califas abássidas e fatímidas. Eles continuavam sendo figuras simbólicas – em tese, mantinham controle absoluto sobre questões religiosas e políticas –, mas o poder executivo prático estava na mão de seus comandantes seculares: em Bagdá, o sultão; no Cairo, o vizir.

Uma mudança dramática mais adiante transformou o Islã no século XI – a chegada dos turcos. Por volta de 1040, começaram a aparecer no Oriente Médio esses homens tribais nômades da Ásia Central – conhecidos por seu caráter bélico e por seus guerreiros montados e ágeis no arco e flecha. Um clã específico, os seljúcidas (ou seljuques), das estepes da Rússia, depois do Mar de Aral, liderou a migração turca. Após adotar a religião muçulmana sunita, esses destemidos seljúcidas declararam sua inabalável fidelidade ao califa abássida e rapidamente suplantaram a já sedentária aristocracia árabe e persa do Irã e do Iraque. Em 1055, o senhor da guerra seljuque Tughurul Beg foi apontado como sultão de Bagdá, podendo assim requerer efetiva soberania do Islã sunita; papel esse que membros de sua dinastia tomariam como direito hereditário por mais de um século. O advento dos turcos seljúcidas deu unidade e uma segunda vida ao mundo abássida. Sua energia inesgotável e ferocidade marcial logo geraram ganhos arrebatadores. Ao sul, os fatímidas foram forçados a recuar e Damasco e Jerusalém foram reconquistadas; vitórias notáveis foram alcançadas contra os bizantinos na Ásia Menor; e um grupo seljuque dissidente acabou fundando seu próprio sultanato independente na região da Anatólia.

No começo da década de 1090, os seljúcidas haviam reformulado o mundo muçulmano sunita. Malik Shah, o hábil e ambicioso neto de Tughrul Beg, ocupava o posto de sultão e desfrutava, com o irmão Tutush, do comando relativamente seguro da Mesopotâmia e da maior parte do Levante. Esse novo Império Turco – às vezes chamado de Grande Sultanato Seljúcida de Bagdá – foi forjado através de implacável nepotismo e da apresentação dos xiitas como inimigos perigosos e hereges contra quem os sunitas precisavam se unir. Mas quando Malik Shah morreu em 1092, seu poderoso império rapidamente entrou em colapso em meio a crises de sucessão e o caos da guerra civil. Seus dois jovens filhos lutaram pelo cargo de sultão, contestando o controle do Iraque e do Irã; enquanto, na Síria, Tutush procurava tomar o poder para si. Quando ele morreu em 1095, seus filhos Ridwan e Duqaq também lutaram pela herança, e tomaram Alepo e Damasco, respectivamente. Ao mesmo tempo, as condições no Egito xiita estavam um pouco melhores. Lá também houve mudanças súbitas causadas pelas mortes abruptas do califa fatímida e seu vizir em 1094 e 1095, culminando com a ascensão de um novo vizir de origem armênia, al--Afdal. Assim, no mesmo ano em que começaram as cruzadas, o Islã sunita estava em um estado de turbulenta confusão e um novo comandante do Egito fatímida estava apenas começando a se firmar. Não há evidência que sugira que os cristãos do Ocidente sabiam dessas múltiplas dificuldades, de modo que não podiam ser consideradas um gatilho definitivo para que se desse a guerra santa. Mesmo assim, o *timing* da Primeira Cruzada foi notavelmente propício.[9]

O Oriente Próximo no fim do século XI

A desunião endêmica que afligiu o Islã no fim do século XI exerceria uma influência profunda ao longo das cruzadas. O mesmo quanto à peculiar composição cultural, étnica e política do Oriente Próximo. Na verdade, essa região – campo de batalha na guerra pela Terra Santa – não pode ser considerada um mundo muçulmano. A abordagem relativamente tolerante à subjugação adotada durante as primeiras conquistas árabe-islâmicas significava que, mesmo séculos depois, o Levante ainda continha uma proporção alta de cristãos nativos – de gregos e armênios a sírios e coptas –, bem como bolsões de população judaica. Comunidades de beduínos nômades também continuavam a percorrer largamente o Oriente de muçulmanos migrantes que falavam árabe, que tinham poucos aliados fixos. Esse padrão de colonização, longamente estabelecido, foi sobreposto por uma elite dominante muçulmana, numericamente inferior, feita de árabes, alguns persas e os recém-chegados turcos. O Oriente Próximo, portanto, era pouco mais do que um mosaico partido de disparate social e grupos devocionais, e não um reduto islâmico puro-sangue.

No que diz respeito aos principais poderes dentro do mundo muçulmano, o Levante também era algo como uma ressaca – não obstante o significado político e espiritual agregado a cidades como Jerusalém e Damasco. Para os sunitas seljúcidas e os fatímidas xiitas, os reais centros de autoridade governamental, a riqueza econômica e a identidade cultural eram Egito e Mesopotâmia. O Oriente Próximo era essencialmente uma zona de fronteira entre essas duas esferas dominantes, um mundo às vezes a ser contestado, mas quase sempre a ser tratado como preocupação secundária. Mesmo durante o reinado de Malik Shah, nenhum esforço plenamente determinado foi feito para subjugar e integrar a Síria no sultanato, além de boa parte da região ter sido deixada nas mãos de senhores da guerra semi-independentes ávidos por poder.

Portanto, quando os exércitos cruzados latinos chegaram ao Oriente Próximo essencialmente para lutar nas fronteiras, eles não estavam de fato invadindo o coração do Islã. Pelo contrário, estavam lutando pelo controle de uma terra que, em alguns aspectos, também era uma fronteira muçulmana, povoada por uma mistura de cristãos, judeus e muçulmanos que, ao longo dos séculos, se tornaram aculturados com a experiência de serem conquistados por forças externas, fossem os bizantinos e persas ou os árabes e turcos.

Jihad e guerra islâmica

No final do século XI, o estilo e a prática da guerra islâmica estavam em um estado de fluxo. O esteio tradicional de qualquer força de combate turca era o guerreiro de armadura leve, montando um cavalo pequeno e ligeiro, armado com um poderoso arco composto que permitia que ele atirasse saraivadas de flechas sem descer do cavalo. Ele também poderia estar equipado com uma lança leve, uma espada de um só gume, machado ou punhal. Essas tropas se baseavam na velocidade dos movimentos e na rápida capacidade de manobra para vencer seus oponentes.

Os turcos empregavam, classicamente, duas táticas básicas: o cerco – no qual o inimigo é cercado por todos os lados por uma massa rápida e revolta de guerreiros montados, e bombardeado por uma saraivada de flechas; e falso recuo – a técnica de fugir da batalha para que o inimigo se entregue a uma caçada febril cuja indisciplina leva ao rompimento da formação, deixando-o vulnerável a um contra-ataque súbito. Esse estilo de combate ainda era apreciado pelos seljúcidas da Ásia Menor, mas os turcos da Síria e da Palestina haviam começado a adotar uma ampla gama de práticas militares persas e árabes, acostumando-se ao uso de lanceiros montados e mais fortemente armados e de infantarias maiores, e às necessidades de um ataque bélico. As formas mais comuns de guerra no Oriente Próximo eram, de longe, invasão, confronto e pequenas batalhas letais por poder, terra e riquezas.[10] Em tese, contudo, as tropas muçulmanas podiam ser chamadas para lutar por uma causa supostamente maior – a de uma guerra santa.

Desde seus primórdios, o Islã adotou o belicismo. O próprio Maomé executou uma série de campanhas militares enquanto subjugava Meca, e a explosiva expansão do mundo muçulmano durante os séculos VII e VIII foi estimulada por uma obrigação devocional expressa de espalhar a lei islâmica. A união de fé e violência dentro da religião muçulmana, portanto, foi mais rápida e natural do que a que se desenvolveu gradualmente no cristianismo latino.

Em uma tentativa de definir o papel da guerra no Islã, estudiosos muçulmanos apelaram ao Alcorão e aos *hadith*, as "tradições" ou ditos associados a Maomé. Esses textos ofereciam numerosos exemplos de quando o Profeta defendeu "lutar no caminho de Deus". No começo do período islâmico havia uma discussão sobre o que era realmente essa "luta" ou *jihad* (literalmente "lutar, se esforçar ou se empenhar"), e o debate continua até hoje. Alguns, como os místicos muçulmanos conhecidos como sufis, alegam que a *jihad* mais importante, ou "*jihad* maior", era a batalha interna contra o pecado e o erro. Mas no fim do século VIII, os muçulmanos sunitas já haviam começado a desenvolver uma teoria formal em defesa do que às vezes poderia ser chamado de "*jihad* menor": "pegar em armas" para travar uma guerra física contra os infiéis. Para justificar isso, citavam provas canônicas, como os versos da nona *sura* do Alcorão, inclusive "Combata os politeístas totalmente como eles lhes combatem totalmente", e um *hadith* como a seguinte declaração de Maomé: "Uma campanha militar matinal ou vespertina no caminho de Deus é melhor do que o mundo e o que ele contém, e prosseguir na linha de batalha é melhor do que rezar por sessenta anos".

Tratados legais desse período inicial declaravam que a *jihad* era uma obrigação da qual ficavam incumbidos todos os muçulmanos fisicamente capazes, apesar de a obrigação ser considerada mais comunitária do que individual, e a responsabilidade pela liderança cabia, em última instância, ao califa. Fazendo referência a *hadiths* como "Os portões do paraíso estão sob a sombra das espadas", esses tratados também afirmavam que quem estivesse lutando a *jihad* também teriam acesso ao paraíso celestial. Juristas postularam uma divisão formal em duas esferas – o *Dar as-Islam*, ou "Casa da Paz" (a área dentro da qual as leis e regras muçulmanas prevaleciam); e o *Dar al-harb*, ou "Casa da Guerra" (o resto do mundo). O propósito expresso da *jihad* era empreender uma guerra santa incessante no *Dar al-harb* até a humanidade inteira aceitar o Islã, ou se submeter ao controle islâmico. Não eram permitidos tratados de paz com inimigos não muçulmanos, e qualquer trégua temporária não podia demorar mais do que dez anos.

Com o passar dos séculos, o ímpeto expansionista contido nessa teoria clássica da *jihad* foi gradualmente desgastado. Árabes tribais começaram a se acomodar em estilos de vida mais sedentários e a fazer negócio com não muçulmanos, como os bizantinos. As guerras santas contra grupos como os cristãos continuavam, mas foram se tornando cada vez mais esporádicas e costumavam ser promovidas e empreendidas por emires muçulmanas, sem endosso do califa. No século XI, os comandantes da Bagdá sunita estavam bem mais interessados em usar a *jihad* para promover a ortodoxia islâmica lutando contra os xiitas "hereges" do que em guerras santas contra a cristandade. A sugestão de que o Islã deveria se engajar em uma luta sem fim para alargar suas fronteiras e subjugar os não muçulmanos não tinha muito apoio, e o mesmo quanto à ideia de unificação da fé islâmica e de seus territórios. Quando as cruzadas cristãs começaram, o impulso ideológico da guerra devocional jazia então dormente dentro do corpo do Islã, mas o contexto essencial continuava em seu lugar.[11]

O Islã e a Europa cristã pré-cruzadas

Uma pergunta pesada e vexatória permanece: o mundo muçulmano provocou as cruzadas ou as guerras santas latinas foram atos de agressão? Esse questionamento fundamental requer uma avaliação de até onde o Ocidente cristão representava uma ameaça ao Islã no século XI. Em certo sentido, os muçulmanos estavam pressionando as fronteiras da Europa. A leste, a Ásia Menor servira por gerações como campo de batalha entre o Islã e o Império Bizantino; e exércitos muçulmanos fizeram repetidas tentativas de conquistar a maior metrópole da cristandade: Constantinopla. A sudoeste, os muçulmanos continuavam a comandar vastas áreas da Península Ibérica e podiam um dia seguir para o norte outra vez, para além dos Pirineus. Contudo, na realidade, a Europa não estava nem um pouco engajada em uma batalha urgente por sobrevivência nas vésperas das cruzadas. Não havia a ameaça de um ataque pan-mediterrâneo coerente, pois, apesar dos mouros na Ibéria e os turcos na Ásia Menor compartilharem uma herança religiosa em comum, eles jamais se uniram com esse propósito.

Na verdade, após o primeiro pico contundente de expansão islâmica, a interação entre os regimes cristão e muçulmano foi relativamente banal; caracterizada – bem como a interação entre quaisquer rivais em potencial – por períodos de conflito e períodos de coexistência. Há pouca ou nenhuma evidência sugerindo que essas duas religiões tenham sido de alguma forma presas em algum inevitável e perpétuo "choque de civilizações". Do século X em diante, por exemplo, os islâmicos e os bizantinos desenvolveram um respeito mútuo tenso, às vezes litigioso, mas sua relação não era mais repleta de conflito do que a relação entre os gregos e seus vizinhos eslavos ou latinos a oeste.

Com isso não se está sugerindo que o mundo foi tomado por utópica paz e harmonia. Os bizantinos estavam felizes demais para explorar qualquer sinal de fraqueza dos muçulmanos. Assim, em 969, enquanto o mundo abássida se fragmentava, tropas gregas avançavam ao leste, retomando boa parte da Ásia Menor e recuperando a cidade estrategicamente significativa de Antioquia. E com o advento dos turcos seljúcidas, Bizâncio enfrentou renovada pressão militar. Em 1071, os seljúcidas destruíram um exército imperial na Batalha de Manzikert (no sudeste da Ásia Menor), e apesar de historiadores não considerarem mais o episódio como um revés inteiramente cataclísmico para os gregos, mesmo assim foi um doloroso baque que pressagiou vitórias notáveis dos turcos em Anatólia. Quinze anos depois, os seljúcidas também recuperaram a Antioquia.

Enquanto isso, na Espanha e em Portugal, os cristãos haviam começado a reconquistar território dos mouros, e em 1085 os latinos ibéricos alcançaram uma vitória profundamente simbólica ao ganhar o controle de Toledo, a antiga capital cristã da Espanha. Não obstante, a essa altura a gradual expansão latina rumo ao sul parece ter sido motivada por estímulos políticos e econômicos, e não por ideologia religiosa. O conflito na Ibéria realmente ficou mais inflamado após 1086, quando uma seita islâmica fanática conhecida como almorávida invadiu a Espanha a partir do norte da África, tomando o poder dos mouros nativos sobreviventes na península. Esse novo regime revigorou a resistência muçulmana, marcando uma série de vitórias militares notáveis contra os cristãos do norte. Mas a agressão dos almorávidas não pode realmente ter acendido a gana pelas cruzadas, pois as guerras santas latinas iniciadas no fim do século XI eram voltadas contra a região do Levante, não contra a Ibéria.

Então o que acendeu a faísca da guerra entre cristãos e muçulmanos na Terra Santa? Em determinado sentido, as cruzadas foram uma reação a um ato de agressão islâmica – a conquista pelos muçulmanos da sagrada Jerusalém. Porém, isso ocorreu em 638 e, portanto, não poderia ser considerada uma ofensa recente. No começo do século XI, a Igreja do Santo Sepulcro, que supostamente incluía o local da crucificação e ressurreição de Cristo, fora parcialmente demolida pelo volátil governante fatímida Hakim (ou Aléqueme), que entrou para a história como o "califa louco". Sua subsequente perseguição à população cristã local durou mais de uma década, terminando apenas quando ele se declarou um deus vivo e se voltou contra os próprios súditos muçulmanos. As tensões também estavam aparentemente altas em 1027, quando os muçulmanos teriam atirado pedras no complexo do Santo Sepulcro. Também nessa época os cristãos romanos que tentavam fazer romarias devocionais ao Levante (e ainda havia muitos deles) relataram dificuldades em visitar os Lugares Santos, e espalharam histórias de repressão na região ao leste na Palestina Islâmica.

Dois relatos árabes oferecem importantes (mas divergentes) reflexões sobre essas questões. Ibn al-'Arabi, um peregrino muçulmano espanhol que partira rumo à Terra Santa em 1092, descreveu Jerusalém como um centro pujante de devoção religiosa para muçulmanos, cristãos e judeus igualmente. Ele percebeu que os cristãos tinham permissão para manter suas igrejas em bom estado de conservação, e não deu a entender que peregrinos – fossem gregos ou latinos – estariam sofrendo abusos ou interferências. Já o cronista alepino al-'Azimi, de meados do século XII, escreveu isso: "As pessoas dos portos da Síria aconselham os peregrinos francos e bizantinos a não irem para Jerusalém. Os sobreviventes espalharam essas notícias em seu país. E assim se prepararam para uma invasão militar". Era nítido que al-'Azimi pelo menos acreditava que os ataques muçulmanos desencadearam as cruzadas.[12]

De fato, tomando por base todas as provas sobreviventes, os dois pontos de vista podem ser defendidos. Em 1095 já fazia séculos que muçulmanos e cristãos guerreavam uns contra os outros; não importa quão longe no passado, o Islã sem dúvida tomou territórios cristãos, inclusive Jerusalém; e cristãos moradores ou visitantes da Terra Santa devem ter sido perseguidos. Por outro lado, o contexto imediato no qual as cruzadas aconteceram não dava dicas óbvias de que uma guerra religiosa gigantesca e transnacional era iminente ou mesmo inevitável. O Islã não estava prestes a iniciar uma grande ofensiva contra o Ocidente. Tampouco os líderes muçulmanos do Oriente Próximo estavam envolvidos em atos semelhantes a limpezas étnicas, e nem sujeitando minorias religiosas a uma opressão total e contínua. Talvez tenha havido um pouco de amizade de vez em quando entre vizinhos cristãos e muçulmanos, e talvez houvesse rompantes de intolerância no Levante, mas havia, de verdade, pouca diferença entre isso e as demais batalhas endêmicas políticas, militares e sociais comuns à época.

NOTAS

1   Durante e mesmo após a Idade Média, cruzadas foram lutadas em outros palcos de conflito, mas no auge de sua popularidade e significado – entre 1095 e 1291 – as campanhas cristãs objetivavam basicamente o Oriente Próximo. Como consequência, este livro se concentra nos eventos na Terra Santa. Uma interpretação mais ampla da extensão geográfica da Terra Santa foi adotada. Por uma definição, esta região poderia equivaler aproximadamente às fronteiras à moderna Israel, inclusive as áreas sob a autoridade palestina. Mas na era medieval, os cristãos europeus ocidentais amiúde tinham uma vaga noção definida de "Terra Santa", por vezes incluindo outros sítios significativos em termos de devoção – tais como a cidade Antioquia (hoje no sudeste da Turquia) – em seus confins. Na época das cruzadas, contemporâneos muçulmanos também tendiam a ser referir especificamente à *al-Quds* (a "Cidade Santa" e, de maneira mais genérica, a uma área conhecida como *Bilad al-Sham* (a Costa). As guerras pela Terra Santa examinadas neste livro, portanto, relatam conflitos que ultrapassam os modernos limites de Israel, Jordânia, Líbano e Síria, bem como partes da Turquia e Egito. Em tempos recentes, tornou-se comum se referir, num sentido muito abrangente, a esta região como o Oriente Médio, mas isto é, na verdade, este termo é um tanto inexato. Estritamente falando, os territórios costeiros são o Oriente Próximo, com o Oriente Médio para além do rio Eufrates. Esta obra também faz uso do termo "o Levante" para descrever as terras mediterrâneas orientais – uma palavra derivada do francês *lever* (levantar-se), e relacionada com o aparecimento diário do sol no leste. Para informações sobre os recentes avanços dos estudos cruzados, ver: G. Constable, 'The Historiography of the Crusades', *The Crusades from the Perspective of Byzantium and the Muslim World*, ed. A. E. Laiou and R. P. Mottahedeh (Washington, DC, 2001), pp. 1-22; M. Balard, *Croisades et Orient Latin, XIe-XIVe siècle* (Paris, 2001); R. Ellenblum, *Crusader Castles and Modern Histories* (Cambridge, 2007); C. Hillenbrand, *The Crusades: Islamic Perspectives* (Edinburgh, 1999); N. Housley, *Contesting the Crusades* (Oxford, 2006); N. Housley, *Fighting for the Cross* (New Haven e Londres, 2008); A. Jotischky, *Crusading and the Crusader States* (Harlow, 2004); H. E. Mayer, *The Crusades*, trans. J. Gillingham, 2ª ed. (Oxford, 1988); T. F. Madden, *The New Concise History of the Crusades* (Lanham, 2006); N. Jaspert, *The Crusades* (Nova York e Londres, 2006); J. Richard, *The Crusades, c. 1071-c. 1291*, trans. J. Birrell (Cambridge, 1999); J. S. C. Riley-Smith (ed.), *The Oxford Illustrated History of the Crusades* (Oxford, 1995); J. S. C. Riley Smith, *The Crusades. A History*, 2nd edn (Londres e Nova York, 2005); C. J. Tyerman, *God's War: A New History of the Crusades* (Londres, 2006).

2   B. S. Bachrach, 'The pilgrimages of Fulco Nerra, count of the Angevins, 987-1040', *Religion, Culture and Society in the Early Middle Ages*, ed. T. F. X. Noble and J. J. Contreni (Kalamazoo, 1987), pp. 205-17.

3   Raoul Glaber, *Opera*, ed. J. France, N. Bulst, P. Reynolds (Oxford, 1989), p. 192. Sobre o Período Antigo Tardio, a conversão da Europa e os inícios do cristianismo, ver: R. Fletcher, *The Conversion of Europe* (Nova York, 1998); P. Brown, *The Rise of Western Christendom* (Oxford, 1996); B. Hamilton, *The Christian World of the Middle Ages* (Stroud, 2003). Sobre os francos, ver: E. James, *The Franks* (Oxford, 1988). Sobre o uso do termo "francos" no contexto cruzado, ver: J. S. C. Riley-Smith, *The First Crusaders, 1095-1131* (Cambridge, 1997), pp. 64-5. Sobre a era carolíngia e os primórdios do mundo medieval, ver: R. McKitterick, *The Frankish Kingdoms under the Carolingians 751-987* (Londres, 1983); R. McKitterick, *The Early Middle Ages: Europe 400-1000* (2001); C. Wickham, *Framing the Early Middle Ages: Europe and the Mediterranean, 400-800* (Oxford, 2005).

4   Os papas argumentavam que, como o principal apóstolo de Cristo, são Pedro tinha sido o primeiro prelado de Roma, seus sucessores deveriam ser reconhecidos não só como chefe da Igreja Latina no Ocidente, mas também como o supremo poder espiritual em todo o mundo cristão. Não é de surpreender que esta visão não tenha sido bem aceita pelo patriarca greco-ortodoxo em Constantinopla, e uma disputa sobre o princípio e a autoridade mais ampla causou uma quebra declarada, ou "cisma" entre esses dois ramos do cristianismo "europeu" em 1054. Sobre o papado medieval, o papa Gregório VII e o movimento de reforma papal, ver: W. Ullmann, *A Short History of the Papacy in the Middle Ages* (Londres, 1974); C. Morris, *The Papal Monarchy: The Western Church from 1050 to 1250* (Oxford, 1989); H. E. J. Cowdrey, *Pope Gregory VII, 1073-1085* (Oxford, 1998); U.-R. Blumenthal, *The Investiture Controversy: Church and Monarchy from the Ninth to the Twelfth Century* (Philadelphia, 1988).

5   Raoul Glaber, *Opera*, p. 60; M. G. Bull, *Knightly Piety and the Lay Response to the First Crusade: The Limousin and Gascony, c. 970-c. 1130* (Oxford, 1993), p. 158. Sobre a religião, monasticismo e peregrinação, ver M.G. Bull. 'Origins', *The Oxford Illustrated History of the Crusades*, ed. J. S. C. Riley-Smith (Oxford, 1995), pp. 13-33; B. Hamilton, *Religion in the Medieval West* (Londres, 1986); C. H. Lawrence, *Medieval Monasticism: Forms of Religious Life in Western Europe in the Middle Ages*, 3rd edn (Londres, 2001); J. Sumption, *Pilgrimage: An Image of Mediaeval Religion* (Londres, 1975); B. Ward, *Miracles and the Medieval Mind*, 2nd edn (Londres, 1987); D. Webb, *Medieval European Pilgrimage, c. 700-c.1500* (Londres, 2002); C. Morris, *The Sepulchre of Christ and the Medieval West: From the Beginning to 1600* (Oxford, 2005).

6   Os pesados custos da manutenção de um cavaleiro, ou *miles* (pl. *milites*) – particularmente os relacionados com equipamento e treinamento – tornavam difícil que homens menos abastados operassem nas *milites*, embora o grupo não fosse domínio exclusivo da nobreza. Praticamente todos os homens da aristocracia leiga deviam assumir os deveres de um cavaleiro, e os nobres mais ricos usavam o serviço

de diversos *milites* como vassalos, sob contrato para proteger e cultivar uma parcela de terra em troca do serviço militar. Esta convenção tornou possível que indivíduos mais pobres adquirissem o status de *miles*, adquirindo as ferramentas do ofício por meio do emprego. Sobre a cavalaria medieval e as guerras europeias, ver: J. France, *Western Warfare in the Age of the Crusades* (Londres, 1999).

7 I. S. Robinson, 'Gregory VII and the Soldiers of Christ', *History*, vol. 8 (1973), pp. 169-92; F. H. Russell, *The Just War in the Middle Ages* (Cambridge, 1975); T. Asbridge, *The First Crusade: A New History* (Londres, 2004), pp. 21-31.

8 Com o tempo, o Islã sunita desenvolveu quatro "escolas" distintas de direito, ou *madhabs:* a Hanafi, a Shafi'i, a Hanbali e a Malaki. Durante o período das cruzadas, essas várias "escolas" ganharam popularidade e o apoio de diferentes grupos em diferentes regiões. A cidade síria de Damasco era um centro Hanbali, por exemplo, enquanto a dinastia turca dos zênguidas tendia a apoiar a Hanafi, e os aiúbidas curdos, a Shafi'i.

9 Sobre a história do Islã medieval, o surgimento dos seljúcidas e o Oriente Próximo às vésperas da Primeira Cruzada, ver: H. Kennedy, *The Prophet and the Age of the Caliphates: The Islamic Near East from the Sixth to the Eleventh Century* (Londres, 1986); J. Berkey, *The Formation of Islam: Religion and Society in the Near East, 600-800* (Cambridge, 2003); C. Cahen, 'The Turkish invasion: The Selchükids', *A History of the Crusades*, ed. K. M. Setton, vol. 1, 2nd ed. (Madison, 1969), pp. 135-76; Hillenbrand, *The Crusades: Islamic Perspectives*, pp. 33-50; C. Cahen, *Introduction à l'histoire du monde musulman médiéval, Initiation à l'Islam*, vol. 1 (Paris, 1982); C. Cahen, *Orient et Occident aux temps des croisades* (Paris, 1983); P. M. Holt, *The Age of the Crusades: The Near East from the Eleventh Century to 1517* (Londres, 1986), pp. 1-22; T. el-Azhari, *The Saljuqs of Syria during the Crusades 463-549 A.H./1070-1154 A.D.* (Berlim, 1997); S. Zakkar, *The Emirate of Alepo 1004-1094* (Beirute, 1971); J.-M. Mouton, *Damas et as principauté sous les Saljoukides et les Bourides 468-549/1076-1154* (Cairo, 1994); M. Yared-Riachi, *La politique extérieure de la principauté de Damas, 468-549 A.H./1076-1154 A.D.* (Damascus, 1997); A. F. Sayyid, *Les Fatimides en Égypte* (Cairo, 1992).

10 A unidade básica de construção dos exércitos muçulmanos era a *'askar* – a comitiva militar pessoal de um senhor ou emir. Essas forças eram dominadas pelos altamente treinados e profissionais "soldados-escravos" (que passaram a ser chamados de *mamelucos*), inicialmente recrutados entre os povos turcos da Ásia central e das estepes da Rússia, porém mais tarde suplementados por armênios, georgianos, gregos e até eslavos europeus orientais. No mundo seljúcida, grandes exércitos eram comumente recrutados pelo uso do sistema *'iqta* – pelo qual em emir tinha o direito à renda de uma parcela da terra em troca da obrigação de abastecer seu *'askar* para guerras e campanhas. Esta prática foi posteriormente adotada no Egito. Sobre as guerras islâmicas medievais ver: H. Kennedy, *The Armies of the Caliph* (Londres, 2001); Hillenbrand, *The Crusades: Islamic Perspectives*, pp. 431-587.

11 Sobre a *jihad* islâmica na Idade Média, ver: E. Sivan, *L'Islam et la Croisade* (Paris, 1968); Hillenbrand, *The Crusades: Islamic Perspectives*, pp. 89-103; B. Z. Kedar, 'Croisade et

jihad vus par l'ennemi: une étude des perceptions mutuelles des motivations', *Autour de la Première Croisade*, ed. M. Balard (Paris, 1996), pp. 345-58; H. Dajani-Shakeel and R. A. Mossier (eds), *The Jihad and its Times* (Ann Arbor, 1991); R. Firestone, *Jihad. The Origins of Holy War in Islam* (Oxford, 2000); D. Cook, *Understanding Jihad* (Berkeley, 2005).

12 Al-Azimi, 'La chronique abrégée d'al-Azimi', ed. C. Cahen, *Journal Asiatique*, vol. 230 (1938), p. 369; J. Drory, 'Some observations during a visit to Palestine by Ibn al-'Arabi of Seville in 1092-1095', *Crusades*, vol. 3 (2004), pp. 101-24; Hillenbrand, *The Crusades: Islamic Perspectives*, pp. 48-50.

I.
A CHEGADA DOS CRUZADOS

1.
A CHEGADA DOS CRUZADOS

I. GUERRA SANTA, TERRA SANTA

No final de uma manhã de novembro do ano 1095, o papa Urbano II fez um sermão que iria transformar a história da Europa. Suas palavras inflamadas hipnotizaram a multidão que se juntara em um pequeno campo nos arredores da cidade de Clermont, no sul da França, e nos meses seguintes sua mensagem reverberou pelo Ocidente, acendendo uma amargurada guerra santa que viria a durar séculos.

Urbano declarou que o cristianismo estava correndo perigo e sendo ameaçado de invasão e aterrorizante opressão. A Cidade Sagrada de Jerusalém estava agora nas mãos de muçulmanos – "um povo... alheio a Deus", dado a torturas rituais e indizíveis profanações. Ele convocou a Europa latina para se levantar contra esse inimigo supostamente selvagem enquanto "soldados de Cristo", reivindicando a Terra Santa e libertando os cristãos do leste da "servidão". Atraídos pela promessa de que essa batalha virtuosa limparia o pecado de suas almas, dezenas de milhares de homens, mulheres e crianças saíram do oeste em marcha para lutar contra o mundo muçulmano na Primeira Cruzada.[1]

O PAPA URBANO E A IDEIA DAS CRUZADAS

Urbano II devia ter seus sessenta anos quando deu início à Primeira Cruzada em 1095. Filho de nobres do norte da França e ex-clérigo e monge cluniacense, tornou-se papa em 1088, em uma época em que o papado estava se recuperando de uma rancorosa e prolongada luta por poder com o imperador da Alemanha, e estava à beira de uma derrocada. A postura de Urbano era tão alarmante que ele levou seis anos para retomar o controle do Palácio de Latrão, em Roma, tradicional assento de autoridade papal.

Ainda assim, por meio de cautelosa diplomacia e a adoção de políticas de reforma moderada em vez de confrontante, o novo papa supervisionou um gradual renascimento do prestígio e da influência de seu cargo. Esse vagaroso rejuvenescimento começara em 1095, mas o teórico direito papal de agir como chefe da Igreja Latina e soberano espiritual de todo cristão do Oeste Europeu ainda estava longe de ser concretizado.

A ideia da Primeira Cruzada nasceu contra esse cenário de recuperação parcial. Em março de 1095, Urbano estava presidindo um conselho eclesiástico no norte da Itália, na cidade de Piacenza, quando chegaram embaixadores de Bizâncio. Eles traziam um apelo do imperador grego Aleixo I Comneno, um governante cujo comando astuto e assertivo conteve décadas de declínio interno do grande império oriental. Programas de impostos exorbitantes reabasteceram o tesouro imperial em Constantinopla, restaurando a aura de autoridade e munificência de Bizâncio, mas Aleixo ainda enfrentava uma série de inimigos estrangeiros, incluindo os turcos muçulmanos da Ásia Menor. Ele então despachou uma petição de ajuda militar ao conselho em Piacenza, urgindo Urbano a enviar um destacamento de tropas latinas para ajudar a afugentar a ameaça representada pelo Islã. Aleixo provavelmente esperava pouco mais do que uma força simbólica de mercenários francos, um pequeno exército que pudesse ser rapidamente formado e dirigido. Na verdade, nos últimos dois anos de sua vida, seu império seria praticamente invadido por uma maré de seres humanos.

Pelo jeito, o pedido do imperador grego estava em sintonia com concepções que já estavam sendo fermentadas na mente de Urbano II, tanto que na primavera e no verão a seguir o papa refinou e desenvolveu essas ideias, visualizando uma empreitada que podia cumprir uma gama mais vasta de ambições: uma forma de romaria armada para o leste, o que é agora chamado de "cruzada". Historiadores eventualmente caracterizariam Urbano como o instigador involuntário desse memorável empreendimento, sugerindo que ele esperava que apenas uns cento e poucos cavaleiros atendessem seu chamado às armas. Mas na realidade ele parece ter tido uma percepção bem perspicaz do alcance e da amplitude potencial da empreitada, além de ter lançado as bases do recrutamento generalizado com alguma assiduidade.

Urbano reconheceu que uma expedição para ajudar Bizâncio era uma chance não só de defender a cristandade oriental e melhorar as relações com a Igreja grega, mas também de reafirmar e expandir a autoridade de Roma – além de controlar e redirecionar o belicismo destrutivo dos cristãos residentes no Império Romano do Oriente. Esse grande esquema seria lançado como parte de uma campanha maior para estender o alcance da influência papal para além dos confins da Itália central, adentrando o local de nascimento e moradia de Urbano, a França. A partir de julho de 1095, ele começou uma extensiva turnê de pregação no norte dos Alpes – a primeira de um papa em quase meio século –, e anunciava que um grande conselho da Igreja seria realizado em novembro em Clermont, na região de Auvergne, no centro da França. Durante o verão e o começo do outono, Urbano visitou uma série de monastérios proeminentes, inclusive sua própria antiga casa em Cluny, cultivando apoio para Roma e preparando o terreno para a revelação de sua ideia de entrar em uma "cruzada". Ele também preparou dois homens que viriam a desempenhar papéis fundamentais na expedição vindoura: Ademar, bispo de Le Puy, liderança eclesiástica provençal e ardente defensor do papado; e o conde Raimundo de Toulouse, o nobre mais rico e poderoso do sul da França.

Em novembro, o papa estava pronto para revelar seus planos. Doze arcebispos, oitenta bispos e noventa abades se reuniram em Clermont para a maior assembleia clerical do seu pontificado. E, após nove dias de debate eclesiástico geral, o papa anunciou sua intenção de fazer um sermão especial. Em 27 de novembro, centenas de espectadores lotaram um campo nos arredores da cidade para ouvi-lo falar.[2]

O sermão de Clermont

Em Clermont, Urbano convocou o Império Romano do Ocidente a pegar em armas para alcançar dois objetivos relacionados entre si. Primeiro, ele proclamou a necessidade de proteger as fronteiras da cristandade em Bizâncio, enfatizando o laço de fraternidade cristã compartilhado com os gregos e a suposta iminente ameaça de invasão muçulmana. De acordo com um relato, ele urgiu ao público que corresse "o quanto antes para ajudar seus irmãos que vivem no leste, pois os turcos [...] tomaram tudo dos cristãos até o Mar Mediterrâneo". Mas o esforço épico do qual falava o papa Urbano não terminou com a provisão de ajuda militar a Constantinopla. Em um visionário golpe de mestre, ele na verdade expandiu seu apelo ao incluir um alvo adicional, que sem dúvida alvoroçaria os corações francos. Ao fundir os ideais de guerra e romaria, ele desvelava uma expedição que forjaria um caminho para a própria Terra Santa, e nela retomar a posse de Jerusalém, o lugar mais santo do cosmos cristão. Urbano evocou a santidade incomparável dessa cidade, esse "umbigo do mundo", dizendo que a cidade era "a [fonte] de todo ensinamento cristão", o lugar "onde Cristo viveu e sofreu".[3]

Apesar da indubitável ressonância desses objetivos gêmeos, o papa, assim como qualquer comandante recrutando para a guerra, ainda precisava agregar à sua causa uma aura de legítima justificação e de energia inflamada, e foi onde ele encontrou um problema. A história recente não oferecia nenhum evento óbvio que servisse de foco e inspiração para gerar uma onda de entusiasmo por vingança. Sim, Jerusalém era comandada por muçulmanos, mas isso era fato desde o século VIII. E, se por um lado Bizâncio podia estar enfrentado uma ameaça mais profunda de agressão turca, a cristandade do Ocidente não estava prestes a ser invadida ou aniquilada pelas mãos do Islã do Oriente Próximo. Sem nenhuma atrocidade escandalosa ou ameaça imediata para usar, Urbano optou por cultivar um senso de urgência e incitar uma fome de guerra ao demonizar o inimigo da "cruzada" que propunha.

Os muçulmanos foram então retratados como selvagens subumanos decididos a abusar barbaramente dos cristãos. Urbano descreveu como os turcos "estavam massacrando e capturando muitos [gregos], destruindo igrejas e devastando o reino de Deus". Ele também garantiu que os peregrinos cristãos para a Terra Santa estavam sendo abusados e explorados pelos muçulmanos, com os ricos tendo suas fortunas dilapidadas por impostos ilegais e os pobres sendo submetidos a tortura:

> A crueldade desses ímpios é tamanha que, pensando que os coitados haviam comido ouro ou prata, colocam escamônia em sua bebida e os forçam a vomitar ou evacuar, ou – e isso é inenarrável – abrem as barrigas de suas vítimas com um punhal e lhes rasgam os intestinos, revelando com essa horrível mutilação seja lá o que a natureza manteve em segredo.

Diziam que os cristãos vivendo sob a lei islâmica no Levante foram reduzidos a um estado de "escravidão" e sujeitos a tratamento na base "da espada, da extorsão e do fogo". Vítimas de constante perseguição, esses infelizes sofriam circuncisão forçada, estripamento vagaroso ou imolação ritual. "Dentre as terríveis violações de mulheres", refletiu o papa de acordo com relatos, "é mais terrível falar do que manter silêncio". Urbano parecia ter feito uso extensivo desta forma de imagética explícita e incendiária, semelhante à que, nos moldes atuais, seria associada a crimes de guerra e genocídio. Suas acusações guardavam pouca ou nenhuma relação com a realidade do governo islâmico do Oriente Próximo, mas é impossível dizer se o papa acreditava na própria propaganda ou se entrou em uma campanha consciente de manipulação e distorção. Seja como for, sua explícita desumanização do mundo muçulmano serviu como catalisadora vital da causa da "cruzada", habilitando-o assim a alegar que lutar contra um "estranho" era preferível à guerra entre cristãos dentro da Europa.[4]

A decisão do papa Urbano de condenar o Islã teria consequências sombrias e duradouras nos anos seguintes. Mas é importante reconhecer que, na realidade, a noção de conflito com o mundo muçulmano não estava no DNA das cruzadas. O que Urbano visualizava era uma romaria devocional sancionada por Roma, com foco direcionado, antes de tudo, à defesa e reconquista de território sagrado. De certa forma, sua escolha do Islã como inimigo foi quase acidental, e não há como sugerir que, antes de 1095, os latinos ou seus aliados gregos enxergassem realmente o mundo muçulmano como um inimigo jurado de morte.[a]

A angustiante ideia de vingar os "abusos execráveis" cometidos pelos demonizados muçulmanos pode ter cativado o público de Urbano em Clermont, mas sua mensagem de "cruzada" continha outra sedução ainda mais poderosa, que atingia a própria natureza da existência medieval cristã. Fruto de uma visão de fé religiosa que enfatizava a ameaça iminente de pecado e danação, os latinos do Ocidente estavam enredados em um embate desesperado e perpétuo para purgar a mancha de corrupção de suas almas. Preparados para buscar a redenção, foram então cativados

---

a   É um equívoco recorrente pensar que as cruzadas foram uma forma de evangelismo forçado. Na verdade, pelo menos no início, a conversão religiosa não era um elemento essencial da ideologia cruzada.

quando o papa declarou que essa expedição ao Oriente seria uma empreitada sagrada e que participar dela levaria ao "perdão de todos os seus pecados". No passado, mesmo uma "guerra justa" (ou seja, violência que Deus aceitava como necessária) ainda era considerada inerentemente pecaminosa. Mas agora Urbano falava de um conflito que transcendia esses limites tradicionais. Sua causa tinha de ter uma qualidade santificada – ser uma guerra santa, não simplesmente tolerada pelo "Senhor", mas ativamente promovida e endossada. De acordo com uma testemunha ocular, o papa chegou mesmo a afirmar que "Cristo ordenava" que os fiéis se alistassem.

A genialidade de Urbano consistia em construir a ideia de "cruzada" dentro do contexto da prática religiosa existente, garantindo assim que, ao menos em termos de século XI, a conexão que ele estabeleceu entre guerra e salvação fazia sentido, era racional. Em 1095, os cristãos romanos estavam acostumados à ideia de que punições por pecados seriam canceladas pela confissão e pela execução de penitências como a prece, o jejum ou a romaria. Em Clermont, Urbano fundiu a concepção de uma expedição salvífica com o conceito mais audacioso de lutar por Deus, convocando a todos, sem distinção de classe... cavaleiro ou soldado raso, ricos ou pobres eram chamados para se juntar ao que seria, em essência, uma romaria armada. Essa empreitada monumental, repleta de perigo e com a ameaça de sofrimento intenso, levou os participantes aos portões de Jerusalém, destino principal da romaria da cristandade. Como tal, ela prometia uma experiência imbuída de gigantesco potencial redentor; funcionando como uma "super" penitência, capaz de esquadrinhar e expulsar do espírito qualquer transgressão.

Desde o estupro da Cidade Sagrada por um inimigo estrangeiro até a promessa de um novo caminho para redenção, o papa conjurou uma mistura persuasiva e emotiva de imagens e ideias em busca de apoio para seu chamado às armas. O efeito no público parece ter sido eletrizante, deixando "alguns de olhos marejados, [enquanto outros] tremiam". Em um provável gesto pensado, Ademar, bispo de Le Puy, foi o primeiro a dar o primeiro passo para se comprometer pela causa. No dia seguinte o bispo foi proclamado núncio papal (representante oficial de Urbano) para a expedição vindoura. Como seu líder espiritual, esperava-se que ele promovesse os interesses do papa, sobretudo a política de cessar-fogo com a

Igreja Grega de Bizâncio. Ao mesmo tempo, mensageiros de Raimundo de Toulouse chegavam proclamando o apoio do conde à causa. O sermão de Urbano foi um sucesso retumbante, e nos sete meses seguintes ele o complementou com uma extensa turnê de pregação que viu sua mensagem atravessar a França.[5]

E mesmo assim, a despeito do fato de Clermont ter de ser considerada como palco da gênese da Primeira Cruzada, seria errado considerar Urbano II como único arquiteto do "ideal cruzado". Historiadores já enfatizaram justamente essa dívida antes, não apenas em relação à pioneira exploração do papa Gregório VII da tese da guerra santa. Mas é igualmente importante reconhecer que o conceito da Primeira Cruzada – sua natureza, suas intenções e recompensas – passou por um desenvolvimento contínuo e amplamente orgânico ao longo da expedição. De fato, esse processo chegou a continuar após o evento, enquanto o mundo procurava interpretar e entender tão épico episódio. É fácil demais imaginar a Primeira Cruzada como um só exército bem organizado, conduzido a Jerusalém através da pregação apaixonada de Urbano. Na realidade, os meses e anos após novembro de 1095 foram cenário de desconjuntadas ondas de partidas. Mesmo o que comumente chamamos de "exércitos principais" da cruzada começaram a primeira fase de sua jornada não como força unitária, mas como uma forma de conglomeração tosca de contingentes menores, gradualmente sentindo o clima e o caminho para os objetivos compartilhados e sistemas de governança.

Um mês depois do primeiro sermão do papa, pregadores populares (e frequentemente não autorizados) haviam começado a proclamar o chamado para as cruzadas por toda a Europa. Em suas mãos demagogas, algumas das sutilezas cercando as recompensas espirituais associadas à expedição – que ficariam conhecidas como "a indulgência" das cruzadas – parecem ter erodido. Provavelmente Urbano pretendia que a remissão oferecida se aplicasse apenas à punição temporal para pecados confessos; o que era uma fórmula um tanto complexa, mas que cumpria os maneirismos da lei da Igreja. Eventos posteriores sugerem que muitos cruzados pensaram que lhes haviam dado garantias firmes de salvação celestial, e assim acreditavam que aqueles que morreram durante a campanha tornaram-se mártires sagrados. Essas concepções continuaram a formar o pensamento sobre a experiência das cruzadas ao longo dos séculos vindouros, estabelecendo um racha corrosivo entre concepções populares e oficiais dessas guerras santas.

É de se observar que o papa Urbano II não inventou o termo "cruzada". A expedição que ele lançou em Clermont era tamanha novidade, e de certa forma ainda tão embrionária em sua concepção, que não havia palavra para descrevê-la. Contemporâneos geralmente chamavam a "cruzada" simplesmente de *ter* (jornada) ou *peregrinatio* (peregrinação). A terminologia mais específica só foi desenvolvida depois do fim do século XII: a palavra *crucesignatus* (o signatário da cruz), para um "cruzado", e a eventual adoção do termo francês *croisade*, que pode ser traduzido – grosso modo – como "o caminho da cruz". Em nome da convenção e da clareza, historiadores adotaram o termo "cruzada" para a as guerras santas cristãs lançadas a partir de 1095, mas devemos estar cientes de que isso empresta às primeiras "cruzadas" uma aura um tanto desnorteadora de coerência e conformidade.[6]

O chamado da cruz

Nos meses seguintes ao Conselho de Clermont, a mensagem das cruzadas se espalhou por todo o Oeste Europeu, evocando uma reação sem precedentes. Enquanto o papa Urbano divulgava sua mensagem por toda a França, bispos de todo o mundo latino que haviam comparecido ao sermão original transmitiram o chamado em suas próprias dioceses.

A causa também foi adotada por pregadores populares e demagogos, a maioria não autorizada e não regulada pela Igreja. O mais famoso e notável deles era Pedro, o Eremita. De origem pobre, provavelmente da região de Amiens (nordeste da França), ficou conhecido por seu estilo de vida austero e itinerante, sua aparência repulsiva e seus hábitos alimentares peculiares – um de seus contemporâneos escreveu que ele "vivia à base de vinho e peixe; e raramente, ou mesmo nunca, comia pão". Pelos padrões modernos ele seria considerado um vagabundo, mas entre as classes mais pobres da França do século XI era reverenciado como um profeta. Tamanha era sua santidade que chegavam a coletar os pelos de sua mula, que eram considerados relíquias. Um contemporâneo grego escreveu: "como se ele tivesse feito ressoar uma voz divina nos corações de todos, Pedro, o Eremita, inspirou os francos de toda parte a juntar suas armas, cavalos e outros equipamentos militares". Certamente foi um orador inspirado – com apenas seis meses em Clermont, conseguiu formar um exército de cerca de 15 mil homens, sendo a maioria uma ralé de pobretões. Historicamente esse grupo e outros tantos ficaram conhecidos como a "Cruzada Popular". Incitados pelo fervor das cruzadas, seus vários elementos partiram para a Terra Santa na primavera de 1096, meses antes de qualquer outro exército, avançando de modo indisciplinado em direção a Constantinopla. Ao longo do caminho, alguns desses "cruzados" concluíram que também deviam combater os "inimigos de Cristo" perto de casa, e assim massacraram de modo terrível os judeus da Renânia. Eles foram aniquilados quase logo após atravessarem o território muçulmano. Mas Pedro, o Eremita, sobreviveu.[7]

Essa primeira onda das cruzadas pode ter terminado mal, mas no Oeste exércitos maiores estavam se formando. Encontros públicos, nos quais plateias enormes eram bombardeadas com retórica emotiva, alavancaram um fervoroso recrutamento, e o entusiasmo pelas cruzadas também parece ter sido propagado mais informalmente entre grupos aparentados, redes de apoio papal e as conexões entre as comunidades monásticas e a nobreza. Historiadores continuam a discutir os números envolvidos, basicamente devido à falta de credibilidade das estimativas contemporâneas, fortemente exageradas (algumas das quais ultrapassam meio milhão de pessoas). Nossa melhor estimativa é de algo entre 60 mil e 100 mil cristãos romanos na Primeira Cruzada, dentre os quais uma média de sete mil a dez mil cavaleiros, talvez entre 35 mil e 50 mil em tropas de infantaria e as demais dezenas de milhares de não combatentes, mulheres e crianças. O certo é que a chamada à cruzada suscitou uma resposta extraordinária, cuja escalada deixou o mundo medieval boquiaberto. A última vez que forças dessa magnitude se uniram foi na época das remotas glórias do Império Romano.[8]

Os cavaleiros aristocráticos, elite marcial emergente da Idade Média, estavam no coração desses exércitos.[b] O papa Urbano sabia muito bem da

---

b Tipicamente, os primeiros cavaleiros cruzados usavam o que era considerado, pelos padrões de então, armadura pesada: um capacete de aço em forma de cone sobre uma coifa ou um capuz de cota de malha, e uma camisa de cota de malha até a coxa sobre um gibão estofado – tudo isso

ansiedade desses guerreiros cristãos presos em uma profissão mundana imbuída de violência, mas que aprenderam com a Igreja que pecados de guerra levam à danação eterna. Um contemporâneo observou:

> Deus estabeleceu as guerras santas em nosso tempo para que a ordem de cavaleiros e as muitas pessoas que os cercam [...] possam encontrar um novo modo de alcançar a salvação. E assim, aqueles que escolhem a vida monástica ou qualquer profissão religiosa não eram mais forçados a abandonar por completo as demandas seculares, como até então de costume, podendo alcançar algum nível de graça divina enquanto seguem com suas carreiras, com liberdade e trajados como de costume.

O papa havia estabelecido a ideia de uma romaria armada para, pelo menos em parte, abordar o dilema espiritual que ameaçava a aristocracia cavalheiresca. Além disso, ele também estava ciente de que, com a nobreza ao seu lado, comitivas de cavaleiros e infantaria também estariam, pois, apesar de a cruzada solicitar adesão voluntária, os grupos sociais aderiram a uma causa comum devido a uma intrincada teia de laços familiares e obrigações feudais. De fato, o papa desencadeou um efeito dominó no qual cada nobre que tomava a cruz ficava no epicentro de uma onda de recrutamento em expansão.

Apesar de nenhum rei ter se juntado à expedição – a maioria já estava às voltas com suas próprias maquinações políticas –, o *crème de la crème* da cristandade latina tendia à empreitada. Membros da alta aristocracia da França, do oeste da Alemanha, dos Países Baixos, da Itália, da classe diretamente abaixo da realeza, que costumavam ter títulos de conde ou de duque e podiam, em alguns casos, até mesmo eclipsar o poder de reis.

---

para conter golpes oblíquos, mas não cortes ou golpes sólidos. Por essa razão, um grande escudo de metal também era usado. Os típicos armamentos de uso na luta corpo a corpo eram a lança – levada escondida ou jogada sobre o braço – e uma longa espada de dois gumes de pouco menos de um metro de comprimento. Essas armas brancas pesadas e bem equilibradas eram mais úteis como instrumentos de espancamento do que como armas de corte afiado. Cavaleiros e soldados de infantaria também costumavam fazer uso de arcos – de cerca de dois metros de comprimento e capazes de atirar flechas a uma distância de cerca de 270 metros –, enquanto alguns também adotavam formas rudimentares de bestas.

Certamente eles tinham um grau significativo de autoridade independente e, assim, enquanto grupo, podiam bem ser chamados de "príncipes". Todas essas figuras de liderança comandavam seus próprios contingentes militares, mas também atraíram muitos bandos de seguidores mais livres e fluídos, baseados nos laços de nobreza e família, perpetuados pela ética comum ou por raízes linguísticas.

O conde Raimundo de Toulouse, o mais poderoso nobre secular do sudeste da França, foi o primeiro príncipe a se comprometer com a cruzada. Apoiador confesso da reforma papal e aliado de Ademar de Le Puy, já tinha sido convencido por Urbano II antes mesmo do sermão em Clermont. Em seus cinquenta e tantos anos, Raimundo era o mais velho estadista da expedição; orgulhoso e obstinado, ostentando fortuna, além de poder e influência de longo alcance, ele assumiu o comando dos exércitos da França provençal sulista. Uma lenda posterior sugeria que ele já havia feito campanha contra os mouros da Ibéria e até uma romaria a Jerusalém, durante a qual um de seus olhos fora arrancado da cabeça como castigo por se recusar a pagar um exorbitante imposto muçulmano para peregrinos latinos. De fato, diziam que o conde havia retornado ao Ocidente levando o próprio olho em um bolso como talismã de seu ódio pelo Islã. Por maior que tenha sido o apelo dessas histórias, Raimundo mesmo assim tinha experiência e, mais importante, os recursos para competir pelo comando geral secular da cruzada.[9]

O rival mais óbvio do conde para essa posição era um italiano normando do sul, de 44 anos, chamado Boemundo de Taranto. Filho de Roberto "Guiscard" (Roberto, o Astuto), um dos aventureiros normandos que conquistaram o sul da Itália durante o século XI, Boemundo recebeu uma educação militar impecável. Lutando ao lado do pai em uma campanha de quatro anos, nos Bálcãs, contra os gregos, ele aprendeu a realidade do comando no campo de batalha e de guerra de cerco. Na época da Primeira Cruzada ele tinha uma linhagem bélica sem par, levando um contemporâneo seu a descrevê-lo como "imbatível em destreza e conhecimento da arte da guerra". Até seus inimigos bizantinos reconheciam que ele tinha uma presença física magnética.

> O surgimento de Boemundo foi, em suma, diferente do de qualquer outro homem que se via no mundo romano, fosse

grego ou bárbaro. Sua presença transmitia admiração, e a menção de seu nome inspirava terror. Sua estatura era tamanha que ele quase olhava para baixo para fitar o mais alto dos homens. Ele era magro nos flancos e cintura, com peito e ombros largos, braços fortes. A pele do corpo inteiro era branca, exceto a face, que era branca e vermelha. Seu cabelo era castanho claro e não tão longo quanto o dos demais bárbaros (ou seja, não chegava a bater nos ombros). Seus olhos eram de tom azul-claro e davam indícios do espírito e da dignidade do homem. Havia certo charme nele, mas também uma qualidade dura e selvagem em seu aspecto completo, devido, supostamente, à sua altura e aos seus olhos; mesmo sua risada soava aos outros como uma ameaça.

Mas, apesar de sua estatura leonina, Boemundo não tinha boa saúde e foi deserdado pelo cobiçoso meio-irmão em 1085. Levado por uma ambição voraz, ele aceitou a cruz no verão de 1096 com pelo menos um olho no avanço pessoal, nutrindo sonhos de um novo levante nobre para chamar de seu. Boemundo foi acompanhado na cruzada pelo sobrinho, Tancredo de Hauteville. Com pouco mais de vinte anos e pouca experiência real em guerra, esse jovem principelho tinha, contudo, um dinamismo insaciável (dizem que sabia falar árabe), e logo assumiu a segunda posição no comando do exército relativamente pequeno, mas temível, de normandos do sudeste da Itália, que seguiu Boemundo rumo ao leste. Com o tempo, Tancredo se tornaria um dos maiores campeões da causa dos cruzados.[10]

Os líderes cruzados franceses do sul e normandos eram aliados da reforma papal, mas após 1095 até mesmo alguns dos mais amargos inimigos do papa se juntaram à expedição a Jerusalém. Um deles era Godofredo de Bouillon, da região de Lorena. Nascido por volta de 1060, segundo filho do conde de Boulogne, sua linhagem remetia a Carlos Magno (segundo uma lenda posterior, diziam até que ele teria nascido de um cisne), e diziam que ele era "mais alto do que os homens normais [...] dotado de força incomparável, com membros de constituição sólida e um peito robusto, de feições agradáveis, e barba e cabelo de um louro mediano". Godofredo detinha o título de duque da Baixa Lorena, mas se mostrou incapaz de avaliar sua real autoridade sobre essa região conhecida por sua volatilidade, e assim tomou a cruz como forma de recomeçar a vida na Terra Santa.

Apesar de sua reputação por roubar propriedades da Igreja e de seu limitado passado militar, nos anos seguintes Godofredo demonstraria uma dedicação inabalável para o ideal das cruzadas e um pendor para comandar com clareza.

Godofredo liderava um conglomerado solto de tropas de Lorena, Lotaríngia e Alemanha e era acompanhado pelo irmão, Balduíno de Boulogne. Consta que Balduíno tinha cabelos escuros, mas pele mais clara do que Godofredo, além de olhar penetrante. Como Tancredo, ele emergiria de relativa obscuridade durante o curso da cruzada, demonstrando uma tenacidade de touro na batalha e um apetite quase insaciável por avanço.

Esses cinco príncipes – Raimundo de Toulouse, Boemundo de Taranto, Godofredo de Bouillon, Tancredo de Hauteville e Balduíno de Boulogne – desempenharam papéis fundamentais na expedição para retomar Jerusalém, liderando três das principais forças armadas francas e moldando a história inicial das cruzadas. Um quarto contingente final, feito de franceses do norte, também se juntou à campanha. Esse exército era dominado por um grupo de parentes muito unidos com três líderes nobres: o bem relacionado Roberto, duque da Normandia, filho mais velho de Guilherme, o Conquistador, e irmão de Guilherme, o Ruivo, reis da Inglaterra; Estêvão, cunhado de Roberto, conde de Blois; e seu primo e homônimo Roberto II, conde de Flandres.

Para esses soberanos, seus seguidores e talvez mesmo as classes mais pobres, o processo de ingressar na cruzada incluía uma cerimônia frequentemente dramática e sentimental. Cada indivíduo jurava viajar a Jerusalém de forma similar a uma romaria, e depois marcavam seu *status* costurando uma representação da cruz na roupa. Quando Boemundo de Taranto ouviu o chamado às armas, sua reação foi aparentemente imediata. "Inspirado pelo Espírito Santo, ordenou que seu manto mais valioso fosse cortado imediatamente e transformado em cruzes, e a maioria dos cavaleiros que estavam lá começou a seguir seu exemplo de uma vez, pois estavam todos cheios de entusiasmo." Alhures, alguns levaram esse ritual ao extremo, marcando a própria pele com o sinal da cruz ou escrevendo nos corpos e nas roupas com sangue.

O processo de identificação por meio de um símbolo visível deve ter servido para separar e definir os cruzados como um grupo, e o voto de peregrino sem dúvida trazia aos cruzados uma série de proteções legais para suas propriedades e suas pessoas. A descrição contemporânea desses momentos de dedicação tende a enfatizar a motivação espiritual. Talvez duvidemos dessa evidência, considerando-se que ela é quase sempre oferecida por homens da igreja, a não ser pelo fato de ela ser sustentada por fartos documentos legais produzidos por ou a mando de homens colocando suas questões em ordem antes de partir para Jerusalém. O material serve para confirmar que muitos cruzados de fato viam suas ações em contexto devocional. Um cruzado, Bertrand de Montocontour, estava tão inspirado que decidiu doar terras que ele tomara ilegalmente de um monastério em Vendôme, pois acreditava que "o Caminho de Deus (a cruzada) de forma alguma o beneficiaria enquanto ele mantivesse consigo os produtos do roubo".

As provas documentais também refletem uma atmosfera de medo e autossacrifício. Era visível que potenciais cruzados ficaram profundamente apreensivos quanto à longa e perigosa jornada que estavam abraçando, mas estavam ao mesmo tempo dispostos a vender praticamente todas as suas posses para custear sua participação. Até mesmo Roberto da Normandia foi forçado a hipotecar seu ducado ao irmão. É preciso descartar o então popular mito segundo o qual os cruzados eram jovens interesseiros, deserdados e ávidos por terra. Participar das cruzadas era uma atividade que podia trazer recompensas materiais e espirituais, mas em primeira instância era ao mesmo tempo intimidante e extremamente cara. A devoção inspirou as cruzadas na Europa, e nos longos anos seguintes os primeiros cruzados provaram repetidas vezes que sua arma mais poderosa era um senso de propósito compartilhado, além de determinação espiritual indestrutível.[11]

BIZÂNCIO

De novembro de 1096 em diante, os principais exércitos da Primeira Cruzada começaram a chegar à grande cidade de Constantinopla (Istambul), antigo portal para o Oriente e capital do Império Bizantino. Pelos seis meses seguintes os vários contingentes da expedição passaram por Bizâncio a caminho da Ásia Menor e a fronteira com o Islã. Constantinopla era um cenário ideal para que se reunissem as diversas forças da cruzada, considerando-se que ela ficava na rota tradicional das romarias para a Terra Santa e que os francos haviam viajado para o leste com a expressa intenção de ajudar seus irmãos gregos.

A ambição de Aleixo

O imperador bizantino Aleixo I Comneno já havia testemunhado o colapso desordenado da Cruzada do Povo, e é comum o argumento de que ele encarava o advento da cruzada principal com igual desdém e suspeita. Sua filha e biógrafa Ana Comnena escreveu que Aleixo "temera [a chegada dos francos], pois conhecia bem sua incontrolável paixão, seu caráter errático e sua irresolução, para não falar de sua ambição". Ela descrevia os cruzados alhures como "todos os bárbaros do Ocidente" e era particularmente contundente ao descrever Boemundo como "o típico patife", "mentiroso por natureza". Tomando por base essa retórica vituperativa, historiadores frequentemente retratam os primeiros encontros greco-latinos de 1096-7 como manchados por desconfiança arraigada e hostilidade intrínseca. Na verdade, o relato de Ana Comnena, escrito décadas depois do evento, hoje pode ser considerado muito comprometido. É certo que havia ciclos de desconfiança, mesmo de antipatia, pulsando sob a superfície das relações entre cruzados e bizantinos. Havia até ocasionais surtos de conflitos internos. Mas, pelo menos para começo de conversa, eles eram eclipsados por exemplos de cooperação construtiva.[12]

Para realmente entender a jornada dos primeiros cruzados por Bizâncio e além, os preconceitos de francos e gregos precisariam ser reconstruídos. Muitos imaginam que, em termos de riquezas, poder e cultura, a história da Europa sempre foi dominada pelo Ocidente. Mas no século XI o ponto focal de civilização ficava ao leste, em Bizâncio, herdeiro do poder e da glória greco-romana; continuador do império mais duradouro do mundo. Aleixo podia rastrear sua herança imperial e encontrar nomes como César, Augusto e Constantino, o Grande, e para os francos isso imbuía o imperador e seu reino de uma aura quase mística de majestade.

A chegada dos cruzados a Constantinopla serviu apenas para reforçar essa impressão. Quando se depararam com as colossais muralhas externas

– mais de seis quilômetros de comprimento, quatro metros e meio de grossura e quase dezenove metros de altura – não lhes restou dúvida de que estavam diante do coração do grande, superpoderoso Império Cristão. Para quem teve a sorte de ter a entrada permitida para a capital, as maravilhas só se multiplicaram. Lar de talvez milhões de cidadãos, essa metrópole era até dez vezes maior do que a maior cidade da Europa latina. Os visitantes podiam se maravilhar com a abobadada Basílica de Santa Sofia, a igreja mais espetacular da cristandade, e se embasbacar com as triunfantes estátuas gigantes dos legendários antepassados de Aleixo. Constantinopla também era lar de uma coleção sem igual de relíquias sagradas, incluindo a coroa de espinhos de Cristo, mechas do cabelo da Virgem Maria, pelo menos duas cabeças de João Batista e ossos de praticamente todos os apóstolos.

Não é de admirar que a maioria dos cruzados esperasse, bem naturalmente, que sua expedição começasse a serviço do imperador. Por sua vez, Aleixo oferecia aos exércitos francos uma recepção cautelosa, conduzindo-os das fronteiras do seu império até a capital, sempre de olho neles. Ele via a cruzada como um instrumento militar para ser usado em defesa de seu reino. Após pedir ajuda ao papa Urbano em 1095, ele agora confrontava um enxame de cruzados latinos. Mas mesmo com toda a suposta selvageria desregrada dos francos, ele reconhecia que sua vital brutalidade podia ser cooptada para os interesses do império. Tratada com cuidado e controle, a cruzada tendia a se revelar um instrumento decisivo em sua luta para reconquistar a Ásia Menor dos turcos seljúcidas. Tanto gregos quanto latinos estavam, então, preparados para uma colaboração, mas as sementes da discórdia estavam presentes de toda forma. A maioria dos francos esperava que o imperador assumisse pessoalmente o comando de seus exércitos, liderando-os como parte de uma grande coalizão rumo aos portões de Jerusalém. Aleixo não tinha esses planos. Ele tinha como prioridade as necessidades de Bizâncio, não as da cruzada. Ele proporcionaria ajuda aos latinos e tiraria vantagem de bom grado de qualquer sucesso que eles alcançassem, sobretudo se esse sucesso lhe permitisse repelir a ameaça do Islã, e talvez até mesmo reclamar a estrategicamente vital cidade síria de Antioquia. Mas ele jamais conduziria uma campanha prolongada na distante Terra Santa para não expor sua dinastia ao risco de um golpe, nem seu império ao risco de invasão. Essa disjunção de objetivos e expectativas viria a se mostrar portadora de trágicas consequências.

A serviço do imperador

Determinado a impor sua autoridade aos francos, Aleixo tirou vantagem máxima da natureza fragmentada do exército cruzado ao lidar individualmente com cada príncipe que chegava a Constantinopla. Ele também se valeu da imponente magnificência de sua grande capital para intimidar os latinos. Em 20 de janeiro de 1097, um dos primeiros príncipes a chegar, Godofredo de Bouillon, foi convidado juntamente com seus principais nobres para uma audiência com Aleixo no opulento Palácio Imperial de Blachernae. Ao que parece, Godofredo encontrou o imperador "sentado, como de costume, parecendo poderoso no trono de sua supremacia, sem se levantar para oferecer beijos de boas-vindas nem ao duque, nem a ninguém". Mantendo o ar de régia majestade, Aleixo exigiu que Godofredo jurasse solenemente que "entregaria ao representante indicado pelo imperador qualquer cidade, país ou forte que ele viesse a conquistar e que tenha pertencido originalmente ao Império Romano". Isso significava que qualquer território capturado na Ásia Menor e mesmo além seria entregue aos bizantinos. O duque então ofereceu ao imperador um voto de vassalagem, criando um laço recíproco de lealdade que confirmava o direito de Aleixo de dirigir a cruzada, mas também garantia a Godofredo ajuda e conselhos da parte do Imperador. Em uma típica exibição de munificência bizantina, o imperador adoçou esse ato de capitulação cobrindo o príncipe franco de presentes de ouro e prata, além de preciosos tecidos púrpura e cavalos valiosos. Acordo feito, Aleixo prontamente levou Godofredo e seu exército pelo Estreito de Bósforo – o apertado curso de água que conecta o Mar Mediterrâneo ao Mar Negro, separando a Europa da Ásia – para evitar o crescimento potencialmente desestabilizador da quantidade de tropas latinas em frente à própria Constantinopla.

Nos meses seguintes, praticamente todos os líderes cruzados seguiram o exemplo do duque Godofredo. Em abril de 1097, Boemundo de Taranto aparentemente fez as pazes com seu ex-inimigo grego, aceitando de boa vontade se comprometer com o juramento. Ele foi regiamente recompensado com um quarto inteiro repleto de tesouros, que, de acordo com

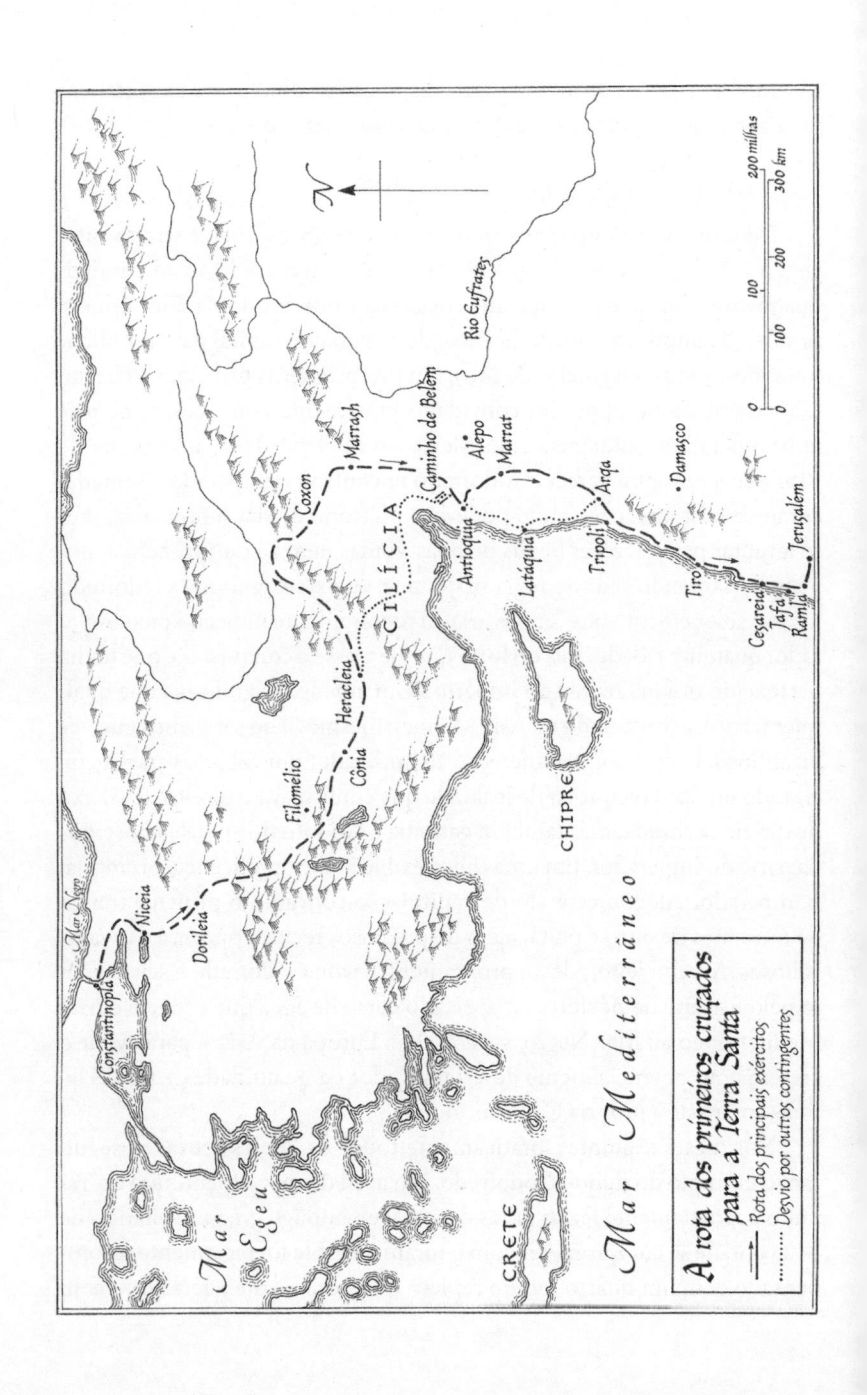

A rota dos primeiros cruzados para a Terra Santa
— Rota dos principais exércitos
······ Desvio por outros contingentes

Ana Comnena, quase fizeram os olhos de Taranto pularem das órbitas. Três nobres francos tentaram escapar da rede de Aleixo. Tancredo de Hauteville e Balduíno de Bolonha, príncipes ambiciosos e de menor importância, cruzaram imediatamente o Bósforo para evitar o juramento, mas foram posteriormente persuadidos. Raimundo, conde de Toulouse, teve a teimosia de ser o único a resistir às propostas do imperador, só aceitando por fim um pacto modificado no qual ele jurava não ameaçar o poder ou as posses de Aleixo.[13]

O cerco de Niceia

Os principais exércitos da Primeira Cruzada começaram a se juntar na costa da Ásia Menor em fevereiro de 1097, e nos meses seguintes eles gradualmente chegaram talvez a 75 mil, incluindo cerca de 7.500 cavaleiros totalmente armados e uma infantaria de 35 mil soldados, com equipamentos mais leves. O momento dessa chegada às portas do mundo muçulmano se mostrou o mais propício. Meses antes, Kilij Arslan, o sultão turco seljúcida da região, aniquilara a Cruzada do Povo com certa facilidade. Pensando que essa segunda onda de francos representava um perigo limitado, preparou-se para lidar com uma disputa territorial menor bem ao leste. Esse erro deixou os cristãos livres para atravessar o Bósforo e estabelecer uma cabeça de ponte sem atropelos ao longo da primavera.

O primeiro alvo muçulmano dos latinos foi definido por sua aliança com os gregos, e o objetivo básico de Aleixo era Niceia, a cidade banhada pelas margens do Bósforo que Kilij Arslan descaradamente declarou sua capital. Esse ponto de apoio turco na Ásia Menor ocidental ameaçava a segurança da própria Constantinopla, mas resistira teimosamente aos melhores esforços de reconquista do imperador. Agora Aleixo implantava sua nova arma: os "bárbaros" francos. Eles chegaram à Niceia em 6 de maio e se depararam com uma imponente fortaleza. Uma testemunha latina descreveu como "homens habilidosos cercaram a cidade com muros tão altos que não havia por que temer um ataque inimigo e nem a força de qualquer máquina que fosse". Essas muralhas de dez metros de altura e cinco quilômetros de circunferência abrigavam mais de cem torres. Mais perturbador ainda era o fato de o limite ocidental da cidade ter sido construído diante das margens do enorme Lago Askanian, permitindo assim que a guarda turca, que provavelmente não passava de poucas centenas de soldados, recebesse suprimentos e reforços mesmo estando cercados em terra.

Os cristãos chegaram perto de sofrer uma reviravolta prejudicial no primeiro momento do seu cerco. Tendo agora reconhecida a ameaça a sua capital, Kilij Arslan retornou do leste da Ásia Menor no fim da primavera. Em 16 de maio ele tentou fazer um ataque surpresa nos exércitos situados antes de Niceia ao descer das colinas íngremes e arborizadas rumo ao sul da cidade. A sorte dos francos é que eles capturaram em seu acampamento um espião turco que, ameaçado de tortura e morte, entregou os planos dos seljúcidas. Quando os muçulmanos começaram a atacar, os latinos estavam esperando e, bem mais numerosos, fizeram Kilij Arslan recuar. Ele escapou com a maior parte do exército intacta, mas seu prestígio militar e o moral das tropas de Niceia foram gravemente atingidos. Esperando acentuar o desespero do inimigo, os cruzados decapitaram centenas de turcos e desfilaram pela cidade exibindo as cabeças em estacas e até jogando algumas por cima do muro "para causar mais terror". Esse tipo de guerra psicológica bárbara era comum em cercos medievais e sem dúvida não era exclusividade dos cristãos. Nas semanas seguintes, os turcos de Niceia retaliaram com macabra tenacidade, usando ganchos de ferro presos a cordas para içar corpos de francos que ficaram perto dos muros após as batalhas, e então, para "ofender os cristãos", penduravam esses cadáveres nos muros para que apodrecessem.[14]

Após repelir o ataque de Kilij Arslan, os cruzados adotaram uma estratégia de cerco combinado para superar as defesas de Niceia, empregando dois estilos de cerco de guerra simultaneamente. Por um lado, eles estabeleciam um bloqueio na costa ao norte, ao leste e ao sul do muro na esperança de cortar o contato da cidade com o mundo externo, gradualmente forçando a rendição da tropa por meio de isolamento físico e psicológico. Mas, por ora, os francos não tinham condições de interromper as linhas de comunicação através do lago a oeste, então também buscavam estratégias mais agressivas de cerco e ataque. As primeiras tentativas de atacar a cidade usando escadas para escalar os muros não deram certo, de modo que resolveram concentrar esforços em criar uma brecha. Os cruzados construíram máquinas de atirar pedras, ou manganelas, mas elas tinham poder limitado, sendo incapazes de propulsionar mísseis de tamanho suficiente para causar significativo estrago em muralhas robustas. Por sua vez, os latinos se valeram de bombardeios leves para perturbar os turcos e, protegidos por esses ataques, tentar corroer os muros de Niceia a mão.

Foi um trabalho potencialmente letal. Para alcançar a base da muralha, as tropas tiveram que enfrentar uma chuva mortal de setas e pedras muçulmanas e, uma vez lá, eram expostos a ataques com piche e óleo ferventes vindos do alto. Os francos tentaram se defender experimentando vários tipos de tela de proteção para bombardeios, e o resultado foi variável. Uma dessas engenhocas, orgulhosamente batizada de "raposa" e feita a partir de barras de carvalho, desmoronou prontamente, matando vinte cruzados. Os sulistas franceses tiveram mais sorte ao construir uma tela inclinada feito telhado que lhes permitiu alcançar a muralha e começar a miná-la. Sapadores cavaram um túnel sob o muro ao sul, tomando cuidado para reforçar a escavação com suportes de madeira e preenchendo o espaço vazio com gravetos e galhos. Ao entardecer de algo próximo de 1º de junho de 1097, eles tocaram fogo nessa madeira, deixando toda a estrutura desabar junto com uma pequena parte das defesas acima. Infelizmente para os francos, a guarda turca conseguiu consertar o estrago do dia para a noite e não houve mais avanços ali.

Em meados de junho, os cruzados não haviam feito qualquer progresso digno de nota, de modo que cabia aos bizantinos fazer pender a balança. Destacado a um dia de viagem ao norte, Aleixo havia mantido uma distância discreta, mas observadora, para vigiar os latinos. O mais notável dentre esses era Taticius, um veterano comedido, agregado da família imperial, nascido meio árabe, meio grego, conhecido por sua lealdade ao imperador.[c] Só em meados de junho Aleixo contribuiu de modo determinante para a investida em Niceia. Em resposta a pedidos dos príncipes cruzados, ele transportou uma pequena frota de navios gregos mais de trinta quilômetros terra adentro até alcançar o Lago Askanian. No amanhecer de 18 de junho, sua flotilha navegou rumo ao lado oeste da muralha de Niceia, soando trompetes e tambores, enquanto os francos lançavam um ataque coordenado por terra. Inteiramente horrorizados, com a corda no

---

c   Ao mesmo tempo eunuco e habilidoso general, diziam que Taticius teve o nariz cortado no começo de sua carreira militar e por isso usava uma réplica de ouro no lugar.

pescoço, os homens das tropas seljúcidas teriam ficado quase "mortos de medo, e começaram a uivar e lamentar". Dentro de horas eles fizeram um acordo de paz e Taticius e os bizantinos tomaram posse da cidade.

A captura de Niceia marcou o ponto alto da cooperação greco-francesa durante a Primeira Cruzada. Houve alguns resmungos iniciais entre os soldados rasos latinos devido à falta de saque, mas eles logo foram silenciados pela decisão de Aleixo de recompensar seus aliados com uma boa quantidade de dinheiro vivo. Crônicas ocidentais posteriores exageraram o nível de tensão que restou após a queda de Niceia, mas uma carta para casa escrita pelo líder cruzado Estêvão de Blois naquele mesmo verão deixava claro que havia uma atmosfera de amizade e cooperação. O imperador estava tendo uma audiência com os príncipes francos para discutir o próximo passo da campanha. A rota dos cruzados pela Ásia Menor deve ter sido aceita e a cidade de Antioquia foi identificada como um objetivo. O plano de Aleixo era seguir o caminho aberto pela expedição, fazer a limpa em qualquer território por ela conquistado e, na esperança de manter o controle dos eventos, orientou Taticius a acompanhar os latinos como seu representante oficial, junto com uma pequena guarda de tropas bizantinas.

Aleixo fortaleceu os latinos com conselhos e inteligência inestimáveis ao longo da primavera e do verão. Ana Comnena observou que Aleixo "avisou(-os) do que provavelmente ocorreria ao longo da viagem, (e) lhes deu conselhos lucrativos. Os latinos foram instruídos sobre os métodos normalmente usados pelos turcos em combate, aprenderam a elaborar uma linha de batalha e a fazer emboscadas, e foram aconselhados a não avançar muito longe quando os inimigos saíssem correndo em fuga". Ele também aconselhou o líder cruzado a temperar a agressão direta ao Islã com elementos de diplomacia pragmática. Os latinos seguiram o conselho, procurando explorar a desunião política e religiosa dos muçulmanos ao despachar enviados por navio para o califado fatímida no Egito para discutir um possível acordo.[15]

Quando os cruzados partiram de Niceia na última semana de junho de 1097, Aleixo se viu satisfeito com os últimos meses. A horda franca havia atravessado seu império sem maiores incidentes e o seljúcida Kilij Arslan sofrera um duro golpe. A despeito dos ocasionais momentos de fricção, com a magistral presença próxima do imperador, os latinos se provaram tão conservadores quanto subservientes. A questão era quanto tempo duraria o encanto agora que a cruzada estava seguindo para a Terra Santa e se afastando do coração da autoridade bizantina.

ATRAVESSANDO A ÁSIA MENOR

Sem a liderança de Aleixo, os francos tiveram de lutar com problemas de comando e organização. Essencialmente seu exército era uma força mista, uma massa feita de muitas pequenas partes unidas por uma fé comum – o catolicismo romano –, mas oriundas de todo o Oeste Europeu. Muitos eram inimigos antes do começo da expedição. Chegaram mesmo a enfrentar grande barreira de comunicação: Fulquério de Chartres, um cruzado do norte da França, disse: "onde já se viu tamanha mistura de idiomas em um exército"?

Essa massa disparatada precisava ser guiada com mão firme. De fato, os ditames da lógica militar sugeriam que, sem um comandante único e definido, a cruzada sem dúvida estaria condenada à desintegração e ao colapso. Mas a partir do verão de 1097 a expedição não tinha líder único. O delegado papal, Ademar de Le Puy, podia clamar primazia espiritual, e o grego Taticius certamente oferecia orientação, mas na prática nenhum dos dois tinha poder total. A verdade é que os cruzados tinham que sentir seu caminho rumo a uma estrutura organizacional através de um processo de experimentação e inovação, contando fortemente com a influência unificadora do objetivo devocional comum. Contra todas as expectativas, alcançaram sucesso significativo. Discutir as decisões em grupo se revelou uma valiosa ferramenta, apesar de ser uma prática incomum em uma empreitada militar. A partir de então, um conselho formado pelos principais príncipes francos – homens como Raimundo de Toulouse e Boemundo de Taranto – passou a se encontrar para discutir e unificar suas políticas. Logo no começo, criaram um fundo no qual todos os saques seriam selecionados e redistribuídos. Também tiveram de decidir a melhor maneira de negociar a Ásia Menor.

Devido a seu vasto tamanho, a cruzada não podia avançar de forma realista como um só exército. Estendendo-se ao longo das estradas e rotas romanas de peregrinos adiante, uma só coluna de 70 mil pessoas pode levar dias para atravessar determinado ponto. Precisando de alimento e suprimentos como estavam precisando, os homens iam atacar os arredores como uma praga de gafanhotos. Mas os cristãos podiam se dar ao luxo de invadir com contingentes menores, viajando separadamente como fizeram na rota para Constantinopla, pois Kilij Arslan e os turcos seljúcidas ainda representavam um perigo bastante real. Os príncipes acabaram optando por dividir suas forças em duas, mas mantendo contato relativamente próximo durante a marcha.[16]

A batalha de Dorileia

O exército de normandos do sul de Boemundo e Roberto da Normandia partiu em 29 de junho de 1097, seguido a certa distância por Godofredo de Bouillon, Roberto de Flandres e os franceses do sul. O plano era se encontrarem para uns quatro dias de marcha rumo a Dorileia, no sudeste, um acampamento militar abandonado. Kilij Arslan, contudo, tinha outras ideias. Após sua humilhação em Niceia, ele havia formado um exército completo e estava agora na intenção de emboscar os cruzados quando eles atravessassem suas terras. A divisão em dois exércitos lhe deu uma oportunidade de atacar. Na manhã de 1º de julho, Arslan atacou o exército de Boemundo e Roberto em uma área de campo aberto onde se juntam os dois vales perto de Dorileia. Um membro da tropa de Boemundo relembrou o horror do momento em que os turcos de repente surgiram e "começaram a uivar, grasnar e gritar juntos, berrando em seu idioma alguma palavra diabólica que eu não entendo [...] gritando como demônios". Kilij Arslan surgiu com uma turba de seljúcidas pouco armados, mas ágeis, procurando espalhar o pânico entre as fileiras de cruzados mais lentos, cercando-os como redemoinhos e quebrando sua formação com uma incessante saraivada de projéteis. Os latinos sem dúvida ficaram chocados com as táticas dos oponentes. Uma testemunha que viu a batalha de perto escreveu: "Os turcos uivavam feito lobos e atiravam furiosamente uma nuvem de flechas. Ficamos perplexos com isso. Como estávamos de cara com a morte e muitos de nós havíamos sido feridos, não demoramos a fugir, e não há nada de memorável nisso, pois para todos nós essa guerrilha foi inesperada".

Alguns podem ter fugido, mas, por incrível que pareça, Boemundo e Roberto foram capazes de juntar suas tropas e estabelecer um acampamento improvisado ao lado de um pântano. Em vez de uma retirada caótica, optaram por manter posição, estabelecer uma formação defensiva e aguardar reforços. Passaram metade do dia contando com a superioridade numérica e bélica para resistir ao incessante ataque turco. Para reforçar a determinação dos homens perante o bando de seljúcidas, os cruzados passavam adiante uma frase motivacional: "Fiquem bem juntos, acreditando em Cristo e na vitória da Santa Cruz. Que hoje possamos saquear bastante". Ocasionalmente, contudo, tropas inimigas conseguiam abrir passagem:

> Os turcos invadiram o acampamento com força, atirando flechas com seus arcos de chifre, matando peregrinos de todo tipo, sem distinção de idade: soldados rasos, crianças, mulheres e idosos. Atônitas e apavoradas com a crueldade dos assassinatos hediondos, as garotas mais delicadas e de berço nobre correram para se arrumar e se oferecer aos turcos, para que ao menos, excitados e domados pelo amor à beleza delas, os turcos talvez aprendessem a ter pena de seus prisioneiros.

Ainda assim, a linha cruzada manteve-se firme. Na Idade Média, o generalato eficaz dependia muito da força da personalidade, do poder de inspirar obediência, e há de se reconhecer o mérito de Boemundo e Roberto quanto ao controle de suas tropas ao encarar tamanha agressão. Após quatro horas assustadoras, a principal força cruzada chegou e Kilij Arslan teve de recuar. As perdas foram altas, de talvez até quatro mil cristãos e três mil muçulmanos, mas a tentativa de aterrorizar os cruzados e fazê-los recuar não dera certo. A partir daí, Kilij Arslan passou a evitá-los. Os seljúcidas nômades da Ásia Menor não haviam sido derrotados, mas sua resistência foi quebrada, abrindo a rota por Anatólia.[17]

Contatos e conquistas

Após Dorileia, os cruzados enfrentaram um tipo diferente de inimigo durante sua marcha de três meses a Antioquia. Foram atormentados por sede, fome e doença ao longo do verão de 1097, quando passaram por uma série de acampamentos abandonados pelos turcos. De acordo com um cronista, houve um momento em que a falta de água foi tão grave que:

> Quinhentas pessoas chegaram a morrer derrotadas pela agonia da sede. Além disso, cavalos, burros, camelos, mulas, gado e muitos animais sofreram a mesma dolorosa morte por sede. Muitos homens, cada vez mais fracos pelo esforço e pelo calor, arfando boquiabertos, tentavam captar a mais ínfima névoa para aplacar a sede. Foi nesse momento, quando todos sofriam esse flagelo, que encontraram um rio há muito procurado. Estavam tão ansiosos para matar a longa sede que saíram correndo, todos querendo alcançar a água primeiro em meio à multidão. Beberam sem limite, a ponto de muitos cruzados e animais de carga, enfraquecidos, acabarem morrendo por beber água demais.

Salta aos olhos que as mortes de animais sejam descritas quase com a mesma riqueza de detalhes que as mortes de homens, mas todas as fontes contemporâneas compartilham essa obsessão com cavalos e animais de carga. O exército dependia desses para transportar equipamento e suprimentos, enquanto cavaleiros dependiam de suas montarias em batalha. Antigamente os historiadores enfatizavam as vantagens militares desfrutadas pelos cavaleiros cruzados devido a seus cavalos europeus, maiores e mais fortes, mas a verdade é que a maioria deles morreu antes de alcançar a Síria. Uma testemunha dentre os francos mais tarde observaria que, devido a isso, "muitos de nossos cavaleiros tiveram de seguir em condições de soldado raso, e por falta de cavalos, tivemos de montar bois".[18]

Os cruzados ocasionalmente eram vítimas de perigos mais incomuns. Godofredo de Bouillon, por exemplo, foi atacado e severamente ferido por um urso durante uma caçada. Ele teve sorte de ter sobrevivido. Esses perigos e provações aparentemente resultaram em melhor planejamento para a próxima fase da jornada. Ao alcançar o solo fértil do canto sudeste da Ásia Menor, os cruzados começaram a forjar alianças com a população, que até então vivera sob o domínio turco. Em Heráclea, Tancredo e Balduíno de Bolonha foram mandados para o sul rumo a Cilícia, enquanto a maioria das forças armadas tomou o rumo norte via Coxon e Marash. Os dois grupos fizeram contato com nativos armênios cristãos, mas Tancredo e Balduíno foram mais longe, estabelecendo um centro de fonte aliada que ajudava a suprir toda a cruzada pelos meses seguintes, e assegurando uma rota mais direta pela Síria adentro para os exércitos de reforço que os francos aguardavam que viessem a seu encontro em Antioquia.

Depois dessa expedição à Cilícia, Balduíno decidiu sair da cruzada maior para buscar sua fortuna nas fronteiras ao sul entre a Síria e a Mesopotâmia. Ele viu uma oportunidade de estabelecer sua soberania levantina e, partindo com o reduzido número de cem cavaleiros, começou uma campanha brutal de conquista e incessante autoprogressão que revelou seu talento não só de comandante militar como de ardiloso operador político. Fazendo o estilo "libertador" dos cristãos armênios da opressão turca, Balduíno rapidamente estabeleceu controle sobre uma faixa de território pelo leste até o rio Eufrates. Sua crescente reputação então lhe rendeu um convite para se aliar a Thoros, o soberano armênio de Edessa, que estava ficando velho, e cuja cidade ficava no Crescente Fértil, depois do Eufrates. Os dois na verdade se uniram como pai e filho adotivos em um curioso ritual público: despiram-se até a cintura e então Thoros abraçou Balduíno, prendendo-o junto ao seu peito despido, e uma comprida camisa foi colocada sobre eles para selar a união. Infelizmente para Thoros, essa cerimônia pouco adiantou para aplacar a ambição indomável de Balduíno, Dentro de poucos meses, o "pai" armênio já havia sido assassinado, provavelmente com a aceitação tácita de Balduíno. O franco então tomou o controle da cidade e dos arredores para criar o primeiro estado cruzado no Oriente Próximo: o condado de Edessa.[19]

Enquanto isso, os exércitos da Primeira Cruzada se reagruparam nas fronteiras do norte da Síria no começo de outubro de 1097; eles já haviam sobrevivido à travessia da Ásia Menor, apesar das muitas perdas. Os eventos do século seguinte provariam que isso, em si, já era uma conquista extraordinária, já que cruzados soçobraram sucessivamente nessa região. Mas agora pairava sobre eles uma tarefa hercúlea que eclipsaria até mesmo essas provações: o cerco de Antioquia.

2. SUPLÍCIO SÍRIO

No começo do outono de 1097, os primeiros cruzados seguiram rumo ao norte da Síria, chegando a uma das grandes cidades do Oriente, a metrópole fortificada de Antioquia. Haviam finalmente chegado à fronteira da Terra Santa, e agora, ao sul, a talvez três semanas de marcha, acenava Jerusalém. Entretanto, a rota mais direta para a Cidade Sagrada, a antiga estrada dos peregrinos, atravessava Antioquia antes de contornar a costa do Mediterrâneo rumo ao Líbano e à Palestina, passando por uma sucessão de cidades e fortalezas muçulmanas potencialmente hostis.

Os historiadores sempre concordaram que os francos não tiveram opção a não ser tomar Antioquia antes de continuar sua jornada rumo ao sul – e que a cidade se mantinha como uma barreira invariável para o progresso da expedição. Isso não é totalmente verdadeiro. Eventos posteriores sugerem que os cruzados podiam, em tese, ter desviado da cidade, contornando-a. Se os cruzados estivessem focados em chegar a Jerusalém o mais rápido possível, teriam negociado uma trégua temporária para neutralizar a ameaça representada pela guarda muçulmana de Antioquia, deixando-os livres para avançar sem maiores distúrbios. O fato de os latinos optarem por cercar Antioquia diz muito sobre seu planejamento, estratégia e motivação.[20]

A cidade de Antioquia

Antes de tudo, Antioquia parece ter sido o alvo essencial da aliança entre cruzados e bizantinos. Fundada no ano 300 a.C. por Antíoco, um dos generais de Alexandre, o Grande, a cidade foi estrategicamente localizada para explorar o comércio transmediterrâneo. Famosa por ser um vibrante cruzamento entre leste e oeste, Antioquia se tornou a terceira cidade do mundo ocidental, um centro de comércio e cultura. Mas durante a primeira explosão de expansão islâmica no século VII d.C. p, esse bastião do império oriental foi perdido para os árabes. Uma ressurgente Bizâncio garantiu a reconquista de Antioquia em 969, mas com o advento dos violentos turcos seljúcidas viram a cidade mais uma vez escapar de controle em 1085. Bastante ciente dessa história complexa, Alexius I Comneno cobiçava Antioquia, sonhando com o dia em que essa cidade seria a pedra angular de uma nova era de domínio grego sobre a Ásia Menor. Foi por essa razão que ele continuou a apoiar os francos durante o verão de 1097 e além, na esperança de aproveitar o influxo sem precedentes de mão de obra cruzada e reivindicar o prêmio de Antioquia.

A decisão de atacar a cidade foi, portanto, uma expressão da cooperação greco-latina; entretanto, os cruzados não estavam simplesmente seguindo as ordens de seus aliados. Antioquia, como Jerusalém, tinha um significado espiritual profundamente enraizado. De acordo com a tradição, na cidade fora fundada a primeira igreja cristã de São Pedro, chefe dos apóstolos, além de abrigar uma majestosa basílica dedicada ao santo. Ela também era lar de um dos cinco patriarcas, principais poderes da cristandade. Sendo assim, sua libertação estava afinada com os ideais da expedição. Mas o tempo também viria a deixar claro que os líderes da cruzada, como Boemundo e Raimundo de Toulouse, nutriam ambições mais pessoais e seculares para Antioquia, aspirações que talvez colidissem com as expectativas bizantinas.

Além de problemas com as relações greco-latinas e a conquista de território, a tentativa de tomar Antioquia revela uma verdade profunda sobre os cruzados. Eles não eram, como imaginavam alguns comentaristas medievais e modernos, uma horda selvagem de bárbaros descontrolados, invadindo Jerusalém sem hesitação, como um enxame. Mas os eventos de 1097 provam que suas ações foram, no mínimo, informadas por uma veia de planejamento estratégico. Eles se prepararam para a investida em Antioquia com certo cuidado, se apoderando de uma série de acampamentos satélites que serviam de centros logísticos de suprimentos e cultivando contatos marítimos para garantir a ajuda naval, algumas das quais aparentemente foram organizadas com meses de antecedência. Os francos também estavam contando com reforços em Antioquia das tropas gregas de Aleixo, bem como as ondas sucessivas de cruzados romanos, assegurando assim a rota mais segura e direta da Ásia Menor para a Síria, passando pelo Caminho de Belém. Tudo no comportamento dos francos no outono de 1097 indica que eles estavam determinados a conquistar Antioquia, apesar de reconhecerem que não seria tarefa fácil.

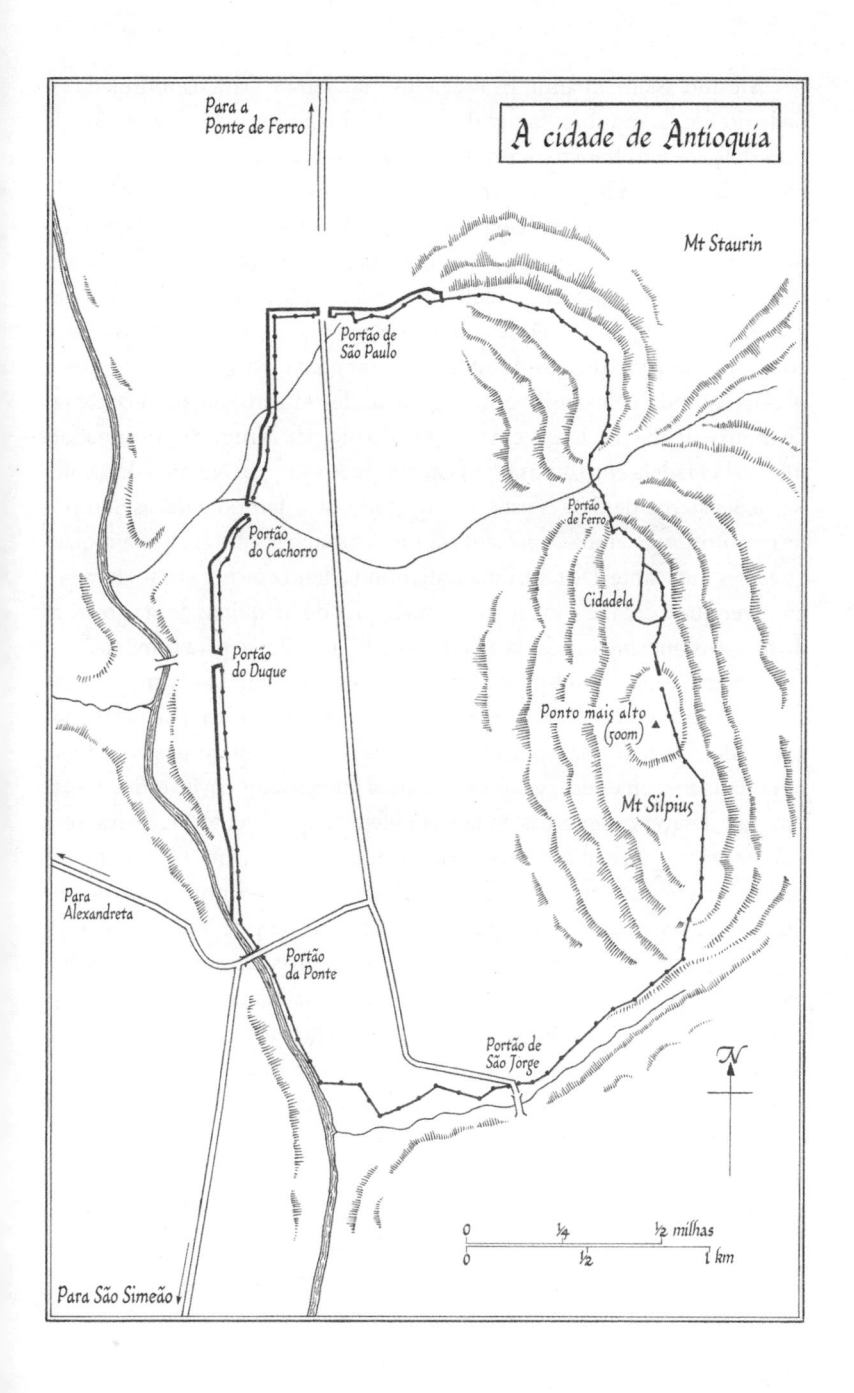

A cidade de Antioquia

Para a Ponte de Ferro

Mt Staurin

Portão de São Paulo

Portão de Ferro

Portão do Cachorro

Cidadela

Portão do Duque

Ponto mais alto (500m)

Mt Silpius

Para Alexandreta

Portão da Ponte

Portão de São Jorge

N

0 — ¼ — ½ milhas
0 — ½ — 1 km

Para São Simeão

A CHEGADA DOS CRUZADOS

Mesmo assim, quando os cruzados marcharam para os muros da cidade no fim de outubro, foram desencorajados pelas meras dimensões de suas defesas. Um franco escreveu em uma carta para a Europa que, à primeira vista, a cidade parecia "incrivelmente fortificada, quase inexpugnável". Antioquia estava aninhada entre o rio Orontes e o pé de duas montanhas, Staurin e Silpio. Muitos anos antes, os romanos incrementaram esses recursos naturais com um círculo de cerca de sessenta torres envolvidas por um muro maciço – quase cinco quilômetros de comprimento e pouco menos de vinte metros de altura – ao longo da margem do Orontes, e depois subindo pelos declives vertiginosos de Staurin e Silpio. A centenas de metros acima da cidade em si, perto do pico de Monte Silpio, uma formidável cidadela coroava as fortificações de Antioquia. No final do século XI, seu sistema de defesa estava desgastado pelo tempo e devastado por terremotos, mas ainda representava um formidável obstáculo para qualquer força atacante. De fato, uma testemunha dentre os francos foi levada a escrever que a cidade não temia "nem ataques de máquinas nem agressões de homens, mesmo que toda a humanidade se juntasse para tomá-la".[21]

Os cruzados, não obstante, tinham uma vantagem: a Síria muçulmana se encontrava em um alarmante estado de desordem. Dilacerada pelas lutas por poder desde o colapso da unidade seljúcida no começo dos anos 1090, os potentados turcos da região estavam mais interessados em investir em suas próprias desavenças internas do que em oferecer qualquer forma de resposta islâmica rápida ou conjunta a essa inesperada incursão latina. Os dois jovens irmãos e rivais Ridwan e Duqaq comandavam as cidades principais, Alepo e Damasco, mas viviam presos a uma guerra civil. A própria Antioquia era governada por um acampamento semiautônomo de fronteira do hesitante sultanato seljúcida de Bagdá por Yaghi Siyan, um líder militar turco dissimulado de cabelo branco. Ele comandava uma guarda bem provisionada de talvez cinco mil tropas, o suficiente para as defesas da cidade, mas não para repelir os cruzados em campo aberto. Sua única opção era confiar nas fortificações e torcer para sobreviver ao advento da cruzada. Com a abordagem dos francos, ele enviou apelos de ajuda aos seus irmãos muçulmanos em Alepo e Damasco, bem como à própria Bagdá, na esperança de atrair reforços. Ele também passou a ficar de olho nos muitos gregos, armênios e sírios cristãos que faziam parte da cosmopolita população de Antioquia para evitar possíveis traições.

UMA GUERRA DE DESGASTE

Logo ao chegarem, os latinos tiveram de decidir uma estratégia. Desencorajados pelas proporções maciças das fortificações de Antioquia e sem os materiais e os artesãos necessários para construir armas para uma guerra de cerco – escadas de escalada, manganelas ou torres móveis –, os latinos rapidamente reconheceram que não estavam em posição de atacar a muralha. Porém, como em Niceia, uma guerra de desgaste apresentava suas dificuldades. O mero comprimento das muralhas de Antioquia, a topografia acidentada das montanhas ao redor e a presença de nada menos que seis portais principais para sair da cidade tornavam praticamente impossível um cerco completo. Sendo assim, um conselho de príncipes decidiu adotar uma estratégia de bloqueio parcial, e nos últimos dias de outubro seus exércitos tomaram posição diante dos três portões a noroeste. Passou-se um tempo e os cruzados começaram a policiar os dois acessos ao sul, e vários cercos improvisados ao forte fizeram aumentar a pressão. Mas uma entrada permanecia, o Portão de Ferro – encarapitado em um desfiladeiro rochoso entre Staurin e Silpio, fora do alcance dos cruzados. Desguarnecida, essa entrada ofereceu a Yaghi Siyan e seus homens uma tábua de salvação para o mundo exterior pelos longos meses a seguir.

A partir do outono de 1097, os francos se comprometeram com a esmagadora realidade de um cerco medieval completo. O cotidiano desse tipo de combate pode envolver pequenas escaramuças, mas, em essência, é mais um teste de resistência física e psicológica do que uma batalha de armas. Tanto os latinos quanto seus inimigos muçulmanos estavam com o moral baixo, e ambos os lados rapidamente adotaram uma série de táticas macabras para corroer a resiliência mental do oponente. Após vencer uma grande batalha no começo de 1098, os cruzados decapitaram mais de cem muçulmanos, espetaram suas cabeças em lanças e desfilaram alegremente com elas diante dos muros de Antioquia "para aumentar a dor dos turcos". Após outra escaramuça, os muçulmanos saíam da cidade ao amanhecer para enterrar seus mortos, mas, de acordo com uma testemunha latina, quando os cristãos descobriram isso:

> Eles ordenaram que os corpos fossem desenterrados e as tumbas destruídas, e que arrancassem os mortos das covas.

Eles jogaram os corpos em um buraco, e cortaram suas cabeças e os levaram para os nossos acampamentos. Quando os turcos viram isso, ficaram muito tristes, quase a ponto de morrer de tão pesarosos, lamentavam-se o dia inteiro e não faziam nada a não ser chorar e gritar.

Por sua vez, Yaghi Siyan ordenou a execução pública da população cristã nativa de Antioquia. O patriarca grego, que residira na cidade em paz por longo período, foi pendurado nas ameias pelos pés e espancado com varas de ferro. Um latino recordava que "muitos gregos, sírios e armênios que viviam na cidade foram assassinados pelos turcos enlouquecidos. Diante dos olhares dos francos, os turcos atiravam pelo muro as cabeças dos homens que mataram com suas catapultas e fundas. Isso foi o que mais arrasou nosso pessoal". Os cruzados feitos prisioneiros sofreram maus tratos semelhantes. O arquidiácono de Metz foi flagrado "jogando dados" com uma jovem em um pomar perto da cidade. Ele foi decapitado na hora, já ela foi levada de volta para Antioquia, estuprada e assassinada. Na manhã seguinte, as cabeças de ambos foram catapultadas para o acampamento latino.

Paralelamente a essas interações dolosas, o cerco girava em torno de uma batalha por recursos. Esse deprimente jogo de espera, no qual cada lado lutava para sobreviver ao outro, dependia do suprimento de recursos humanos, material e, mais fundamentalmente ainda, comida. Com considerações logísticas essenciais, os cruzados estavam em posição mais fraca. O bloqueio incompleto significava que a guarda muçulmana ainda tinha acesso a recursos e ajuda de fora. O maior exército cruzado, contudo, rapidamente exauriu seus recursos imediatos e teve de adentrar ainda mais o território hostil atrás de provisões. À medida que a campanha prosseguia, o inverno pesado piorava a situação. Em uma carta para a esposa, o príncipe franco Estêvão de Blois reclamou: "Antes da cidade de Antioquia, ao longo de todo o inverno nós sofremos em nome de Nosso Senhor Jesus Cristo com o frio excessivo e as enormes torrentes de chuva. O que alguns dizem sobre a impossibilidade de aguentar o calor do sol em toda a Síria não é verdade, pois o inverno daqui é bem semelhante ao inverno ocidental". Um cristão armênio da época viria a recordar que, nas profundezas daquele terrível inverno, "a escassez de comida, a mortalidade e a angústia abalaram o exército franco a tal ponto que um entre cinco não resistiram e os demais se sentiram abandonados e longe de sua terra".[22]

O sofrimento no acampamento franco chegou ao ápice em janeiro de 1098. Pereceram centenas, talvez até mesmo milhares, enfraquecidos por subnutrição e doença. Disseram que os pobres foram reduzidos a comer "cachorros e ratos [...] as peles dos animais e as sementes de cereais eram encontradas no lixo". Desnorteados por essa situação desesperadora, muitos começaram a questionar por que Deus abandonara a cruzada, Sua empreitada sagrada. Em meio à atmosfera cada vez mais malévola de suspeita e recriminação, o clero latino proferiu uma resposta: a expedição fora manchada pelo pecado. Para combater essa poluição, o delegado papal Ademar de Le Puy prescreveu uma sucessão de rituais purgativos – jejum, prece, dar esmolas e fazer romarias. As mulheres, supostos repositórios de impurezas, foram expulsas dos acampamentos. Apesar dessas medidas, muitos cristãos fugiram para o norte da Síria, preferindo uma jornada de incertezas de volta a Europa a suportar as condições deploráveis do cerco. Até o demagogo Pedro, o Eremita, antes apaixonado e fervoroso porta-voz dos cruzados, tentou desertar. Flagrado tentando escapar na calada da noite, ele foi arrastado de volta sem a menor cerimônia por Tancredo. Mais ou menos na mesma época, Taticius, guia grego dos cruzados, deixou a expedição, aparentemente em busca de reforços e provisões na Ásia Menor. Ele jamais retornou, mas os bizantinos de Chipre de fato enviaram alguns suprimentos para os francos nos arredores de Antioquia.

Um empedernido núcleo de cruzados sobreviveu às múltiplas privações daquele amargo inverno e, com a chegada da primavera, a balança do cerco começou a virar lentamente a favor deles. O sistema de centros de forrageamento estabelecido pelos francos desempenhou um papel importante na suavização da situação na Antioquia: os recursos chegavam de lugares tão longínquos quanto a Cilícia e, posteriormente, de Balduíno de Bolonha em Edessa. Mais significativa ainda foi a ajuda transportada pelo Mediterrâneo e removida nos portos sírios de Latáquia e São Simeão, agora ocupado pelos latinos. No dia 4 de março, uma pequena frota de navios ingleses chegou ao porto de São Simeão trazendo comida, material de construção, ferreiros e artesãos. Poucos dias depois, Boemundo e Raimundo de Toulouse conseguiram afastar essa carga valiosa da costa perante a forte oposição das tropas muçulmanas de Antioquia. O influxo resultante de materiais permitiu que os francos fechassem mais ainda o cerco.

Até esse ponto, os homens de Yaghi Siyan tinham se mostrado capazes de usar o Portão da Ponte com relativa impunidade, razão pela qual tinham controle das estradas rumo a São Simeão e Alexandreta. Os cristãos agora haviam fortificado uma mesquita abandonada na planície em frente a essa entrada, criando um pequeno cerco ao forte, que eles batizaram La Mahomerie (A Maria Abençoada), de onde eles podiam policiar os arredores. O conde Raimundo se ofereceu para fazer o cerco militar nesse posto avançado a um custo exorbitante para seu tesouro, mas seus motivos eram inteiramente altruísticos. No começo do cerco, as tropas do sul da Itália haviam ocupado o terreno em frente ao Portão de São Paulo, estando assim preparados para fazer uma rápida invasão, se e quando Antioquia caísse. Isso dava a Boemundo uma boa chance de reivindicar a cidade alegando "direito de conquista" – segundo o qual determinada propriedade capturada pertencia ao primeiro reclamante ou ocupante. Ao posicionar seus próprios homens diante da outra entrada principal de Antioquia, o Portão da Ponte, Raimundo estava agora na posição ideal para desafiar o rival.

Dentro de um mês, os francos haviam improvisado outro cerco, um forte ao redor de um monastério perto do portal mais acessível de Antioquia, o Portão de São Jorge. Tancredo aceitou comandar esse posto, mas apenas mediante pagamento da vultosa quantia de quatrocentos marcos de prata. Apesar de ter começado a cruzada na segunda classe dos nobres, ofuscado pela fama do tio Boemundo, Tancredo agora começava a emergir como uma figura significativa por mérito próprio. Depois de suas aventuras na Cilícia, a honra de ser governador e a abastança que ela implicava serviam para aumentar seu status e agregar certo nível de autonomia.[23]

TRAIÇÃO

Em abril de 1098 os cruzados haviam apertado o cerco a Antioquia. Yaghi Siyan ainda estava conseguindo passar alguns suprimentos pelo Portão de Ferro, mas sua capacidade de afligir os francos fora severamente restringida. Agora era a guarda muçulmana que estava tendo de enfrentar isolamento, recursos em declínio e o fantasma do fracasso. Ao longo do cerco, contudo, os cruzados foram assombrados por um medo corrosivo: a perspectiva de um exército auxiliar muçulmano unificado marchando para acudir Antioquia, encurralando-os entre dois inimigos.

Os latinos já haviam se beneficiado do partidarismo devastador que abalara a Síria islâmica. Indispostos a deixar de lado suas diferenças – e talvez confundindo os cruzados com mercenários bizantinos –, Duqaq de Damasco e Ridwan de Alepo haviam respondido às súplicas de Yagi Siyan enviando forças separadas e descoordenadas para combater os francos em dezembro de 1097 e fevereiro de 1098. Se essas duas grandes cidades tivessem unido seus recursos naquele inverno, provavelmente teriam derrotado a Primeira Cruzada diante dos muros de Antioquia. Pois foi que os latinos repeliram sucessivamente ambos os exércitos, ainda que com perdas significativas.

Os cruzados também sabiam muito bem que o Islã do Oriente Próximo era separado por divisões ainda mais fundamentais – como a entre os sunitas e os xiitas – e, a conselho de Aleixo Comneno, procuraram explorar essa divisão ao estabelecer contato com os fatímidas xiitas do Norte da África já no verão de 1097. Essa abordagem suscitou uma reação no começo de fevereiro de 1098, quando uma representação diplomática de al-Afdal, vizir do Egito, chegou ao acampamento cristão nos arredores de Antioquia para discutir a possibilidade de alguma forma de acampamento negociado com os primeiros cruzados. A visita desses enviados muçulmanos não foi fugaz nem sigilosa. Eles ficaram no acampamento cruzado por pelo menos um mês, e sua presença foi amplamente noticiada por testemunhas latinas. E ainda, as boas-vindas a esses diplomatas aparentemente despertaram poucas ou nenhuma crítica. Estêvão de Blois, por exemplo, não se mostrou constrangido ao escrever para sua esposa que os fatímidas haviam "estabelecido a paz e a concordância entre nós". Cruzados e egípcios não chegaram a um acordo definitivo sobre Antioquia, mas os egípcios chegaram a fazer promessas de "amizade e tratamento favorável", e, visando seguir esse entendimento, representantes latinos foram enviados de volta ao Norte da África, encarregados de "estabelecer um pacto amigável".

Até o começo do verão de 1098, os cruzados haviam conseguido afastar um contra-ataque muçulmano direto por meio de diplomacia e intervenção militar preventiva. No final de maio, contudo, começou a circular um rumor temível: havia um novo inimigo no exterior. O sultão de Bagdá finalmente respondeu ao desesperado apelo de Antioquia por ajuda enviando generosos reforços. Em 28 de maio, sentinelas retornaram ao acampamento franco para confirmar que viram um "exército [muçulmano] espalhando-se por toda parte a partir das montanhas e diferentes estradas como areia na praia". Era o temido general iraquiano Kerbogha de Mossul, liderando tropas sírias e mesopotâmicas de cerca de 40 mil homens, que estavam a menos de uma semana de Antioquia.[24]

As notícias de que o Islã sunita havia finalmente se unido contra os cruzados deixou os príncipes latinos horrorizados. Procurando esconder essas notícias da população por medo de que incitassem pânico e deserção, eles reuniram um conselho de emergência para discutir um curso de ação. Não havia previsão de fim próximo do cerco à cidade, apesar de ele ter se intensificado e a resistência de Yaghi Siyan estar enfraquecendo. Os francos não estavam em posição de confrontar Kerbogha em uma batalha em grande escala – estavam em desvantagem numérica de dois para um, sem contar a severa falta de cavalos para organizar uma ofensiva montada. Após todos os amargos sacrifícios e combates dos meses anteriores, agora tudo indicava que o exército cristão acabaria sendo esmagado contra os muros de Antioquia pela onda vindoura de ataques muçulmanos.

Nesse momento de crise, com a cruzada enfrentando devastação, Boemundo deu um passo à frente. Ele alegou que, à luz de seu dilema, quem fosse capaz de engendrar a queda de Antioquia deveria ter o direito de ficar com a cidade, e após muito debate isso foi aceito de modo geral, com a ressalva de que ela deveria ser devolvida ao Imperador Aleixo se ele viesse a requisitá-la. Com a barganha acertada, o astuto Boemundo resolveu pôr as cartas na mesa. Ele revelou ter feito contato com um desertor dentro de Antioquia, um alto governador armênio chamado Firuz, que estava pronto para trair a cidade.

Poucos dias depois, na noite de 2-3 de junho, um pequeno grupo de homens de Boemundo usou uma escada de couro de boi para subir em uma parte isolada do muro ao sudeste, onde Firuz aguardava. Mesmo com a ajuda do traidor, essa saída era tão arriscada que o próprio Boemundo optou por esperar embaixo, pois caso um alarme fosse dado, o grupo que abria caminho teria certamente sido chacinado. E eis que os guardas das três torres mais próximas foram rápida e silenciosamente despachados e abriu-se uma pequena porta abaixo. Até esse ponto, a discrição fora essencial, mas a abertura da primeira brecha fez Boemundo soar as cornetas para iniciar o segundo ataque, coordenado, à cidadela de Antioquia. O calmo ar noturno foi subitamente rompido quando os francos gritaram seu canto de guerra: "Deus assim quer! Deus assim quer!". Enquanto o crescente tumulto perfurava a escuridão, a guarda da cidade foi lançada em um estado de completa confusão, e alguns dos cristãos do leste que ainda viviam em Antioquia acabaram se voltando contra seus soberanos muçulmanos e correram para abrir os demais portões da cidade.

Com a resistência se esfacelando, os cruzados adentraram Antioquia, esforçando-se para descarregar oito meses de raiva e agressão acumulados. A carnificina caótica começou em meio à penumbra que precede o amanhecer. Um contemporâneo latino observou que "eles não estavam poupando vidas muçulmanas nem de crianças, idosos ou mulheres, o chão estava coberto de sangue e cadáveres, sendo alguns de cristãos gregos, sírios e armênios. Não é de espantar, já que (no escuro) eles estavam totalmente incapacitados de saber a quem matar e a quem poupar". Posteriormente, um cruzado descreveu como "todas as ruas da cidade ficaram tomadas por cadáveres, de modo que ninguém suportava ficar lá por causa do fedor, e só se conseguia andar pelos caminhos estreitos da cidade pisando nos corpos dos mortos". Em meio a todo esse derramamento de sangue descontrolado e às pilhagens subsequentes, Boemundo fez questão de hastear seu estandarte ensanguentado sobre a cidade, como sempre apelando para seu método de reclamar direitos sobre propriedade invadida. Enquanto isso, Raimundo de Toulouse atravessava o Portão da Ponte às pressas para ocupar todos os edifícios da área, inclusive o palácio de Antioquia, estabelecendo uma relevante base provençal dentro da cidade. Apenas a cidadela, encarapitada bem no alto do Monte Silpio, permanecia em mãos muçulmanas, sob o comando do filho de Yaghi Siyan. O próprio governador fugiu, aterrorizado, mas foi capturado e decapitado por um camponês local.[25]

O plano diabólico de Boemundo havia dado certo, terminando o primeiro cerco de Antioquia, mas havia pouca chance de comemorar. A dianteira do exército de Kerbogha chegou em 4 de junho, apenas um dia após a queda da cidade. Com as tropas muçulmanas avançando, logo Antioquia estava cercada, deixando os cruzados presos dentro dela.

OS SITIADOS

O segundo cerco a Antioquia, em junho de 1098, foi a maior crise da cruzada. Os latinos haviam evitado a batalha em duas frentes, mas agora se encontravam cercados dentro dos muros de Antioquia. Desprovida de recursos durante a primeira investida, a cidade pouco tinha a lhes oferecer em termos de comida ou suprimentos militares. E com sua cidadela em mãos inimigas, suas majestosas defesas foram fatalmente comprometidas. Toda a expedição estava a um passo da destruição.

A única frágil centelha de esperança dos cruzados era que o longamente aguardado exército bizantino chegasse sob o comando de Aleixo Comneno para salvá-los. Sem que os francos soubessem, contudo, os eventos conspiraram para descartar até mesmo essa vaga perspectiva de libertação. Em 2 de junho, logo antes de Antioquia ceder aos latinos, o príncipe cruzado Estêvão de Blois julgou que os cristãos não tinham chance de sobrevivência e decidiu fugir. Fingindo doença, ele escapou para o norte e pôs-se a atravessar a Ásia Menor. Sua partida deve ter abalado enormemente o moral dos demais, e Estêvão causou dano ainda maior nas expectativas da expedição, e ao movimento cruzado como um todo.

No centro de Anatólia ele se deparou com o Imperador Aleixo, acampado com seu exército na cidade de Filomélio. Durante todo o cerco de Antioquia, os cruzados esperaram pelos reforços dos gregos, mas Aleixo estava preocupado em retomar a costa da Ásia Menor. Quando Estêvão reportou que os francos provavelmente já tinham sido derrotados, o imperador decidiu se retirar para Constantinopla. Nesse momento crucial, Bizâncio ficou em falta com a cruzada, e os gregos jamais foram totalmente perdoados. Estêvão retornou à França e foi chamado de covarde pela esposa.

Ou seja, os cruzados foram abandonados e tiveram de encarar sozinhos a horda de Kerbogha. O general de Mossul se mostrou um adversário formidável. Os francos o viam como comandante em chefe do exército do sultão de Bagdá, mas seria errado pensar que Kerbogha era um mero servo do califado abássida. Nutrindo suas próprias ambições de expansão, ele reconheceu que uma guerra contra os francos em Antioquia era a oportunidade perfeita para tomar o controle da Síria para si mesmo. Kerbogha havia passado seis meses construindo cuidadosamente a base militar e diplomática para sua campanha, conectando uma coalizão muçulmana imensamente intimidante. Exércitos de toda a Síria e a Mesopotâmia se comprometeram com a causa, incluindo uma força vinda de Damasco, mas a motivação da maioria não era o ódio aos cristãos, tampouco devoção espiritual, mas sim medo de Kerbogha, um homem que agora parecia destinado a comandar o mundo seljúcida.

No começo de junho de 1098, Kerbogha abordou o segundo cerco de Antioquia com diligente e deliberada cautela. Ele estabeleceu seu principal acampamento a poucos quilômetros ao norte da cidade, fez contato com os muçulmanos no comando da cidadela e começou a juntar forças no interior e nos arredores da fortaleza, a leste, nas encostas menos íngremes do Monte Silpio. Também foram enviados soldados para bloquear o Portão de São Paulo, no norte da cidade. A estratégia inicial de Kerbogha se concretizou como um agressivo ataque frontal conduzido pela cidadela de Antioquia e suas imediações. Em 10 de junho ele já estava pronto para lançar um ataque abrasador. Kerbogha mandou tropas como ondas, uma atrás da outra, pelos quatro dias seguintes, enquanto Boemundo conduzia os francos em desesperada batalha corpo a corpo para retomar o controle dos muros a leste da cidade. Esse foi o combate mais intenso e implacável enfrentado pelos cruzados. Durante literalmente do amanhecer à noite, sem pausa; nas palavras de uma testemunha, "quem tinha comida não tinha tempo de comer, e quem tinha água não tinha tempo de beber". Beirando a exaustão, inteiramente petrificados, alguns latinos chegaram ao limite de suas forças. Um cruzado viria a relembrar que "muitos perderam as esperanças e desceram às pressas do muro usando cordas; e entre os soldados urbanos que voltavam da batalha circulava o rumor de que em breve haveria decapitação de defensores". O índice de deserção aumentava dia e noite, e logo estavam se juntando aos assim chamados "puxa-cordas" até mesmo cavaleiros de renome, como o cunhado de Boemundo. Em determinado momento começaram os boatos de que os próprios príncipes se preparavam para fugir, e Boemundo e Ademar de Le Puy foram forçados a barrar os portões da cidade para prevenir uma debandada geral.

Por meio de pura determinação e sangue-frio, aqueles que ficaram conseguiram se agarrar às suas posições. Até que, na madrugada de 13 para 14 de junho, uma estrela cadente pareceu cair do céu dentro do acampamento muçulmano. Os cruzados interpretaram isso como bom sinal, pois no dia seguinte os homens de Kerbogha foram vistos se retirando do Monte Silpio. Mas isso provavelmente foi motivado por pura estratégia. Como já havia falhado em romper a resistência dos francos por meio de ataque frontal, Kerbogha passou a usar uma abordagem mais indireta. Escaramuças ainda ocorriam diariamente, mas a partir de 14 de junho os sitiadores concentraram sua energia em cercar Antioquia. A maior parte do exército abássida continuava no acampamento principal ao norte, mas grandes destacamentos de tropas estavam agora a postos para bloquear o Portão da Ponte e o Portão de São Jorge. Ao apertar esse cordão, cortando assim o contato dos latinos com o mundo externo, Kerbogha esperava forçar os latinos à submissão pela fome.

A comida andava escassa desde que os francos entraram em Antioquia. Agora, contudo, a precariedade da situação se intensificara e os latinos logo tiveram de enfrentar níveis de sofrimento sem precedentes. Um cristão da época descreveu esses dias de horror:

> Com a cidade bloqueada por todos os lados, e [os muçulmanos] embarreirando todas as passagens, a fome cresceu tanto entre os cristãos que na falta de pão eles [...] chegavam a mastigar os pedaços de couro duros e podres que encontravam em casas e que foram largados três ou seis anos antes. O povo comum foi forçado a devorar couro de sapatos, de tanta que era a fome. Alguns, de fato, encheram suas barrigas infelizes com raízes de urtiga e outras plantas de mata que cozinhavam e amaciavam no fogo, e assim adoeceram e muitos morreram, aprofundando a desvantagem numérica.

Imobilizados pelo medo e pela fome, com o moral esfacelado, sem rota de escape à vista para os cruzados, havia pouca chance de sobrevivência. Nesses dias mais sombrios, a maioria acreditava que a derrota seria questão de tempo.[26]

Historiadores já discutem há muito tempo que, a essa altura, o curso do segundo cerco de Antioquia, e mesmo a sorte de toda a cruzada, fora transformada em um só dramático evento. Em 14 de junho, um pequeno grupo de francos, liderados por um camponês vidente chamado Pedro Bartolomeu, começou a escavar na Basílica de São Pedro. Segundo Bartolomeu, uma aparição do apóstolo Santo André havia lhe revelado o local onde se encontrava uma arma espiritual extraordinariamente poderosa: a lança que perfurara o lado de Cristo na cruz. Um dos homens que se juntou à busca por essa "Lança Sagrada", Raimundo de Aguilera, fez o seguinte relato:

> Estivéramos escavando a noite inteira quando alguns perderam a esperança de desenterrar a lança [...] mas o jovial Pedro Bartolomeu, ao ver a exaustão de nossos trabalhadores, despojou-se de suas roupas de cima e, só de camisa e descalço, entrou no buraco. Finalmente, o Senhor, em Sua misericórdia, nos mostrou Sua Lança e eu, Raimundo, autor deste livro, beijei a ponta da Lança que mal se projetava para fora do chão. Que grande alegria e exultação então encheu a cidade.

Por muito tempo foi atribuída à descoberta desse pequeno fragmento de metal, aparentemente uma relíquia da Paixão de Cristo, um efeito eletrizante nas mentes dos cruzados. Interpretada como indicação irrefutável do renovado apoio de Deus, uma garantia de vitória, a descoberta teria incitado os latinos a pegar em armas e confrontar Kerbogha em batalha aberta. Outra testemunha dentre os francos descreveu o impacto dessa Lança Sagrada: "E então [Pedro] encontrou a lança, como havia profetizado, e todos receberam a descoberta com grande alegria e respeito, e houve imenso regozijo pela cidade. Foi quando decidimos um plano de ataque, e todos os nossos líderes imediatamente formaram um conselho".[27]

Na verdade, a impressão que esse relato alimenta – a de que os cristãos, com seus espíritos subitamente revigorados por uma efusão extasiada de fé, agiram de forma urgente e imediata para atacar o inimigo – é profundamente enganosa. Duas semanas inteiras separavam a descoberta da Lança e a batalha que acabaria sendo travada contra Kerbogha.

A "descoberta" de Pedro Bartolomeu certamente teve algum efeito sobre o moral dos cruzados. Para sensibilidades modernas, a história de suas visões pode parecer fantasiosa, e alegar ter descoberto uma genuína relíquia que fez parte da vida de Jesus Cristo em pessoa pode soar fraudulento e até ridículo. Mas, para os francos do século XI, acostumados com os conceitos de santos, relíquias e intervenções miraculosas, as experiências de Pedro soavam autênticas. Condicionados por um sistema de crenças bem organizado, no qual os santos mortos atuavam como mediadores entre Deus e os homens na Terra, canalizando Seu poder por meio de relíquias sagradas, a maioria das pessoas se dispunha a aceitar a autenticidade da Lança Sagrada. Entre os líderes da cruzada, apenas Ademar de Le Puy parecia hesitar, o que provavelmente se dava devido à baixa estatura social de Pedro. Mas, por mais que estivessem animados pelo advento da relíquia, os latinos continuaram paralisados pelo medo e pela incerteza ao longo da segunda metade de junho. A escavação da Lança não foi um poderoso catalisador de ação, e menos ainda uma virada nos destinos da Primeira Cruzada.[28]

Em 24 de junho, os cruzados estavam à beira do colapso, de modo que mandaram dois enviados para negociar com Kerbogha. Os historiadores em geral tendem a seguir de modo acrítico a explicação dos próprios latinos sobre essa representação diplomática, caracterizando-a como um exercício de bravata. Na realidade, foi mais provavelmente uma tentativa desolada de negociar os termos da rendição. Uma fonte cristã apartidária descreveu como os francos "se viram ameaçados pela fome e resolveram obter de Kerbogha uma promessa de anistia sob a condição de entregarem a cidade em suas mãos e voltar para seu país". Uma crônica árabe posterior parece sustentar essa versão dos eventos, afirmando que os príncipes cruzados "escreveram para Kerbogha para pedir salvo-conduto em seu território, mas ele recusou, dizendo que eles teriam de lutar para sair".

E assim se evaporou qualquer chance de escapar de Antioquia. Reconhecendo que sua única esperança agora estava na batalha em campo aberto, a despeito do preço a pagar, os príncipes latinos iniciaram preparações para um suicida encontro final. Nas palavras de um latino da época, eles haviam decidido que era "melhor morrer em batalha do que perecer de fome, enfraquecendo dia a dia até morrer".[29]

Nesses dias finais os cristãos fizeram as derradeiras preparações. Procissões rituais, confissões e comunhões foram efetuadas à guisa de purgação espiritual. Enquanto isso, Boemundo, agora eleito comandante em chefe do exército, engendrava um plano de batalha. Em tese, os francos estavam irremediavelmente superados, chegando talvez a 20 mil, incluindo não combatentes. Sua força de elite de cavaleiros montados fortemente armados também havia sido mutilada com a morte de vários cavalos, forçando a maioria dos homens a lutar montando animais de carga ou a pé. Até o conde alemão Hartmann de Dillingen, antes um orgulhoso e próspero cruzado, fora reduzido a cavalgar um burro tão pequeno que suas botas chegavam a se arrastar na terra. Boemundo então teve de desenvolver uma estratégia baseada na infantaria para confrontar o inimigo com o máximo de velocidade e ferocidade.

Apesar de grande, o exército de Kerbogha tinha dois pontos fracos em potencial. Com o grosso de sua força ainda cautelosamente acampada a alguma distância ao norte, as tropas ao redor de Antioquia se espalhavam de modo relativamente disperso. Ao mesmo tempo, aos homens de Kerbogha faltava algo que os latinos tinham de sobra, ou seja, um desesperado sentido de compartilhar a mesma causa, de união em nome da menor faceta de unidade que seja. Se os muçulmanos começassem a perder a confiança em seu general, as rachaduras começariam a aparecer.

Em 28 de junho de 1098, os cruzados estavam prontos para a batalha. Ao amanhecer daquele dia, puseram-se a marchar para fora da cidade enquanto o clero junto ao muro oferecia preces a Deus. A maioria acreditava marchar rumo à morte. Boemundo optara por começar a marcha a partir do Portão da Ponte, atravessando o Orontes para confrontar as tropas muçulmanas que guardavam as planícies adiante. Se não quisessem ser impedidos e reduzidos a um homem só, rapidez e coesão no destacamento eram fatores essenciais. Quando os portões se abriram, a guarda avançada de arqueiros latinos descarregou uma saraivada de flechas na força inimiga, abrindo caminho pela ponte. Então, com Boemundo segurando a retaguarda, os francos marcharam adiante em quatro grupos de batalha bastante coesos que se espalharam em um meio-círculo tosco e se fecharam para enfrentar os muçulmanos.

Assim que o Portão da Ponte se abriu, Kerbogha, acampado ao norte, foi alertado de que haviam hasteado uma bandeira negra sobre a cidadela governada por muçulmanos. Nesse momento ele poderia ter empregado sua principal força militar para pegar os cruzados na saída da cidade e espalhar sua formação. Acontece que ele hesitou. Isso porque, como rezaria a lenda, ele estaria frivolamente envolvido com um jogo de xadrez. Na verdade, Kerbogha pretendia dar um golpe matador, permitindo que os francos saíssem da cidade para destruí-los em massa, virando o jogo do cerco de Antioquia e alcançando uma conclusão triunfante. Essa estratégia tinha certo mérito, mas exigia sangue-frio. Pois justamente quando devia ter mantido sua posição, deixando os cruzados avançarem para lutar em terreno de sua escolha, o general perdeu a coragem. Sentindo que os latinos estavam ganhando uma pequena vantagem nas disputas ao lado da cidade, ele ordenou que todo seu exército avançasse de forma desordenada e apavorada.

Seu senso de ocasião foi lamentável. Os francos haviam sobrevivido a uma sucessão de contra-ataques excruciantes das forças muçulmanas que estavam bloqueando Antioquia, inclusive uma carga potencialmente letal pelas costas das tropas que ficaram no sul, guardando o Portão de São Jorge. As baixas entre os cristãos se acumulavam, mas mesmo assim Boemundo avançou para tomar a iniciativa, e a resistência muçulmana começou a entrar em colapso. O principal grupo de Kerbogha chegou no momento em que os ventos da batalha estavam mudando de direção. Enervados por não conseguirem vencer o supostamente depauperado exército latino, os muçulmanos que lutavam perto da Ponte do Portão fugiram. Eles correram diretamente para as fileiras cerradas de seus camaradas que avançavam, gerando caos. Foi nesse momento decisivo da batalha que Kerbogha falhou em concentrar seus homens. Com sua formação esgarçada, os contingentes abássidas cortaram suas perdas e fugiram do campo de batalha. O choque brutal da determinação indomável dos cruzados expusera as fraturas internas do exército muçulmano. Um cronista árabe ultrajado viria a escrever o seguinte: "os francos, mesmo no limite da fraqueza, avançaram para lutar contra os exércitos do Islã, que estavam no ápice em força e números, e romperam as fileiras dos muçulmanos, espalhando seus grandes grupos".[30]

Kerbogha foi forçado a uma retirada humilhante, apesar de seu exército poderoso ter sofrido pouquíssimas baixas. Abandonando as riquezas de seu acampamento, caiu em desgraça e fugiu para a Mesopotâmia. Na sequência da batalha, a guarda muçulmana da cidadela se rendeu. A enorme cidade estava, enfim, verdadeiramente em mãos latinas. A batalha de Antioquia foi uma vitória estonteante. A cruzada jamais chegara tão perto da destruição e, ainda assim, contra todas as expectativas, a cristandade havia triunfado. Não é de surpreender que muitos tenham visto a mão de Deus operando, e foi relatada uma série de milagres espetaculares. Um exército de fantasmagóricos mártires cristãos, todos de branco e conduzidos por santos soldados, apareceu das montanhas para ajudar os francos. Alhures, o próprio Raimundo de Aguilera levou a Lança Sagrada em meio ao contingente dos franceses sulistas liderado pelo bispo Ademar. Posteriormente seria dito que a visão da relíquia paralisou Kerbogha. Com ou sem intervenção divina, a fé desempenhou um papel central nesses eventos. Os cruzados lutaram sem questionar em meio a uma atmosfera de fervorosa convicção espiritual, instaurada por sacerdotes que marchavam entre eles entoando e rezando preces. Acima de tudo, os latinos se uniram durante sua terrível confrontação devido à combinação de seu compartilhado senso de missão devocional e uma percepção quase primitiva de desespero, e foi isso que os capacitou a resistir a seu temeroso inimigo e até mesmo repeli-lo.

ATRASO E DISSIPAÇÃO

Logo após esse notável sucesso, cresceu a esperança de uma virada e de uma conclusão triunfante para a cruzada. Contudo, a expedição perdeu a direção e a dinâmica quando seus líderes brigaram pelo espólio da Síria. O calor do ápice do verão deu início a uma epidemia de doenças, e muitos no exército que haviam sobrevivido às privações dos meses anteriores estavam agora fenecendo.

Durante todo esse período, a expedição foi assolada por uma amarga disputa pelo futuro de Antioquia que acabou por estagnar qualquer progresso em direção à Palestina. Boemundo queria a cidade para si mesmo e estava agora fortemente decidido a fazer pressão nesse sentido. Foi ele quem engendrou a queda de Antioquia na hora de necessidade da cruzada, e era dele o estandarte hasteado nos muros da cidade no amanhecer de 3 de junho. Horas depois da derrota de Kerbogha, ele havia cimentado sua posição ao almejar o controle pessoal da cidadela, apesar dos melhores esforços de Raimundo de Toulouse para derrotá-lo e levar o prêmio. Boemundo agora queria dos demais príncipes reconhecimento indiscutível de seu direito de posse, apesar das promessas feitas ao imperador bizantino. Cientes do fato de que Aleixo os havia abandonado em Filomélio, a maioria aquiesceu, porém mais uma vez foi Raimundo quem se opôs, alardeando as excepcionais obrigações da expedição aos gregos. Um diplomata foi despachado para Constantinopla rogando ao imperador que reivindicasse Antioquia pessoalmente, o que não ocorreu, gerando assim um impasse.

Boemundo tem sido considerado o vilão desse episódio – sua ambição e sua cobiça contrastavam com a desapegada dedicação de Raimundo à justiça e à causa da cruzada. Apesar de Boemundo estar certamente de olho em vantagens pessoais, a situação não era tão inequívoca assim. Na ausência dos reforços das tropas gregas, um dos príncipes francos teria de ficar governando a Síria e guarnecendo Antioquia, senão o sangue franco derramado em nome dessa conquista teria sido em vão. Por um ponto de vista, era possível alegar que os cruzados tiveram sorte por Boemundo estar disposto a arcar com esse fardo, renunciando à conclusão imediata de sua romaria a Jerusalém. Ao mesmo tempo, Raimundo de Toulouse tinha uma reputação de altruísta que não resistiria a um exame mais rigoroso. Ele podia estar disposto a entregar Antioquia a Bizâncio, mas também tinha seus sonhos de poder. O comportamento do conde durante o resto da cruzada se intercalou entre duas aspirações conflitantes: o desejo de conquistar um novo domínio próprio no Levante e a vontade concomitante de ser reconhecido como líder da cruzada.

Foi pensando nessa última que Raimundo cultivou uma aproximação com o vidente Pedro Bartolomeu e o culto da Lança Sagrada. Inspirado pela aparentemente autêntica devoção à relíquia, o conde provençal passou a proteger Pedro e se tornou o principal apoiador da Lança Sagrada. Nos meses seguintes, enquanto os cruzados relembravam os dramáticos eventos do segundo cerco a Antioquia e sua vitória contra Kerbogha, que mais parecia milagre, Raimundo e seus apoiadores ajudaram a promover a ideia de que a Lança desempenhara um papel essencial para que eles sobrevivessem. Ao mesmo tempo, Pedro continuava a relatar uma sucessão de visões e logo estava agindo como autoproclamado porta-voz de Deus. De acordo com o profeta camponês, Santo André havia lhe revelado que "o Senhor deu a Lança ao conde para indicar Raimundo como líder da Primeira Cruzada".[31]

Em agosto, a evolução do culto da Lança e o consequente impulso na carreira política de Raimundo acabaram tomando um rumo macabro. Enquanto estava vivo, Ademar de Le Puy havia expressado hesitação quanto à autenticidade da Lança. Mas apenas dois dias depois da morte do delegado papal, Pedro Bartolomeu proclamou ter sido visitado pelo espírito de Ademar, e assim começou o processo de apropriação de sua memória. O bispo foi enterrado na Basílica de São Pedro, dentro do mesmo buraco no qual fora descoberta a Lança Sagrada. A fusão física dos dois cultos – um golpe de mestre da manipulação – foi reforçada quando Pedro começou a retransmitir as "palavras" de Ademar do além-túmulo, revelando que ele agora reconhecia a Lança como genuína e que sua alma havia sido severamente punida com chicotadas e queimaduras pelo pecado de ter duvidado da relíquia. Ao lado dessa aparente reviravolta na Lança Sagrada, o espírito do bispo começou a apoiar as ambições políticas de Raimundo. De fato, Ademar logo viria a "declarar" que seus antigos vassalos deveriam transferir sua fidelidade ao conde, e que Raimundo deveria ser autorizado a escolher o próximo líder espiritual da expedição.

Como a Primeira Cruzada perdeu tempo naquele longo verão sírio, o culto da Lança Sagrada ganhou força paralelamente à ascensão de Raimundo de Toulouse e Pedro Bartolomeu em termos de popularidade e influência. Mesmo assim, no começo do outono o conde ainda não havia conseguido expulsar Boemundo de Antioquia, tampouco estava em posição de se declarar líder da cruzada assim, sem mais nem menos. Raimundo precisava aumentar sua influência. A partir do final de setembro ele iniciou uma série de campanhas na fértil região do planalto de Summaq, no sudeste. Essas operações têm sido frequente e erroneamente representadas como expedições em busca de alimentos, ou até mesmo como tentativas de adentrar a Palestina, mas na realidade o objetivo de Raimundo era estabelecer seu próprio enclave independente para enfrentar e ameaçar o controle de Boemundo em Antioquia.

Parte desse processo implicava a conquista de Marrat, maior cidade da região. A rendição veio após um árduo cerco de inverno, e Raimundo rapidamente iniciou um programa de cristianização e colonização, convertendo mesquitas e instalando uma guarda. Mas pouco depois as linhas de suprimento latinas falharam e alguns seguidores mais pobres do conde começaram a passar fome. Foi quando se deu uma das atrocidades mais apavorantes da cruzada. De acordo com um franco:

> Nossos homens passavam por extrema fome. Estremeço ao dizer que muitos, terrivelmente atormentados pela loucura da fome, cortaram pedaços de carne dos traseiros dos sarracenos mortos. Eles assavam e comiam esses pedaços, devorando feito selvagens a carne insuficientemente assada.

Uma testemunha latina observou que "esse espetáculo revirou os estômagos tanto de cruzados quanto de estranhos". Por mais desconfortável que seja reconhecer, esses atos de aterrorizante barbárie – criticados abertamente até por cronistas francos – trouxeram, de fato, benefícios imediatos aos francos. Entre os muçulmanos sírios, os cruzados ganharam reputação de selvagens, e nos meses subsequentes muitos emires locais procuraram negociar com seus temíveis novos inimigos em vez de correrem risco de extermínio.[32]

Enquanto isso, os meses passavam em meio a litígio e inércia; uma série de conselhos de príncipes latinos se mostrou incapaz de resolver a disputa por Antioquia, e o sentimento popular entre os cruzados de primeira hora começou a perder força. A pressão era cada vez maior para que os príncipes pusessem de lado suas diferenças e se concentrassem nos interesses da expedição como um todo. Os eventos vieram à tona no começo de janeiro de 1099 com um extraordinário rompante de desobediência civil. Consternado pelo fato de até Raimundo de Toulouse, defensor da Lança Sagrada, preferir lutar pelo controle da Síria a marchar para Jerusalém, uma turba de francos pobres começou a demolir as fortificações de Marrat com as próprias mãos, derrubando os muros pedra por pedra. Raimundo reconheceu o protesto e finalmente percebeu que não podia querer liderar a cruzada e comandar Antioquia ao mesmo tempo. Em 13 de janeiro ele fez o gesto simbólico de sair de Marrat marchando descalço rumo ao sul, trajado simplesmente como um peregrino penitente que deixava para trás a cidade e suas expectativas de conquista. Enquanto isso, Boemundo permanecia na Antioquia. O sonho de alcançar o comando independente da cidade havia sido enfim realizado, mas sua ambição havia colaborado para meses de atraso destrutivo para a cruzada e, mais importante, causando dano severo e perene nas relações entre os latinos e o Império Bizantino.

Aparentemente priorizando a guerra santa, Raimundo desfrutou de uma onda de apoio e, por um tempo, tudo indicava que ele havia se tornado o líder oficial da cruzada. Ele deu o bem calculado passo de usar dinheiro vivo para garantir que sua nova movimentação rumo à Palestina recebesse o apoio dos outros príncipes. Nem todos aceitavam suborno – Godofredo de Bouillon, por exemplo, manteve distância –, mas Roberto da Normandia e até mesmo Tancredo agora passaram a se alinhar com o acampamento provençal por 10 e cinco mil *solidi* (moedas de ouro), respectivamente. Eles e muitos outros cristãos juntaram-se ao grupo que seguia para o sul, rumo ao Líbano.

A preeminência de Raimundo de Toulouse agora parecia garantida, e devia ter assim permanecido se ele tivesse continuado a se concentrar somente na tarefa de alcançar Jerusalém. Na verdade, contudo, sob a aparência de mera dedicação, o conde ainda ansiava por criar um novo reino provençal no leste. Em meados de fevereiro de 1099, ele comprometeu a cruzada em um cerco desnecessário e fútil da fortaleza libanesa de Arqa; as massas já estavam inquietas quando o prestígio de Raimundo sofreu um golpe desastroso.

A proximidade entre Pedro Bartolomeu e a Lança Sagrada fora decisiva para garantir seu reconhecimento como comandante da cruzada. Mas, com o passar dos meses, Pedro se mostrou um aliado cada vez mais volátil, dado a extremas e imprevisíveis experiências visionárias. Na primavera de 1099, seus desvarios estavam ganhando contornos ainda mais fantásticos, e quando, no começo de abril, ele relatou que Cristo o havia instruído a supervisionar a execução de milhares de cruzados "pecadores", o encanto se quebrou. Não foi surpresa quando o autoproclamado profeta e a relíquia que ele supostamente descobrira começaram a ser questionados abertamente, com um clérigo normando chamado Arnulfo de Chocques encabeçando as críticas, ávido para reafirmar a influência no norte da França.

Aparentemente convencido da realidade de suas experiências, Pedro se voluntariou a passar por um teste de fogo potencialmente letal para provar sua própria honestidade, bem como a da Lança. Ele passou quatro dias jejuando para purificar a alma antes do teste. Então, na Sexta-Feira Santa, diante de uma multidão de cruzados, trajando uma túnica simples e segurando a Lança Sagrada, Pedro caminhou para um verdadeiro inferno: "galhos de oliveiras em chamas empilhados em duas pilhas de pouco mais de um metro de altura, a cerca de um metro de distância uma da outra e com quatro metros de altura".

Há diferentes relatos sobre o que teria acontecido em seguida. Os apoiadores de Pedro sustentavam que ele emergiu da conflagração ileso, mas morreu esmagado por uma multidão de curiosos enlouquecidos. Outros observadores mais céticos descreveram assim:

> O descobridor da Lança correu por sobre a pilha em brasas para provar sua honestidade, conforme prometera. Quando o homem passou pelas chamas e emergiu, as pessoas viram que ele era culpado, pois ele estava com a pele queimada e perceptivelmente ferido de morte por dentro. Isso ficou evidente doze dias depois, quando ele morreu com a consciência pesada.

A despeito da origem dos ferimentos surgidos no dia de seu ordálio, foram eles que levaram Pedro Bartolomeu à morte. Seu falecimento destroçou a crença em suas profecias e suscitou grave dúvida sobre a eficácia da Lança Sagrada, além de abalar a reputação de Raimundo. Ele tentou se manter no poder, mas no começo de maio – quando até seus apoiadores do sul da França bradavam pelo prosseguimento da marcha rumo à Palestina – foi forçado a recuar e abandonar Arqa e seu projeto libanês. Quando os francos partiram para Trípoli em 16 de maio de 1099, foi o fim da fase de domínio provençal da cruzada; a partir de então Raimundo iria, na melhor das hipóteses, compartilhar o poder com os demais príncipes. No final, depois de mais de dez meses de atraso e desilusão, a Primeira Cruzada começou seu avanço final rumo à Cidade Sagrada de Jerusalém.[33]

3. A CIDADE SAGRADA

Ao começar a última fase da marcha rumo a Jerusalém, os primeiros cruzados foram possuídos por um novo senso de urgência. Qualquer ideia de conquistar outras cidades e portos na jornada pelo Líbano e Palestina foi abandonada, enquanto os francos, agora motivados pelo desejo firme de completar sua peregrinação à Cidade Sagrada, avançaram com resoluta rapidez. Não foi apenas devoção o combustível da velocidade dos francos; a necessidade estratégica também contribuiu para tal. Na primavera, durante o cerco a Arqa, a questão das relações diplomáticas com o Egito ressurgiu quando os emissários latinos que haviam sido enviados ao vizir al-Afdal um ano antes voltaram à expedição na companhia de representantes fatímidas. Muita coisa havia mudado durante esse intervalo. Aproveitando os tremores de medo que sacudiram o mundo seljúcida sunita após a derrota de Kerbogha em Antioquia, al--Afdal havia conquistado Jerusalém dos turcos em agosto de 1098. Essa transformação radical do equilíbrio do poder no Oriente Próximo estimulou os príncipes da cruzada a procurar um acordo negociado com os fatímidas, oferecendo uma parte do território conquistado em troca do direito à Cidade Sagrada. Mas as conversas azedaram quando os egípcios se recusaram categoricamente a ceder Jerusalém, o que deixou os francos tendo de encarar um novo inimigo na Palestina e uma corrida contra o tempo. Agora os cruzados tinham de cobrir com a máxima rapidez os mais de 320 quilômetros de peregrinação que ainda faltavam, antes que al-Afdal pudesse juntar um exército para interceptá-los e organizar adequadamente as defesas de Jerusalém.

A passagem dos cruzados que contornavam a costa sul do Mediterrâneo foi facilitada pela disposição de governantes muçulmanos locais semi-independentes em negociar tréguas de curto termo e até mesmo ocasionalmente oferecer mercados para que os cruzados pudessem comprar comida e suprimentos. Acovardados pela reputação de brutal invencibilidade que os latinos ganharam em Antioquia e Marrat, esses emires ficaram felizes de evitar confronto. Ao passar pelos principais acampamentos de Tiro, Acre e Cesareia, a resistência que os francos encontraram era limitada, e eles ficaram profundamente aliviados ao descobrir uma sucessão de estreitas passagens para a costa sem vigilância. No final de maio, a expedição voltou para o interior em Arsuf e cruzou as planícies, subindo em seguida para os montes da Judeia. Só fizeram uma breve pausa quando estavam chegando a Ramla, o último real bastião na estrada para a Cidade Sagrada, mas encontraram a cidade abandonada pelos fatímidas. Por fim, em 7 de junho de 1099, avistaram Jerusalém. Um latino da época descreveu como "todas as pessoas explodiram em lágrimas de felicidade, pois estavam tão perto do local sagrado daquela cidade, pela qual sofreram tantas provações, tantos perigos, tantos tipos de morte e de fome". A inércia de al-Afdal permitira que a expedição avançasse do sul para o Líbano um menos de um mês.[34]

NO CÉU E NA TERRA

Após quase três anos e uma jornada de mais de 3.200 quilômetros, os cruzados chegaram a Jerusalém. A religião pulsava nessa antiga cidade, coração sagrado da cristandade. Para os francos, Jerusalém era o lugar mais sagrado na terra, onde Cristo sofrera sua Paixão. Dentro de seus grandiosos muros se encontrava o Santo Sepulcro, a igreja erguida no século IV sob o comando do imperador romano Constantino para encerrar os supostos locais do Gólgota e do túmulo de Jesus. Esse santuário específico encapsulava a própria essência do cristianismo: crucificação, redenção e ressurreição. Os cruzados marcharam do leste da Europa aos milhares para recuperar essa igreja – muitos acreditando que, se a cidade terrena de Jerusalém fosse recuperada, ela se tornaria uma só com a Jerusalém Divina, um paraíso cristão. Havia abundância de fervorosas profecias do iminente julgamento dos últimos dias na Cidade Sagrada, imbuindo uma aura apocalíptica à expedição latina.

Mas ao longo de mais de três mil anos de história, Jerusalém se tornara imutavelmente interligada a dois outros mundos religiosos: o judaísmo e o islamismo. Essas crenças também enriqueciam a cidade, reservando particular reverência para a área conhecida ou como Monte do Templo, ou como Haram as-Sharif, um cercado elevado a leste, contendo o Domo da Rocha e a Mesquita de Aqsa, perto do Muro das Lamentações. Para os muçulmanos, essa era a cidade na qual Maomé havia ascendido aos céus, o terceiro lugar mais santo do mundo islâmico. Mas Jerusalém também era o trono dos israelitas, onde Abraão ofereceu seu filho em sacrifício e os dois templos foram construídos.

Jerusalém se tornou foco de conflito na Idade Média – e continua sendo até hoje – precisamente devido a sua santidade sem paralelo. O fato de a cidade ter significado devocional incisivo para os adeptos de três religiões diferentes, sendo que cada uma delas acreditava ter direito histórico inalienável à cidade, a torna quase predestinada a ser cenário de guerra.

A tarefa a realizar

A Primeira Cruzada agora encarava uma tarefa aparentemente impossível de cumprir: a conquista de uma das cidades mais terrivelmente fortificadas do mundo conhecido. Mesmo hoje em dia, em meio à expansão urbana moderna, Jerusalém consegue transmitir a grandeza de seu passado, pois seu centro abriga a "Cidade Velha", cercada por muros otomanos muito parecidos com os originais, do século XI. Olhando do Monte das Oliveiras, a leste, despojando a cidade da confusão e do alvoroço do século XXI, é possível ver a Jerusalém que confrontou os francos em 1099.

A cidade fica isolada em meio às colinas da Judeia, em uma parte de solo elevado, com vales profundos a leste, sudeste e oeste, envolta em um circuito incrível de quatro quilômetros de muros de quase vinte metros de altura e três metros de espessura. Em termos realistas, a cidade só poderia ser atacada a partir do solo mais plano a norte e a sudoeste, mas nessas áreas os muros eram reforçados por uma cortina secundária em forma de muro e uma série de fossos secos. Cinco grandes portões, todos guardados por um par de torres, trespassavam esse sistema de defesa mais ou menos retangular. Jerusalém também possuía duas fortalezas principais. No canto

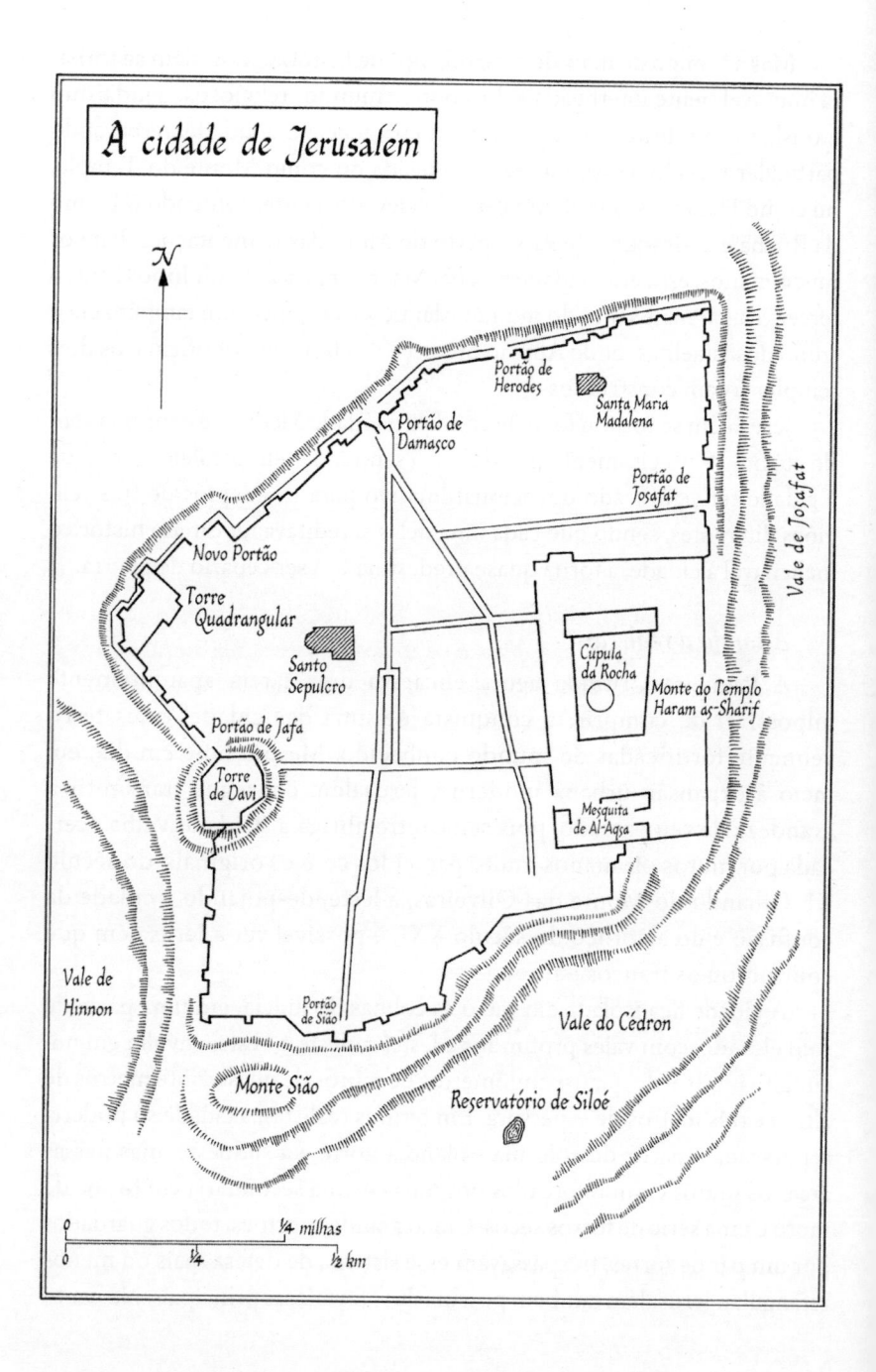

A cidade de Jerusalém

- Portão de Herodes
- Santa Maria Madalena
- Portão de Damasco
- Portão de Josafat
- Vale de Josafat
- Novo Portão
- Torre Quadrangular
- Santo Sepulcro
- Cúpula da Rocha
- Monte do Templo Haram aṣ-Sharif
- Portão de Jafa
- Torre de Davi
- Mesquita de Al-Aqsa
- Vale de Hinnon
- Portão de Sião
- Vale do Cédron
- Monte Sião
- Reservatório de Siloé

0 ¼ ½ km
0 ¼ milhas

noroeste ficava a formidável "Torre Quadrangular", enquanto no meio do muro oeste se erguia a Torre de Davi. Um cronista latino descreveu como essa temida cidadela fora "construída a partir de grandes pedras quadradas seladas com chumbo derretido", observando que se "bem suprida com alimento para os soldados, entre quinze ou vinte homens bastariam para defender a cidade de qualquer ataque".[35]

Assim que os cruzados chegaram a Jerusalém, um preocupante racha em suas fileiras se tornou evidente, pois seus exércitos se dividiram em dois. Desde o cerco de Arqa, a popularidade de Raimundo de Toulouse entrara em declínio, e agora, abandonado por Roberto da Normandia, o conde teve de lutar para manter até a lealdade dos franceses do sul. Raimundo posicionou suas forças remanescentes no Monte Sião, a sudoeste da cidade, para ameaçar o Portão de Sião, ao sul. Enquanto isso, o líder emergente da campanha, Godofredo de Bouillon, se movia para cercar a cidade a partir do norte, entre a Torre Quadrangular e o Portão de Damasco. Contando com o apoio de Arnulfo de Chocques, o pároco que havia ajudado a desacreditar a Lança Sagrada, Godofredo foi seguido pelos dois Robertos e por Tancredo. A divisão de tropas tinha seu mérito em termos estratégicos, pois expunha Jerusalém a ataques em duas frentes, mas também era produto de uma discórdia corrosiva.

Tudo ficava ainda mais complicado porque os francos não podiam se engajar em um cerco de longo termo a Jerusalém, como fizeram em Antioquia. Devido à vasta extensão do perímetro do muro da cidade e à limitada mão de obra à disposição, seria impossível fazer um bloqueio eficaz. Mais urgente ainda era a questão do tempo. Os cruzados fizeram uma aposta muito alta ao marchar em alta velocidade para o Líbano, sem fazer uma pausa para garantir a retaguarda e estabelecer uma rede confiável de suprimentos. Agora estavam a centenas de quilômetros dos aliados mais próximos, sem acesso a reforços, apoio logístico ou possibilidade de fuga. E eles sabiam o tempo todo que al-Afdal estava correndo para preparar as forças fatímidas, inclinado a proteger a Cidade Sagrada e erradicar a invasão cristã. A audácia quase suicida do avanço latino os deixou com apenas uma opção: quebrar o escudo de defesa de Jerusalém e lutar para invadir a cidade antes que o exército egípcio chegasse.

Nesta frágil fase final da expedição, os francos conseguiram juntar cerca de 15 mil guerreiros veteranos de batalhas, incluindo cerca de 1.300 cavaleiros, mas era um exército extremamente desprovido dos recursos materiais necessários para prosseguir com um cerco de ataque. Não se sabe o tamanho da guarda que enfrentaram, mas certamente estava na casa dos milhares e sem dúvida continha um núcleo de elite de pelo menos quatrocentos egípcios da cavalaria. Enquanto isso, o governador fatímida de Jerusalém, Iftikhar ad-Daulah, foi bastante diligente em se preparar para enfrentar uma ofensiva: ele envenenou poços e derrubou árvores, devastando os arredores, e expulsou muitos dos habitantes cristãos do lado leste da cidade para evitar traições internas. Quando os cruzados lançaram seu primeiro ataque direto em 13 de junho, apenas seis dias depois de sua chegada, os defensores muçulmanos ofereceram empedernida resistência. A essa altura, os francos possuíam apenas uma escada – um arsenal precário –, mas o desespero associado ao estímulo profético de um eremita encontrado perambulando no Monte das Oliveiras os persuadiu a arriscar um ataque. Na verdade, Tancredo protagonizou um ataque violento nos baluartes do quadrante noroeste da cidade, e quase abriu uma brecha. Após conseguir levantar sua única escada, as tropas latinas subiram rapidamente ao topo dos muros, mas o primeiro homem a chegar teve a mão imediatamente cortada por um imponente punhal muçulmano, e assim começou o massacre.

Na sequência desse desanimador revés, os príncipes francos reconsideraram sua estratégia, decidindo postergar qualquer ofensiva até que construíssem as devidas armas de guerra. Começou uma busca frenética entre os francos por materiais, e os cruzados passaram a sentir os efeitos do causticante verão palestino. Pelo menos até aquele momento, comida não era motivo de grande preocupação, pois haviam trazido cereais de Ramla. As baixas reservas de água, sim, eram o problema que começou a enfraquecer a determinação dos latinos. Com todos os poços dos arredores poluídos, os cristãos foram forçados a vascular as imediações em busca de líquido potável. Um franco relembrou de forma bem taciturna: a situação era tão ruim que quando qualquer um levava água imunda em vasos para o acampamento, conseguia vender pelo preço que pedisse, e se qualquer um quisesse conseguir água limpa, cinco ou seis centavos não bastavam para obter água suficiente para matar a sede durante um só dia. O vinho, por outro lado, nunca ou quase nunca chegava a ser mencionado. A situação chegou a tal ponto que os pobres morriam após beber água suja do pântano com sanguessugas.[36]

Para a sorte dos cruzados, quando essa escassez estava começando a se espalhar, chegou ajuda de um canto aparentemente inesperado. Em meados de junho uma frota de dezesseis navios genoveses ancorara em Jafa, na costa mediterrânea, cujo pequeno porto natural era o mais próximo de Jerusalém. A tripulação incluía artesãos qualificados que foram se juntar ao cerco à Cidade Sagrada levando uma variedade de equipamentos que incluíam cordas, martelos, pregos, machados, picaretas e cutelos. Ao mesmo tempo, os príncipes francos usaram informações obtidas de cristãos locais para encontrar uma série de florestas próximas e transportar madeira com camelos. Esses dois acontecimentos transformaram as perspectivas dos latinos e possibilitaram a construção do maquinário de cerco. Durante as três semanas seguintes, os latinos se dedicaram furiosamente a um programa de construção no qual desenvolveram torres de cerco, catapultas, aríetes e escadas, quase sem pausa, mas sempre de olho na chegada do exército que estava a caminho para ajudar o vizir al-Afdal. Enquanto isso, no interior de Jerusalém, Iftikhar ad-Daulah contava com a chegada de seu mestre, enquanto conferia o fortalecimento dos muros e torres da cidade e supervisionava a montagem dos artefatos que projetara para atirar pedras.

Em meio a todas essas motivadas preparações, tanto os que cercavam quanto os que eram cercados faziam pausas apenas para trocar atos degradantes de barbárie. Cruzes de madeira foram regularmente arrastadas até os muros da cidade para serem profanadas, cuspidas e até urinadas na frente dos cruzados revoltados. Os francos, por sua vez, fizeram questão de executar qualquer muçulmano capturado, normalmente através da decapitação, em frente à guarda de Jerusalém. Durante um episódio particularmente macabro, um dos cruzados levou essa tática a um novo extremo. Após desmascararem um espião muçulmano em meio a eles, os cristãos mais uma vez procuraram intimidar seu inimigo jogando-o de volta para dentro da cidade, do mesmo jeito que fizeram com outras vítimas em cercos anteriores. Mas, de acordo com um latino contemporâneo, nessa ocasião o infeliz cativo ainda estava vivo: ele foi colocado dentro da catapulta, mas seu corpo era pesado demais para chegar muito longe. Ele logo caiu sobre pedras pontudas perto dos muros, quebrou o pescoço e ossos, além de romper nervos, e dizem que sua morte foi instantânea.[37]

No começo de julho, com a construção das armas do cerco quase no final, os francos ficaram sabendo que uma força de ajuda fatímida estava se formando, o que tornou ainda mais primordial a necessidade de alcançar uma vitória célere. Nesse momento de desespero, a revelação espiritual serviu mais uma vez para elevar o moral e fortalecer a expedição com um espírito de sanção divina. Um sacerdote vidente provençal, Pedro Desidério, agora profetizava que a Cidade Sagrada viria a sucumbir a um ataque se, antes dele, os cruzados passassem por um ritual de purificação de três dias. Assim como ocorreu em Antioquia, seguiu-se uma série de sermões, confissões públicas e missas. O exército chegou a fazer uma procissão solene ao redor dos muros da cidade, todos descalços e levando ramos de palmeira nas mãos, mas a guarda fatímida demonstrou pouco respeito pelo ritual, e assim que viram as fileiras de cruzados começaram as flechadas. No fim da segunda semana de julho, com o maquinário de cerco finalizado e os espíritos reforçados pelo fervor religioso, os cruzados estavam prontos para iniciar seu ataque.

O ATAQUE A JERUSALÉM

O ataque dos cruzados a Jerusalém começou com os primeiros raios do amanhecer de 14 de julho de 1099. No sudoeste, Raimundo de Toulouse e os provençais que ainda o apoiavam estavam posicionados no Monte Sião, enquanto o Duque Godofredo, Tancredo e os outros latinos guardavam o platô ao norte da cidade. Quando soaram as cornetas chamando os francos para guerra em ambas as frentes, as tropas muçulmanas que espreitavam à meia luz no parapeito ao norte subitamente se deram conta de que haviam sido enganados. Godofredo e seus homens haviam passado as três últimas semanas construindo uma enorme torre de cerco bem em frente à Torre Quadrangular da cidade. Claro que observar aquele monstro de três andares crescendo dia após dia até chegar aos vinte metros levou a guarda fatímida a reforçar suas defesas no canto noroeste da cidade. Era exatamente o que Godofredo esperava. Sua torre de cerco na verdade fora construída com uma refinada tecnologia secreta: ela podia ser separada em uma série de partes portáteis e depois rapidamente reerguida. Durante a madrugada de 13 para 14 de julho, o duque usou a capa da escuridão para mover seu edifício um quilômetro a leste, depois do Portão de Damasco, para ameaçar uma parte inteiramente nova do muro. De acordo com um cruzado:

> Os sarracenos ficaram atordoados na manhã seguinte ao ver que os maquinários e tendas haviam mudado de posição. Dois fatores motivaram essa mudança. A superfície plana oferecia aos nossos instrumentos de guerra melhor acesso aos muros, e justamente devido à fragilidade e distância deste ponto ao norte, os sarracenos o deixaram desguardado.

Tendo conseguido enganar seu inimigo, a prioridade de Godofredo se tornou abrir passagem pelo muro baixo externo que protegia as principais muralhas de Jerusalém ao norte, pois, sem essa brecha, sua própria torre de cerco não poderia ser usada contra a cidade. Os francos haviam construído um monstruoso aríete de ferro para abrir caminho ferozmente pelas defesas externas, e agora, sob a cobertura das manganelas dos latinos, dezenas de cruzados lutavam para empurrar adiante essa arma, ao mesmo tempo que enfrentavam os bombardeios vindos da guarda muçulmana. Mesmo sendo empurrado em uma plataforma com rodas, o aríete era desesperadoramente pesado, mas finalmente conseguiram manobrar e colocar a arma na posição correta após horas de empenho. Mais um poderoso ataque ao muro externo e os francos abriram uma enorme fissura – na verdade, o ímpeto do aríete foi tamanho que as tropas fatímidas nos baluartes temeram que os muros principais também tivessem sido abalados. Assim os fatímidas atacaram a temida arma de guerra com "fogo misturado a enxofre, piche e cera", incendiando-a. De início, os cruzados correram para apagar as chamas, porém Godofredo logo reconheceu que os restos carbonizados do aríete acabariam bloqueando o avanço de sua grande torre de cerco. Então, em uma inversão de tática quase bizarra de tão cômica, os latinos passaram a queimar sua própria arma de guerra, enquanto os muçulmanos tentavam em vão preservar a maciça obstrução jogando água do alto dos baluartes. No final, os cristãos venceram e no fim do dia os francos do norte conseguiram penetrar a primeira linha de defesa, abrindo caminho para o ataque frontal nos muros principais.

No Monte Sião, sudoeste da cidade, os provençais não estavam tendo tanto êxito. Esse setor das ameias de Jerusalém era reforçado não por um muro, mas por um fosso seco. Semanas antes, Raimundo de Toulouse soube disso e se dispôs a pagar um centavo por cada três pedras atiradas na vala. Seu objetivo era preenchê-la e assim garantir a rápida neutralização do obstáculo. Enquanto isso, Raimundo supervisionava a construção de sua própria torre de cerco sobre rodas, e em 14 de julho essa colossal máquina de guerra foi utilizada junto com a ofensiva de Godofredo. As tropas do sul da França empurraram a torre lentamente até o muro, entrando na mira dos ataques inimigos e recebendo uma saraivada de projéteis atirados pelos fatímidas. Acreditando que o principal ataque dos francos viria do Monte Sião, Iftikhar ad-Daulah concentrara suas defesas nesse quadrante e seus homens se puseram a desencadear um bombardeio incessante. Uma testemunha latina descreveu "pedras cruzando o ar, atiradas de catapultas, e flechas chovendo como granizo" enquanto a torre de cerco avançava enfrentando o ataque feroz e efetivo de bombas incendiárias que misturavam piche, cera e enxofre a estopas e farrapos, além de pregos, para que ficassem pregadas onde caíssem. Como não conseguira chegar aos muros, Raimundo ordenou um humilhante recuo com a chegada do entardecer.[38]

Após uma noite sem descanso devido ao medo e à ansiedade de atacantes e atacados, a batalha recomeçou. Os franceses do sul voltaram a empurrar sua torre, mas depois de algumas horas a intensidade do contínuo bombardeio muçulmano acabou fazendo efeito e a engenhoca provençal começou a desabar e queimar. Com a ofensiva frustrada, os homens de Raimundo voltaram ao Monte Sião em um estado de "fadiga e desesperança". Mas o simples fato de a guarda de Jerusalém ter enfrentado um ataque em duas frentes a esgarçou, de modo que os muros do norte ficaram vulneráveis. Lá, no segundo dia de luta, Godofredo e seus homens começaram a fazer progresso significativo. Como já haviam aberto uma brecha no muro externo, levantaram a torre sobre rodas em direção à abertura e às ameias além. Com o céu escurecido pela furiosa troca de projéteis, a altiva construção entulhada de francos avançou inexoravelmente. As baixas eram aterradoras. Um cronista latino recordava que "nos dois lados a morte era presente e súbita para muitos". Empoleirado na torre superior para coordenar as operações, o próprio Godofredo estava extremamente exposto. Em determinado ponto, uma pedra atirada com manganela praticamente decapitou um cruzado que estava parado ao lado dele.

Bombas incendiárias eram catapultadas e voavam para adentrar a torre dos francos, mas esta estava protegida por grossas telas de varas trançadas, de modo que as bombas não cumpriam sua função e a engenhoca de guerra seguia firme, avançando pouco a pouco. Até que, perto do meio-dia, ela atravessou a fissura nas defesas externas e alcançou os muros principais. Com os cruzados agora a poucos metros das ameias e os dois lados se atacando freneticamente com projéteis de menor escala, os fatímidas apelaram para sua própria arma "secreta" como última tentativa de travar o avanço do inimigo. Eles haviam embebido em material combustível um enorme mastro de madeira, parecido com o fogo grego (um composto inflamável de nafta), que não se apaga com água. Acenderam o facho e o atiraram por sobre os muros para que caísse em frente à engenhoca de Godofredo como uma barreira flamejante. Para sua sorte, os latinos haviam sido alertados por cristãos locais sobre a única fragilidade desse fogo terrível e impenetrável: era possível extingui-lo com vinagre. Godofredo então abasteceu a torre com odres de vinho cheios de vinagre que foram usados para apagar a conflagração das chamas. Enquanto os francos no solo corriam para afastar a madeira em lenta combustão, o caminho que dava para as ameias estava finalmente aberto.

O sucesso da ofensiva latina agora dependia de alcançar uma posição segura nas muralhas da cidade. A imensa altura da torre de cerco deu aos francos uma vantagem significativa – agora os muros principais chegavam a uns quinze metros de altura –, permitindo que Godofredo e seus homens no andar de cima desabassem sobre os defensores um fluxo de fogo supressório. Subitamente, no meio da intensa batalha, os cruzados perceberam que uma torre de defesa próxima e uma porção das ameias estavam em chamas. Seja catapultando projéteis em chamas ou setas de fogo, os francos conseguiram incendiar a principal estrutura de madeira do muro. O fogo produziu "tanta fumaça e tantas chamas que nenhum dos cidadãos da guarda conseguiu continuar por perto" – em pânico e confusão, os defensores diante da torre de cerco dos cruzados bateram em retirada. Ao perceber que essa abertura poderia durar poucos momentos, Godofredo desatou uma das telas de varas que protegiam a torre, improvisando assim uma ponte entre os baluartes. Quando o primeiro grupo de cruzados se espalhou pelos muros, um monte de francos correu para baixo da ponte com suas escadas e começou a subir para reforçar sua posição.

Depois que Godofredo e seus homens conseguiram essa primeira brecha dramática, a defesa muçulmana de Jerusalém entrou em colapso com chocante rapidez. Aterrorizados pela reputação brutal dos cruzados, aqueles que estavam de guarda ao norte do muro saíram correndo, horrorizados, quando avistaram os francos chegando às muralhas. Logo toda a guarda estava em estado caótico. Raimundo de Toulouse ainda estava lutando no Monte Sião, suas tropas aparentemente a um passo da derrota, quando chegou a incrível notícia da abertura. Subitamente os defensores muçulmanos do fronte ao sul, que poucos momentos antes lutavam com furor, começaram a abandonar seus postos. Alguns foram vistos até pulando dos muros, desesperados. Os provençais não perderam tempo em correr para dentro da cidade para se juntarem a seus companheiros cruzados, e assim começou o saque.[39]

O horror da "libertação"

Pouco depois do meio-dia de 15 de julho de 1099, os primeiros cruzados concretizaram seu longamente cultivado sonho: a conquista de Jerusalém. Surgindo pelas ruas em bandos vorazes e com sede de sangue, eles invadiram a Cidade Sagrada. A pouca resistência muçulmana remanescente havia sumido da frente dos cruzados, mas a maioria dos francos não estava com vontade de fazer prisioneiros. Na verdade, os três anos de luta, privações e ansiedade serviram de combustível para uma torrente de gargalhadas barbáricas e indiscriminadas. Um dos cruzados relatou alegremente:

Com a queda de Jerusalém e suas torres, podemos ver trabalhos maravilhosos. Alguns dos pagãos foram misericordiosamente decapitados, outros foram furados por setas atiradas das torres, e mais outros foram torturados longamente, queimando até a morte em chamas agudas. Pilhas de cabeças, mãos e pés jaziam nas casas e ruas, e homens e cavaleiros corriam de lá para cá sobre os corpos.

Muitos muçulmanos fugiram rumo ao Haram as-Sharif, onde alguns se juntaram para formar uma inútil resistência. Uma testemunha latina descreveu: "todos os defensores recuaram pelos muros e pela cidade, e nossos homens foram atrás deles, abatendo-os até a Mesquita de Al-Aqsa, onde o massacre foi tamanho que nossos homens chafurdaram até as canelas em sangue inimigo". Tancredo entregou seu estandarte a um grupo encolhido no telhado da mesquita, declarando-os prisioneiros, mas até esses foram assassinados a sangue frio por outros francos. Foi uma carnificina tão pavorosa que, de acordo com um latino, "até os soldados que executavam a matança mal aguentavam os vapores que emanavam do sangue quente". Outros cruzados saíram pela cidade matando à vontade homens, mulheres e crianças, tanto muçulmanos quanto judeus, ao mesmo tempo que praticavam uma pilhagem predatória.[40]

Nem as fontes latinas e nem as árabes se furtam de recordar o extremo horror dessa pilhagem, os primeiros se glorificando, os últimos, chocados com tão brutal selvageria. Nas décadas seguintes, o islamismo do Oriente Próximo veio a considerar as atrocidades dos latinos em Jerusalém um ato de barbárie e aviltamento dos cruzados que exigia vingança urgente. No século XIII, o muçulmano iraquiano Ibn al-Athir estimou o número de muçulmanos mortos em 70 mil. Historiadores modernos por muito tempo consideraram esse número um exagero, mas aceitavam a acurácia da estimativa de dez mil baixas oferecida pelos latinos. Todavia, uma pesquisa recente descobriu testemunhos de hebreus que indicam que as baixas não devem ter passado de três mil e que um grande número de prisioneiros foi levado com a queda de Jerusalém. Isso sugere que, mesmo na Idade Média, a imagem da brutalidade dos cruzados em 1099 estava sujeita a hipérboles e manipulação de ambos os lados.

Mesmo assim, ainda temos de reconhecer a terrível desumanidade da sádica carnificina cometida pelos cruzados. É certo que alguns dos habitantes de Jerusalém foram poupados; Iftikhar ad-Daulah, por exemplo, se refugiou na Torre de Davi, e depois negociou os termos de libertação de Raimundo de Toulouse. Mas o massacre perpetrado pelos francos não foi simplesmente uma explosão feroz de raiva acumulada; foi uma campanha prolongada e insensível que durou pelo menos dois dias e deixou a cidade banhada em sangue e coberta por cadáveres. Com o calor do ápice do verão, o fedor logo se tornou insuportável, e os mortos foram arrastados para fora dos muros cidade, "empilhados em montes do tamanho de casas" e queimados. Seis meses depois, um latino em visita à Palestina pela primeira vez comentou que Cidade Sagrada ainda fedia a morte e deterioração.

A outra verdade incontestável sobre a conquista de Jerusalém é que os cruzados não foram simplesmente guiados por sede de sangue ou pilhagem; eles também se sentiam autorizados por sincera devoção, pela crença real de que estavam fazendo a vontade de Deus. Esse primeiro e horripilante dia de pilhagem e assassinato foi então concluído com um ato de devoção. Em um momento que resumia perfeitamente a extraordinária fusão de violência e fé da cruzada, o crepúsculo de 15 de julho de 1099 foi testemunha da reunião dos latinos, que, em lágrimas, davam graças a Deus. Uma testemunha latina regozijou-se ao relembrar que "rumo ao Sepulcro do Senhor e seu glorioso Templo, os clérigos e também os leigos, cantando uma nova canção perante o Senhor em voz alta de exultação, e fazendo oferendas e as mais humildes súplicas, visitavam alegremente o Santo Lugar como há tanto desejavam". Após anos de desesperadores sofrimento e luta, o terrível trabalho dos primeiros cruzados estava feito: Jerusalém estava em mãos cristãs.[41]

RESCALDO

Os cruzados logo voltaram seus pensamentos para o destino de sua nova conquista. Após viajar mais de trinta quilômetros para reivindicar Jerusalém para a Igreja Romana, estava claro para todos que a cidade agora teria de ser governada e defendida. O clérigo alegou que um local de santidade tão rarefeita não deveria ser submetido ao governo de um monarca secular, argumentando a favor da criação de um reino eclesiástico governado pela Igreja, tendo a Cidade Sagrada como capital. Mas, como o patriarca grego de Jerusalém havia morrido recentemente no exílio em Chipre, não havia candidato natural para defender essa causa. Raimundo de Toulouse estava de olho no cargo de rei latino, mas sua popularidade fora diminuindo desde Arqa e, em 22 de julho de 1099, Godofredo de Bouillon, arquiteto-chefe da vitória dos cruzados, tomou as rédeas do poder. Em um gesto de conciliação, o clérigo aceitou o título de "Defensor do Santo Sepulcro", implicando que ele agiria meramente como um protetor de Jerusalém.[42]

Com suas ambições mais uma vez frustradas, o conde Raimundo, furioso, fez uma tentativa abortada de deter o controle pessoal da Torre de Davi antes de abandonar a Cidade Sagrada em uma crise de melindre. Em sua ausência, o cruzado normando Arnulfo de Chocques, crítico da Lança Sagrada, foi designado novo patriarca de Jerusalém. A ideia de instalar um latino nesse posto sagrado passava por cima dos direitos da Igreja Grega, sinalizando um evidente rompimento da política de cooperação com Bizâncio. Até agora, a eleição de Arnulfo permanecia sem confirmação, estando sujeita à aprovação de Roma, mas isso não o impediu de engendrar uma atmosfera assaz vergonhosa de intolerância religiosa. Dentro de meses, os mesmos "irmãos" cristãos que os francos foram acusados de proteger durante a guerra santa foram sujeitos a perseguição, e assim armênios, coptas, jacobitas e nestórios foram expulsos da Igreja do Santo Sepulcro.

A nova ordem consolidou sua posição ao cultivar seu próprio culto a uma relíquia para banir a maculada memória da Lança Sagrada. Por volta de 5 de agosto, um pedaço da Verdadeira Cruz foi descoberto. Acreditavam que essa relíquia, provavelmente um crucifixo maltratado de ouro e prata, conteria um pedaço da cruz na qual Cristo morrera. Ao que parece, ela esteve oculta por décadas de governo muçulmano pela população cristã nativa. Procurado por Arnulfo e seus apoiadores, essa suposta reminiscência da vida de Jesus logo se tornou o totem do novo reino latino de Jerusalém, um símbolo da vitória dos francos e da eficácia do ideal dos cruzados.

A última batalha

Nem o patriarca e nem Godofredo de Bouillon tiveram muita oportunidade de aproveitar seu status recém-conquistado. No começo de agosto foi noticiado que al-Afdal chegara ao Porto de Ascalão, no sul da Palestina, após juntar um exército de cerca de 20 mil norte-africanos ferozes, a poucos dias de marchar adiante para reivindicar Jerusalém para o Islã. Depois de todas as provações e sofrimentos, os francos, assolados pelo partidarismo e em lamentável desvantagem numérica, encaravam agora a possibilidade bastante real de aniquilação e desmoronamento de suas consideráveis conquistas.

Em vez de esperar para ser sitiado, Godofredo decidiu arriscar tudo em um ataque preventivo contra os fatímidas. Em 9 de agosto, ele deixou a Cidade Sagrada, marchando com suas tropas descalças como soldados penitentes de Cristo, acompanhados pelo Patriarca Arnulfo e com a relíquia da Verdadeira Cruz. Godofredo passou os dias seguintes tentando costurar uma relutante aliança latina, e assim Raimundo de Toulouse voltou à batalha. Juntas, as tropas da antes grandiosa máquina de guerra dos francos agora se reduziram a uma elite, um núcleo endurecido de sobreviventes cruzados, contando talvez 1.200 cavaleiros e nove mil homens de infantaria no total. Esse exército marchou para o sul em direção a Ascalão em 11 de agosto, mas, perto do fim do dia, capturaram um grupo de espiões egípcios que revelaram o plano de batalha de al-Afdal, bem como o tamanho e a disposição de suas forças. Reconhecendo que eles estariam em desvantagem numérica de dois para um, os cruzados optaram por se garantir com um elemento surpresa para equilibrar as coisas. Ao amanhecer do dia seguinte, fizeram um ataque súbito contra as tropas fatímidas ainda adormecidas, que estavam acampadas diante de Ascalão. Exageradamente confiante, al-Afdal falhara ao não colocar vigias a postos em número suficiente, deixando os francos livres para atacar fileiras de tropas muçulmanas atônitas. Enquanto os cavaleiros latinos seguiam para o coração de seu acampamento, procurando o estandarte pessoal de al-Afdal e a maioria de suas posses, a batalha rapidamente transformou-se em debandada:

> Apavorados que estavam, os fatímidas subiram em árvores para se esconder, mas caíram dos galhos como aves

quando nossos homens os furaram com flechas e os mataram com lanças. Depois os cristãos os decapitaram com espadas. Outros infiéis se atiraram ao chão e rastejaram, aterrorizados, aos pés dos cristãos. Então nossos homens os cortaram em pedaços da mesma forma que abatiam gado para o mercado de carne.[43]

Horrorizado e em estado de choque, al-Afdal escapou para dentro de Ascalão e imediatamente zarpou para o Egito, deixando os cruzados com a função de esmagar qualquer resistência remanescente e fazer uma vultosa pilhagem, incluindo a preciosa espada do vizir. A Primeira Cruzada sobrevivera ao seu teste final, mas a mesquinha rivalidade que havia dividido os seus líderes por tanto tempo agora custava um preço alto. Aterrorizados e abandonados, os homens da guarda de Ascalão estavam mais do que prontos para se render naquele agosto, mas eles exigiam negociar com Raimundo de Toulouse, o único franco conhecido por cumprir suas promessas durante o saque de Jerusalém. Temendo que o conde provençal estabelecesse lá seu próprio domínio costeiro independente, Godofredo interferiu e as negociações se desfizeram. Essa oportunidade desperdiçada deixou Ascalão nas mãos do Islã. Nas décadas a seguir uma ressurgente armada fatímida provou-se capaz de defender sua base palestina, deixando o nascente Reino de Jerusalém perigosamente exposto ao ataque egípcio.

O retorno à Europa

Após a vitória em Ascalão, a maioria dos cruzados considerou sua tarefa cumprida. Contrariando todas as expectativas, eles haviam sobrevivido à tenebrosa peregrinação à Terra Santa, garantiram a "milagrosa" reconquista de Jerusalém e rebateram a força dos egípcios fatímidas. Dentre as dezenas de milhares que carregaram a cruz anos antes, apenas uma parte permaneceu, e agora a vasta maioria desses procurava voltar para casa, no oeste.

Poucos cruzados retornaram ricos à Europa (se é que algum conseguiu isso). A pilhagem acumulada em Jerusalém e Ascalão parece ter sido rapidamente consumida em despesas de viagem, e muitos chegaram a suas terras quase em situação de miséria, amofinados por doenças e exaustão. Muitos traziam diferentes formas de "tesouros" sacros – relíquias de santos, pedaços da Lança Sagrada e da Verdadeira Cruz, ou simples folhas de palmeira de Jerusalém, insígnia da peregrinação concluída. Pedro, o Eremita, por exemplo, chegou à França com relíquias de João Batista e do próprio Santo Sepulcro, e oportunamente foi acolhido com honras em um priorado agostiniano perto de Liège. Quase todos ganharam alguma graduação em reconhecimento por suas façanhas, e tornou-se comum que esses cruzados fossem celebrados com o apelido *Hierosolymitani*, ou "viajantes para Jerusalém".

É claro que havia centenas, ou mesmo milhares de francos que não receberam boas-vindas como heróis; foi o caso daqueles que, como Estêvão de Blois, abandonaram a expedição antes do fim, deixando, portanto, de cumprir seus votos de peregrinos. Esses "desertores" foram recebidos com uma fulminante onda de opróbrio público. Estêvão foi abertamente castigado pela esposa, Adela. Ele, e muitos como ele, procuraram eliminar a mancha dessa ignomínia se alistando em uma nova empreitada: a cruzada de 1101. Desde 1096, o papa Urbano II vinha encorajando que ondas de reforços latinos se formassem para o Levante. Urbano morreu no verão de 1099, pouco antes de chegar a Roma a notícia da conquista de Jerusalém, mas seu sucessor, Pascoal II, logo aceitou o chamado e promoveu uma expedição de larga escala para levar ajuda militar às nascentes ocupações no leste. Balizada por histórias de vitórias dos primeiros cruzados, essa campanha teve um nível extraordinário de recrutamento, baseando-se nas fileiras de desventurados e centenas de novos entusiastas. Exércitos no mínimo equivalentes ao tamanho dos que se juntaram entre 1096 e 1097 marcharam para Constantinopla, onde se juntou a eles o veterano príncipe Raimundo de Toulouse, recém-chegado a Bizâncio para renovar sua aliança com o imperador Aleixo.

Apesar de sua aparente força bélica, a cruzada de 1101 se mostrou um chocante fracasso. Ao desconsiderar os conselhos de Estêvão de Blois e Raimundo de Toulouse, a expedição ignorou a necessidade de ação coordenada. Assim, nada menos do que três exércitos separados partiram para a Ásia Menor, e todos foram destruídos por potentes coalizões locais de governadores turcos seljúcidas, que já estavam bem cientes da ameaça representada por uma invasão de cruzados. Após subestimar amplamente a escala da resistência inimiga, os cruzados de 1101 foram aniquilados em uma sucessão de encontros militares devastadores. Dentre os poucos sobreviventes, apenas um pequeno grupo (que incluía Estêvão e Raimundo) se arrastou até a Síria e a Palestina, e nem esse grupo conseguiu qualquer resultado relevante.[44]

Por mais surpreendente que pareça, esses reveses pouco afetaram o entusiasmo na Europa latina pelo conceito das "cruzadas". De fato, muitos contemporâneos chegavam a alegar que o fracasso da campanha de 1101 teria brotado do orgulho pecaminoso, o que simplesmente confirmaria a natureza milagrosa das conquistas da Primeira Cruzada. Ainda assim, apesar das tentativas do papa de experimentar essa nova forma de combate santificado e de associar a memória da Primeira Cruzada a diferentes cenas de conflito, o começo do século XII não foi marcado por nenhuma grande explosão de entusiasmo pelas cruzadas. Na verdade, apenas décadas depois o Ocidente latino viria a lançar expedições em defesa da Terra Santa em escala proporcional às que ocorreram entre 1095 e 1101. Isso deixava os latinos que haviam permanecido no Levante após a conquista de Jerusalém perigosamente isolados.

EM MEMÓRIA E IMAGINAÇÃO

O sucesso da Primeira Cruzada deixou a cristandade latina perplexa. Para muitos, apenas a mão de Deus poderia explicar a sobrevivência dos cruzados em Antioquia e seu supremo triunfo em Jerusalém. Se a expedição tivesse sido impedida no Oriente Próximo, o próprio conceito das cruzadas provavelmente teria caído no esquecimento. Mas a vitória alimentou por séculos o entusiasmo dessa nova forma de combate devocional, e assim a Primeira Cruzada tornou-se o evento talvez mais amplamente registrado da Idade Média.

Configurando a memória da cruzada na Europa latina

O trabalho de registrar a cruzada começou quase imediatamente, quando alguns dos participantes se dedicaram a documentar e celebrar a campanha nos primeiros anos do século XII. Dentre esses documentos, o mais influente, *Gesta Francorum* (*As obras dos francos*), foi escrito em Jerusalém por volta de 1100, muito provavelmente por um cruzado italiano sulista da Normandia, de berço nobre e alguma instrução. Se por um lado esse relato parece ter sido baseado nas experiências do seu autor anônimo, por outro não se pode considerá-lo pura prova testemunhal, equivalente a um diário. Pelo contrário, o autor de *Gesta Francorum* adotou uma nova abordagem para registrar o passado, uma tendência que apenas começava a surgir na Europa medieval como alternativa à tradicional crônica ano a ano. Destilando as experiências de milhares de participantes em uma só e generalizando demais a narrativa, o autor construiu a primeira *Historia* (narrativa histórica) da cruzada, recontando a história de alcance épico e dimensões heroicas. Outros veteranos, incluindo Raimundo de Aguilera, Fulquério de Chartres e Pedro Tudebode, usaram o *Gesta Francorum* como texto-base para a construção de suas próprias narrativas – uma forma de plágio muito comum na época. Acadêmicos modernos transformaram isso em corpo de provas, mesmo tratamento dado às cartas escritas pelos cruzados durante a campanha, para recriar uma perspectiva latina da expedição. E ao fazer referências cruzadas entre esse testemunho próximo e fontes não francas (muçulmanos, gregos, cristãos do Levante e judeus), procuraram construir um panorama tão preciso quanto possível do que teria realmente acontecido na Primeira Cruzada – o que poderia ser chamado de reconstrução empírica.[45]

Na primeira década do século XII, contudo, alguns latinos que viviam na Europa começaram a escrever – ou, mais precisamente, reescrever – a história da cruzada. Dentre eles – Roberto de Reims, Guiberto de Nogent e Baldrico de Bourgueil – foram particularmente importantes devido à grande popularidade e representatividade dos relatos que escreveram. Todos os três eram monges beneditinos muito bem educados que viviam no norte da França, sem experiência direta com a guerra santa fora da Europa. Trabalhando quase ao mesmo tempo, mas aparentemente sem qualquer conhecimento um do outro, cada um dos três monges compôs novos relatos da Primeira Cruzada usando o *Gesta Francorum* como base do seu trabalho. De acordo com suas próprias palavras, eles se dedicaram a essa tarefa porque consideravam que o *Gesta* fora escrito "de modo grosseiro" e que usava "linguajar sem elegância e nada rebuscado". Ainda assim, Roberto, Guiberto e Baldrico foram muito além de simplesmente lapidar o latim medieval do *Gesta*. Eles acrescentaram novos detalhes à história, algumas vezes respingando informações extraídas de textos de outras "testemunhas oculares", como era o caso do texto de Fulquério de Chartres, além de recorrer a testemunhos orais dos participantes ou talvez à própria imaginação. Crucialmente, em nível fundamental, todos os três também interpretaram a Primeira Cruzada.

Roberto de Reims, por exemplo, utilizou uma gama muito mais rica e erudita de alusões bíblicas do que as usadas no *Gesta Francorum*. Ele usou essas citações de, ou em paralelo com, o Velho e o Novo Testamentos para posicionar a cruzada dentro de um contexto cristão mais bem definido. Roberto também enfatizou a natureza miraculosa da expedição, argumentando que seu sucesso não foi alcançado devido aos esforços dos homens, mas sim graças à interferência direta da vontade de Deus. Para completar, Roberto recontou toda a história da cruzada. O *Gesta* reservava apenas uma referência oblíqua ao sermão de Urbano II sobre a campanha, além de ser estruturado de modo a apresentar o cerco e a conquista de Antioquia como o empreendimento máximo, cobrindo os eventos em Jerusalém quase como se fossem um adendo. Por sua vez, Roberto começava sua história com um relato extenso do sermão do papa em Clermont (que Roberto dizia ter assistido pessoalmente) e enfatizava muito mais a conquista da Cidade Sagrada. Dessa maneira, Roberto retratou a expedição como uma iniciativa instigada, dirigida e legitimada pelo papado, afirmando, inclusive, que o objetivo último da cruzada era devolver Jerusalém à cristandade.

É claro que a história de Roberto não alterava os eventos da Primeira Cruzada em nenhum sentido concreto; e o mesmo vale para os relatos de autoria de Guiberto e Baldrico. Mas esses trabalhos são de importância fundamental para a compreensão das cruzadas como um todo, pois, em comparação com textos como o *Gesta Francorum*, foram muito mais lidos pelo público da época. Sendo assim, essas reformulações beneditinas serviram para formatar a maneira como as pessoas se lembravam da cruzada nos séculos XII e XIII. A história de Roberto de Reims foi especialmente admirada – equivalente a um *best-seller* medieval entre a elite culta. Também foi usada como fonte para o mais famoso *chanson de geste* (poema épico) sobre a expedição, *Chanson d'Antioche*, cujos dez mil versos em francês antigo imortalizaram os cruzados como heróis cristãos legendários.

Escrito na forma popular de então, o cancioneiro – que rapidamente se tornou a forma mais amplamente disseminada na Europa Ocidental de recontar eventos "históricos" –, *Chanson d'Antioche* foi designado para ser recitado publicamente usando um vernáculo popular para atrair público. Dessa maneira, o poema fez muito para mudar a memória prévia da Primeira Cruzada entre a cristandade latina.

A começar pela primeira onda de relatos de "testemunhas", passando por textos como *Historia*, de Roberto de Reims, e o poema *Chanson d'Antioche*, o processo de registrar as memórias das cruzadas teve um efeito gradual, porém de longo alcance, sobre a realidade imaginada dos eventos: promover Godofredo de Bouillon como único líder da expedição; encaixar a memória do impacto "miraculoso" da Lança Sagrada; e consolidar a ideia segundo a qual os cruzados "martirizados" contavam com recompensas celestiais. Talvez as reconfigurações e manipulações históricas mais pesadas tenham sido a dos eventos em Jerusalém de 15 de julho de 1099 em diante. O saque dos latinos à Cidade Sagrada poderia ser facilmente interpretado pelos contemporâneos cristãos como o momento decisivo de triunfo sancionado pela divindade, e pelos muçulmanos como um ato de selvageria sem par que revelou a barbárie inata dos francos. Realmente, é de chamar a atenção que relatos cristãos não tenham procurado limitar o número de infiéis mortos na queda de Jerusalém – pelo contrário, eles se vangloriavam do evento. E também se deleitavam com a cena de carnificina na Mesquita de Al-Aqsa. O *Gesta Francorum* relata que a carnificina fora tamanha que os cruzados ficaram chafurdando em sangue até os tornozelos. Todavia, outra "testemunha", Raimundo de Aguilera, expandiu essa imagem. Valendo-se de uma citação do Livro do Apocalipse do Novo Testamento, ele declarou que os francos "ficaram com sangue chegando aos joelhos e às rédeas dos cavalos". Essa imagem mais extrema foi amplamente aceita e repetida por várias histórias e crônicas do oeste da Europa ao longo do século XII. [46]

A Primeira Cruzada e o Islã

Apesar de suas conquistas violentas, a Primeira Cruzada gerou uma reação surpreendentemente contida dentro do mundo muçulmano. A campanha não gerou uma onda de testemunhos árabes reforçando os comentários fidedignos em textos cristãos latinos. De fato, as primeiras crônicas árabes de sobreviventes da cruzada a oferecer qualquer detalhe foram escritas apenas por volta da década de 1150. Até nesses trabalhos, escritos pelo alepino al-Azimi e o damasceno Ibn al-Qalanisi, a cobertura foi relativamente sucinta – pouco mais do que o resumo de um esqueleto de narrativa cobrindo a travessia da Ásia Menor e os eventos em Antioquia, Marrat e Jerusalém, com antioquenos "mortos, aprisionados e escravizados" quando a cidade caiu no começo de junho de 1098, e a observação de que "uma grande parte [da população de Jerusalém] foi morta durante o saque dos cruzados à Cidade Sagrada".

Por volta da década de 1220, o historiador iraquiano Ibn al-Athir foi mais extravagante em sua censura, recordando que "na Mesquita de Al-Aqsa os francos mataram mais de 70 mil, dentre eles um número grande de *imams*, acadêmicos religiosos, homens justos e ascetas, muçulmanos que haviam deixado suas terras para viver uma vida santa nesse augusto lugar". Ele então descreveu como os cruzados saquearam o Domo da Rocha e acrescentou que uma delegação de muçulmanos sírios foi ao califado abássida em Bagdá no final do verão de 1099 para implorar por ajuda contra os francos. Eles teriam narrado histórias de sofrimento nas mãos dos latinos, "levando lágrimas aos olhos e dor ao coração", e realizado um protesto público durante a prece de sexta-feira, mas, a despeito de todas as suas súplicas, pouco foi feito, e o cronista concluiu que "os comandantes estavam todos em desacordo uns com os outros, e assim os francos conquistaram as terras".[47]

Como deve ser interpretada a aparente falta de interesse histórico na Primeira Cruzada por parte do Islã? No Oeste Europeu a expedição foi amplamente celebrada como um triunfo significativo e arrasador, mas, no mundo muçulmano do começo do século XII, o impacto foi quase imperceptível. Até certo ponto, isso pode ser atribuído ao desejo dos cronistas islâmicos de limitar referências aos fracassos muçulmanos, ou a um desinteresse geral em eventos militares por parte de acadêmicos religiosos islâmicos. Mas mesmo assim é surpreendente que não haja ataques contundentes aos latinos ou clamores mais explícitos de vingança e retribuição nos relatos árabes mais contemporâneos.

Poucas vozes muçulmanas isoladas convocaram, sim, uma resposta coletiva à Primeira Cruzada nos anos seguintes à captura de Jerusalém, entre eles alguns dos poetas cujos versos árabes foram repetidos em coleções posteriores. Al-Abiwardi, que vivia em Bagdá e morreu em 1113, descreveu a cruzada como um "período desastroso" e proclamou: "isso é guerra, e a espada do infiel está nua em sua mão, pronta para ser novamente guardada dentro de pescoços e caveiras de homens". Por volta da mesma época, o poeta damasceno Ibn al-Khayyat, que antes vivera em Trípoli, escreveu sobre como os exércitos francos haviam "crescido em uma aterradora torrente de extensão". Seus versos expressavam lamento pela disposição dos muçulmanos de serem pacificados por subornos de cristãos e enfraquecido rivalidades internas. Ele também exortava seu público a ações violentas: "as cabeças dos politeístas já amadureceram, então não as negligencie como safra e colheita!". A reação mais interessante foi a de Ali ibn Tahir al-Sulami, jurista muçulmano que lecionava na Grande Mesquita Omíada de Damasco. Por volta de 1105, ele parece ter feito várias palestras públicas sobre os méritos da *jihad* e a necessidade urgente de uma reação islâmica resoluta e coletiva contra a Primeira Cruzada. Seus pensamentos foram registrados em um tratado, o *Livro da guerra santa* (*Kitab al-Jihad*), do qual há trechos que sobreviveram até hoje. Entretanto, apesar da avaliação presciente sobre a ameaça representada pelos francos, nem ele e nem os poetas foram ouvidos em sua chamada à ação.[48]

A gritante ausência de uma reação islâmica coletiva contra a iminência das cruzadas pode ser explicada de várias maneiras. Em geral, os muçulmanos do Oriente Médio e Próximo tinham conhecimento muito limitado de quem eram os primeiros cruzados e do motivo de terem ido para a Terra Santa. A maioria imaginava que os latinos seriam, na verdade, mercenários bizantinos envoltos em uma incursão militar de curto termo, e não guerreiros motivados pela devoção a conquistar e colonizar o Levante. Esses equívocos ajudaram a embotar a reação islâmica aos eventos de 1097 a 1099. Se os muçulmanos tivessem reconhecido a verdadeira dimensão e a natureza da cruzada, teriam se inspirado a deixar de lado pelo menos algumas de suas próprias querelas para repelir um inimigo comum. Na prática, as divisões fundamentais permaneceram. Uma rachadura ainda muito profunda separava os sunitas da Síria e do Iraque e os xiitas fatímidas do

Egito e de Alepo. E em Bagdá, o sultão seljúcida e o califa abássida estavam preocupados com suas próprias batalhas de poder na Mesopotâmia.

Ao longo do próximo século, alguns desses problemas foram resolvidos, e o entusiasmo por uma *jihad* contra os francos invasores se espalhou pelo mundo muçulmano a leste do Mediterrâneo. Todavia, para começar, os latinos que invadiram o Levante não enfrentaram nenhum contra-ataque pan-islâmico. Isso deu à cristandade ocidental uma oportunidade crucial para consolidar seu poder na Terra Santa.

4. CRIANDO OS ESTADOS CRUZADOS

A Primeira Cruzada trouxe para a cristandade latina o controle de Jerusalém e de duas grandes cidades sírias: Antioquia e Edessa. Na sequência dessas conquistas impressionantes, nasceu um novo entreposto do Oeste Europeu no Oriente Próximo, com os francos expandindo e consolidando seu poder sobre a região que, durante a Idade Média, era também conhecida como *Ultramar*, a terra além-mar, enquanto hoje em dia as quatro principais ocupações que emergiram nas primeiras décadas do século XII – o reino de Jerusalém, o principado de Antioquia e os condados de Edessa e Trípoli – são frequentemente considerados "Estados cruzados".[49]

O âmago do movimento cruzado seria dominado pelos séculos seguintes pela necessidade de defender esses territórios isolados, essa ilha de cristandade ocidental no leste. O benefício da retrospecção torna fácil demais esquecer que a sobrevivência básica dos Estados cruzados ficou na corda bamba nos anos seguintes à Primeira Cruzada. Essa expedição havia conseguido o impossível – a reconquista da Cidade Sagrada –, mas em meio ao impulso resultante voltado para aquele objetivo singular, os cruzados ignoraram largamente a necessidade de uma conquista sistemática. A primeira geração de ocupantes francos em Ultramar herdou, portanto, uma colagem malfeita de cidades e municípios de poucos recursos e seu frágil "novo mundo" estava à beira da extinção. Em 1100, o futuro dos Estados cruzados parecia desesperadamente incerto, e todos os triunfos sangrentos da cruzada corriam o risco de serem apagados.[50]

PROTETOR DA CIDADE SAGRADA

Esse problema foi imediatamente identificado por Godofredo de Bouillon, o primeiro governador franco de Jerusalém. Suas perspectivas iniciais eram desoladoras: contava com parcos recursos humanos militares, ainda precisava conquistar a maior parte da Palestina e as forças islâmicas dos abássidas e fatímidas estavam intimidadas, porém longe de derrotadas. As prioridades iniciais de Godofredo eram expandir a base latina na Cidade Sagrada e garantir as comunicações marítimas com o oeste. Para alcançar os dois objetivos, mirou em Arsuf, pequena cidade portuária fortificada comandada por muçulmanos ao norte de Jafa. Contudo, apesar do cerco arduamente batalhado do outono de 1099, ele não conseguiu garantir sua conquista.

Godofredo retornou à Cidade Sagrada no começo de dezembro e logo foi confrontado por outro perigo – a guerra civil. Considerando-se a natureza discutível de sua posição e sua aparente decisão de abandonar títulos reais, a autoridade de Godofredo sobre os territórios francos na Palestina estava aberta a contestações. A presença constante de Tancredo já representava certo problema, mas a forte possibilidade de um golpe interno viria a se concretizar em 21 de dezembro de 1099 com o advento de uma poderosa delegação de "peregrinos" latinos. Boemundo de Taranto e Balduíno de Bolonha seguiram de Antioquia e Edessa para o sul para cumprir a promessa feita como cruzados de venerar os lugares sagrados. Foram acompanhados pelo novo delegado papal para o Levante, o arcebispo Dagoberto de Pisa, um homem impulsionado pela ambição pessoal e uma crença inabalável no poder da Igreja. Todos esses potentados nutriam esperanças de comandar Jerusalém, tanto no campo secular quanto no eclesiástico, e seu surgimento representou uma ameaça óbvia, ainda que não declarada. E ainda assim, através de pragmatismo político, Godofredo deu um jeito de tirar vantagem da chegada da delegação. Após celebrar a festa da Natividade em Belém, ele resolveu se virar contra Arnulfo de Chocques e passar para o lado de Dagoberto. Ao apoiar a candidatura do arcebispo para a sede patriarcal, Godofredo travou a ameaça imediata de Boemundo e Balduíno e garantia ainda o necessário apoio naval da frota de Pisa – 120 navios que acompanharam Dagoberto ao Oriente Próximo.

Esse novo pacto teve seu preço – a doação de uma parte da Cidade Sagrada ao patriarca, além da promessa de um quarteirão pisano no porto de Jafa.

Balduíno e Boemundo retornaram aos seus domínios ao norte em janeiro de 1100, sendo que este último passou os seis meses seguintes apoiando a autoridade franca na Síria à custa de Bizâncio ao expulsar o patriarca grego de Antioquia e instalar um franco em seu lugar. Todavia, no curso de uma campanha um tanto mal preparada além da fronteira norte de seu principado em julho de 1100, Boemundo foi emboscado e aprisionado pelos turcos anatolianos. O grande general cruzado passaria os três anos seguintes no cativeiro, dividindo seu tempo, de acordo com rumores posteriores, entre cortejar uma glamorosa princesa muçulmana chamada Melaz e rezando pela intervenção de São Leonardo, santo protetor dos prisioneiros.

Na Palestina, Godofredo desfrutou de sucesso moderado no começo de 1100 ao deslocar a frota pisana para intimidar Arsuf, Acre, Cesareia e Ascalão, ocupações costeiras governadas por muçulmanos que aceitaram fazer pagamentos de tributos aos francos. Enquanto isso, Tancredo estava ocupado conquistando seu próprio domínio semi-independente na Galileia, tomando Tiberíades dos muçulmanos com relativa facilidade. Com a partida da frota de Pisa na primavera e a chegada de uma nova frota veneziana na Cidade Sagrada em meados de junho, Godofredo passou a depender menos do patriarca Dagoberto. Mas antes que ele pudesse aproveitar essa nova oportunidade de exercer sua soberana autoridade, o duque caiu doente (tudo indica que após refestelar-se com laranjas enquanto era entretido pelo emir muçulmano de Cesareia). Houve certa suspeita de envenenamento, mas o mais provável é que Godofredo tenha contraído uma doença do tipo tifoide durante aquele que foi um verão escaldante mesmo para os padrões do Levante. Em 18 de julho, passou pelos rituais de confissão e comunhão pela última vez e então, nas palavras de um contemporâneo franco, "segurado e protegido por um escudo espiritual", o cruzado conquistador de Jerusalém, ainda com pouco mais de quarenta anos, "foi levado desta luz". Cinco dias depois, em respeito a seu status e suas conquistas, o corpo de Godofredo foi enterrado dentro da entrada do Santo Sepulcro.[51]

O REINO DE DEUS

A morte de Godofredo de Bouillon em julho de 1100 deixou o recém-nascido reino franco de Jerusalém em estado de turbulência. O desejo de Godofredo parece ter sido passar o comando da Cidade Sagrada para seu irmão mais novo, Balduíno de Bolonha, o primeiro conde latino de Edessa. Mas o patriarca Dagoberto continuou a nutrir seu próprio projeto para Jerusalém, no qual a cidade se tornaria a encarnação física do Reino de Deus na Terra, capital de um estado eclesiástico cujo chefe seria seu patriarca. Se ele estivesse presente no momento da morte de Godofredo, esse sonho talvez tivesse alguma chance de se realizar. Mas, na ocasião, Dagoberto estava participando do cerco ao Porto de Haifa. Apoiadores da linhagem de Godofredo, incluindo Arnulfo de Chocques e Geldemar Carpinel, aproveitaram a chance para agir, ocupando a Torre de Davi (chave estratégica do domínio de Jerusalém), e despacharam mensageiros ao norte para convocar Balduíno.

A notícia chegou a Edessa em meados de setembro. O conde, agora com seus trinta e poucos anos, era descrito como "muito alto e de compleição muito clara, com barba e cabelos castanhos escuros e nariz aquilino", e diziam que seu porte régio só era levemente maculado pelo lábio superior e pelo queixo ligeiramente para dentro. Considerando-se a qualidade e a natureza de Balduíno – seu voraz apetite por poder e progresso, bem como sua genialidade para ações desumanas –, o convite da Palestina representou uma oportunidade espetacular. Até mesmo seu capelão Fulquério de Chartres, veterano da Primeira Cruzada, teve de admitir que Balduíno "lamentou com hesitação a morte do irmão, mas regozijou-se sem pensar duas vezes por causa da herança". Nas semanas seguintes, Balduíno resolveu rapidamente as questões do condado. Para garantir que este, que era seu primeiro domínio levantino, permaneceria nas mãos dos francos e sujeito à sua própria autoridade, Balduíno nomeou como novo conde de Edessa seu primo e homônimo, Balduíno de Bourcq (pouco conhecido participante da Primeira Cruzada). Nessa época ele teria reconhecido Balduíno de Bolonha como seu soberano.[52]

Partindo dos confins do Norte da Síria com apenas duzentos cavaleiros e setecentos homens de infantaria no começo de outubro, Balduíno viajou pela Antioquia e depois rechaçou um grupo muçulmano de tamanho considerável liderado por Duqaq de Damasco, perto do rio do Cão, no Líbano. Ao chegar à Palestina, Balduíno agiu rápido: mandou na frente um de seus cavaleiros de maior confiança, Hugo de Fauquembergues, para puxar o tapete de Tancredo e Dagoberto, além de fazer contato com os apoiadores de Godofredo na Cidade Sagrada. Em 9 de novembro, Balduíno finalmente chegou a Jerusalém e foi recebido com um festejo tão eufórico quanto provavelmente fingido, repleto de apoiadores latinos, gregos e cristãos sírios. Dagoberto não podia fazer nada perante essa aparente onda de apoio popular. Escondido em um pequeno monastério no Monte Sião pouco depois das muralhas da cidade, o patriarca se absteve em 11 de novembro quando Balduíno foi declarado formalmente novo Comandante de Jerusalém.

Todavia, Balduíno até então não fora capaz de reivindicar o título de rei; primeiro ele teria de passar por uma coroação. O rito era uma tradição de séculos que costumava incluir o uso de uma coroa, mas isso não era, ao contrário do que muitos provavelmente imaginariam, o ponto principal da cerimônia. Essa honra era reservada ao ritual de unção, o momento em que um dos representantes de Deus na Terra, como um bispo, patriarca ou papa, despejava o óleo sagrado (crisma) na cabeça de um comandante. Esse ato tornava o rei algo separado dos demais homens e nele imbuía um luminoso poder divino. Para alcançar essa elevação, Balduíno precisava chegar a algum tipo de acordo com a Igreja.

Seu domínio começou com uma demonstração de vigorosa energia: uma campanha de invasão de um mês ao longo das fronteiras ao sul e ao leste, garantindo as rotas de peregrinos e atacando a guarda egípcia em Ascalão. Tanto seus súditos quanto seus vizinhos concordavam que Balduíno havia trazido novo senso de propósito e poder ao reino latino. Dagoberto devidamente reconheceu que era melhor ele se contentar com seu posto sob o novo regime do que correr o risco de ser deposto do trono patriarcal. Em 25 de dezembro de 1100, na Igreja da Natividade de Belém – uma data e lugar repletos de simbolismo –, o patriarca coroou e ungiu Balduíno de Bolonha, fazendo dele o primeiro rei franco de Jerusalém. Com esse ato, Dagoberto efetivamente encerrou qualquer ideia de fazer do reino cruzado uma teocracia. Sua submissão também evitou uma guerra civil que seria potencialmente catastrófica.

Mas o patriarca não foi mais salvo por sua concessão. Balduíno I agiu com calculada eficiência nos meses e anos seguintes para abafar qualquer contestação que ainda restasse à sua autoridade. Assim, realinhou a Igreja Latina a seu favor. Felizmente para o rei, Tancredo – seu mais relevante rival secular – deixou a Palestina na primavera de 1101 para assumir o controle de Antioquia durante o período que Boemundo passou preso. Mais à frente nesse mesmo ano, Dagoberto foi deposto quando descobriram que ele havia desviado o dinheiro enviado de Apulia para financiar a defesa da Cidade Sagrada. Depois de um breve retorno ao poder em 1102, a fortuna de Dagoberto minguou e a cadeira do patriarca passou por uma sucessão de candidatos sancionados pelo papado, culminando em 1112 com a reintegração de Arnulfo de Chocques, aliado de longa data de Balduíno. Esses patriarcas nunca foram totalmente subservientes à coroa, mas estavam interessados em cooperação mútua e concreta com o rei no sentido de consolidar aos francos o controle da Palestina.

Um elemento-chave desta colaboração foi o manejo e cultivo de um culto associado à relíquia hierosolimita da Verdadeira Cruz descoberta pelos primeiros cruzados em 1099. Nos primeiros anos do século XII, a cruz tornou-se um totem de poder latino no Levante. Levada pelo patriarca ou por um de seus principais clérigos em uma sucessão de batalhas contra o Islã, não demorou a ganhar reputação de fazer intervenções miraculosas; até mesmo começaram a dizer que, na presença da Cruz do Senhor, os francos eram invencíveis.[53]

Criando um reino

Após garantir a sua ascensão, Balduíno I foi confrontado por uma avassaladora dificuldade. O reino que ele comandava na verdade não passava de uma rede frouxa de fortins dispersos. Além de Jerusalém, os francos também comandavam lugares como Belém, Ramla e Tiberíades, mas em 1100 esses lugares eram apenas bolsões isolados de ocupações latinas. Mesmo aqui, os francos no poder estavam em grande desvantagem numérica em relação à população muçulmana local e às comunidades cristã e judaica do leste. A maior parte da Palestina permanecia não conquistada e nas mãos de potentados islâmicos semiautônomos. Pior ainda, os latinos mal haviam começado a exercer o controle da costa levantina, controlando apenas Jafa e Haifa, sendo que nenhuma das duas oferecia um porto natural ideal. A única maneira de Balduíno garantir os canais de comunicação com o Oeste Europeu, abrir o reino a peregrinos e ocupantes cristãos e aproveitar para iniciar um comércio potencialmente próspero entre leste e oeste seria subjugando os portos da Palestina. Portanto, segurança interna e necessidade de consolidação territorial eram essenciais.

Uma testemunha latina, Fulquério de Chartres, refletiu sobre essa situação:

> No começo de seu reino, Balduíno possuía um tanto de cidades e povos. Até então, a rota por terra para a Palestina estava completamente bloqueada por nossos peregrinos, e os francos que puderam chegaram muito timidamente em um só barco, ou em esquadras de três ou quatro, passando por piratas hostis e pelos portos dos sarracenos. Alguns permaneceram nas cidades sagradas, outros voltaram para suas pátrias. Por essa razão, a terra de Jerusalém continuou despovoada e nós não tínhamos mais do que trezentos cavaleiros e o mesmo número de lacaios para defender o reino.

Os perigos associados a esses problemas foram refletidos no testemunho dos primeiros peregrinos cristãos a chegar ao Oriente Próximo. Saewulf, um peregrino (muito provavelmente da Bretanha) que documentou sua jornada a Jerusalém bem no começo do século XII, descreveu em detalhes perturbadores a terra sem lei que eram os montes de Judá. A estrada entre Jafa e a Cidade Sagrada, observou, "era muito perigosa, pois os sarracenos estavam sempre de tocaia, dia e noite, sempre de olho para ver se tinha alguém para atacar". Em sua rota, viu incontáveis cadáveres largados para apodrecer ou servir de banquete para animais selvagens, pois ninguém correria o risco de parar para organizar enterros de modo adequado. As coisas haviam melhorado um pouco por volta de 1107, quando o outro peregrino, um russo conhecido como Abade Daniel, visitou a Cidade Sagrada, mas, ainda assim, reclamou amargamente que seria impossível viajar pela Galileia sem a proteção de soldados.

Talvez a mais notável demonstração de que a Cidade Sagrada ainda tinha de ser devidamente conquistada veio no verão de 1103 quando, durante uma viagem curta de rotina perto da Cesareia, Balduíno foi atacado por um pequeno grupo de fatímidas que havia aparentemente adentrado território latino de propósito. O rei foi atingido por uma lança inimiga no ápice da batalha, e o certo é que os ferimentos foram graves, apesar de não se saber bem a natureza deles – segundo um relato, ele teria sido atingido nas costas, perto do coração, já outro diz que a lança o atingira entre a coxa e os rins. Um contemporâneo latino descreveu como "o sangue jorrava horrivelmente do ferimento. Ele começou a ficar pálido e pouco depois caiu do cavalo como se estivesse morto". Graças a um cuidadoso tratamento médico, após uma convalescência prolongada, Balduíno se recuperou, mas o ferimento continuou lhe atormentando pelo resto da vida.[54]

Em última instância, Balduíno foi forçado a dedicar grande parte da primeira década do século XII à consolidação de seu poder sobre a Palestina, empregando uma mistura de flexibilidade pragmática e resolução férrea em sua lida com os habitantes muçulmanos da Cidade Sagrada. Ele recebeu um impulso inicial quando a frota genovesa chegou a Jafa, talvez ao lado dos navios de Pisa, pouco antes da Páscoa de 1101. Provavelmente os marinheiros foram para o leste pensando em ajudar na consolidação e defesa do Levante e, para explorar novas rotas de comércio, agregaram um elemento naval extremamente necessário à campanha de conquista de Balduíno, que lhes ofereceu em troca condições generosas: um terço de toda a pilhagem e um enclave de comércio semi-independente garantido "pela eternidade e pela hereditariedade", dentro de qualquer ocupação conquistada com ajuda italiana. Fechado o acordo, Balduíno estava pronto para seguir com a ofensiva.

Seu primeiro alvo, Arsuf, resistiu firmemente a um ataque por terra de Godofredo de Bouillon em dezembro de 1099. Agora Balduíno podia pôr em prática um cerco a partir do mar e, após apenas três dias, a população muçulmana pediu paz em 29 de abril de 1101. O rei foi magnânimo; concedeu-lhes um salvo-conduto e permitiu que levassem o que pudessem de suas coisas, e o mesmo em Ascalão. O rei havia vencido, e sem nenhuma morte entre os cristãos.

Balduíno voltou sua atenção para a Cesareia, mais ao norte. Essa ocupação greco-romana, tão próspera no passado, vinha se encolhendo ao longo dos séculos sob o comando muçulmano; seus muros envelhecidos ainda estavam de pé, mas o celebrado porto da cidade havia sido destruído muito tempo atrás, e tudo que restava era um cais pequeno e raso. Balduíno enviou uma missão diplomática ao emir de Cesareia, exortando-o a capitular ou encarar um cerco inclemente; mas os habitantes muçulmanos da cidade, contando com reforços fatímidas, rejeitaram resolutamente qualquer ideia de rendição negociada. Em Arsuf, o rei latino demonstrara clemência a um inimigo submisso; aqui, perante tamanha obstinação e ousadia, ele resolveu fazer uma demonstração de brutalidade. Começando por volta de 2 de maio de 1101, ele bombardeou a Cesareia com manganelas. O exército da Cesareia resistiu bravamente por quinze dias, mas as tropas dos francos acabaram conseguindo derrubar as defesas claudicantes da cidade com a ajuda de escadas de abordagem. Balduíno agora permitiria que suas tropas despejassem sua fúria na aterrorizada população de Cesareia. Tropas cristãs vasculharam a cidade, rua por rua, casa por casa, sem piedade, assassinando a maioria da população masculina, escravizando as mulheres e crianças e saqueando tudo que pudessem encontrar. Um observador latino escreveu:

> É impossível dizer a quantidade dos diferentes tipos de bens que eles encontraram, mas muitos de nossos homens que eram pobres ficaram ricos. Eu vi muitos dos sarracenos assassinados queimando em uma pilha de cadáveres. O fedor dos corpos nos incomodou profundamente. Os coitados foram queimados para que os invasores descobrissem as moedas de ouro que alguns haviam engolido.

O Levante não testemunhava tamanha barbaridade desde o ataque à Cidade Sagrada em 1099. A quantidade de bens confiscados foi substanciosa – só os genoveses, ao receber sua terça parte, chegaram a distribuir 48 *solidi* de Poitou e um quilo de temperos valiosos para cada um dos oito mil homens –, e os espólios também devem ter colaborado muito para reforçar o tesouro real. Além disso, os italianos ganharam uma tigela verde-esmeralda, o Sacro Catino, que já havia sido considerado o Santo

Graal, e que continua até hoje na Catedral de São Lourenço, em Gênova. Enquanto isso, Balduíno I fez questão de poupar o emir e *qadi* (juiz) da Cesareia para garantir um robusto resgate em troca dele. Um clérigo também chamado Balduíno, notório por ter feito a marca de uma cruz na testa no começo da Primeira Cruzada, foi então designado o novo arcebispo latino da Cesareia.[55]

Essa conquista mandou uma mensagem austera para os povoados muçulmanos na Palestina: resistência resultaria em aniquilação. Esse conceito já vinha sendo pavimentado nas conquistas mais significativas do começo do regime de Balduíno. Em abril de 1104, ele cercou o porto do Acre, quase vinte quilômetros ao norte de Haifa, onde ficava o maior e mais protegido cais da Palestina. Lutando ao lado de uma frota genovesa de setenta navios, o rei começou um cerco de ataque, e a guarda muçulmana, isolada de qualquer possível reforço fatímida, logo capitulou, pedindo os mesmos termos de rendição concedidos em Arsuf. Balduíno aquiesceu prontamente; na verdade, ele chegou até a permitir que cidadãos muçulmanos permanecessem em Acre em troca de pagamento em forma de impostos. Com poucas mortes, ele conquistara um prêmio valioso – um porto que oferecia ancoragem relativamente segura em todas as estações, que poderia servir de canal vital de comunicação e comércio marítimo com a parte oeste da Europa.[56] Acre não demorou a se tornar a capital comercial do reino latino.

Nos anos seguintes, Balduíno continuou a aumentar e consolidar gradualmente seu controle sobre o litoral mediterrâneo. Beirute foi conquistada em maio de 1110, desta vez com ajuda de navios genoveses e pisanos. No final desse ano, o novo alvo de Balduíno era Sídon, e por algum tempo havia subornado o rei franco com pródigos tributos em ouro para garantir imunidade. Balduíno contou com o competente apoio recém-chegado de um grande contingente de cruzados e peregrinos noruegueses ao comando de seu jovem rei, Sigurdo. Assim, cercou Sídon em outubro e forçou sua rendição no começo de dezembro, mais uma vez nos termos de salvo-conduto e ofertas que permitissem que alguns membros da população muçulmana continuassem em paz, trabalhando a terra sob o comando latino.

Ao longo dessa primeira década, Balduíno I agregou um grau real de segurança territorial para seu reino nascente e forjou uma tábua de salvação crucial para o oeste cristão. Não obstante, duas cidades permaneceram fora de seu alcance. Ao norte, o intensamente fortificado porto de Tiro seguia sendo um teimoso fortim muçulmano, separando Acre de Sídon e Beirute; o porto sobreviveu a um cerco franco conjunto em 1111 em grande parte devido a seu emir ter passado a prestar vassalagem a Damasco e não mais ao Egito, o que garantiu reforços valiosos. Incapaz de conseguir tomar a cidade, Balduíno isolou Tiro construindo fortalezas em Toron e ao sul do litoral em um estreito penhasco conhecido como Scandelion.

Balduíno também estava perdendo o controle de Ascalão, no sul. Na primavera de 1111, ele ameaçou fazer um cerco à cidade, assustando seu último emir, Shams al-Khilafa, que acabou adotando uma notável estratégia de realinhamento político. Primeiro, o emir comprou a paz com a promessa de um tributo de sete mil dinares. Com o vizir fatímida do Egito, al-Afdal, murmurando suas objeções no Cairo, al-Khilafa decidiu que sua melhor esperança de sobrevivência política estava em uma dramática mudança de aliança. Então ele rompeu com o califado fatímida, viajou para Jerusalém para negociar um novo acordo com Balduíno I e, após jurar lealdade ao reino latino, ganhou poder ao ser nomeado comandante independente. Pouco depois, uma guarda cristã de trezentas tropas foi instalada em Ascalão e, durante alguns meses, parecia que o pragmatismo de Balduíno havia finalmente fechado a porta entre Egito e Palestina. O desafortunado Shams al-Khilafa não viveu muito além daquele verão. Um grupo de berberes ascalonitas ainda leal aos fatímidas atacou o emir quando ele estava cavalgando. Ele correu para casa, muito ferido, mas foi perseguido e assassinado. Antes que o rei Balduíno pudesse ajudá-lo, a guarda cristã foi despachada de modo semelhante. Al-Afdal recebeu a cabeça de al-Khilafa e rapidamente reconduziu os fatímidas ao controle de Ascalão.[57]

Servos da coroa

Balduíno I parecia ter o dom da governança forçada em seu papel como rei de um reino em expansão. Ao longo da primeira fase de seu reino, tomou muito cuidado para garantir que o equilíbrio do poder na Palestina latina ficasse com a coroa e não com a nobreza. Assim, ele conseguiu uma vantagem específica sobre os demais monarcas do oeste, já que estava, ao menos relativamente, começando do zero. Não tendo de lidar com a aristocracia que incrustava e impregnava sistemas seculares de senhorio e propriedade familiar, Balduíno conseguiu moldar o novo reino de Jerusalém para favorecer a si mesmo.

Sua abordagem era a manutenção de um domínio real poderoso – o território possuído pela coroa e por ela diretamente administrado. Os reis da Europa podiam herdar reinos nos quais muitos dos territórios mais ricos e poderosos haviam sido distribuídos entre membros da nobreza para serem governados como feudos em nome da coroa, mas com comando semiautônomo. Balduíno I manteve muitos dos mais importantes povoamentos da Palestina sob seu domínio, incluindo Jerusalém, Jafa e Acre, criando pouquíssimos novos domínios. Frequentemente desbastada pelo alto índice de mortalidade do Levante tomado pela guerra, a aristocracia também teve pouca oportunidade de reclamar heranças dos feudos disponíveis. O rei também fez uso frequente de feudos pagos, retribuindo serviço com dinheiro em vez de terra.

O começo da história de dois domínios – Haifa e Tiberíades – ilustra particularmente bem o estilo de comando de Balduíno e sua postura para com seus principais vassalos. Assim que Tancredo partiu para Antioquia em 1101, Balduíno dividiu o poderosíssimo principado da Galileia em dois. Geldemar Carpinel, um cruzado do sul da França a serviço de Godofredo de Bouillon, ganhou Haifa em março de 1101, talvez em retribuição por seu apoio quando Balduíno reclamou o trono. Geldemar foi morto em batalha apenas seis meses depois e, pelos quinze anos seguintes, o domínio de Haifa passou pelas mãos de mais três homens que não tinham nenhuma ligação entre si. Dessa maneira, a autoridade sobre o porto reverteu consistentemente para a coroa, e em todas as ocasiões Balduíno pôde redistribuir a recompensa de seu feudo a seu gosto.

Tiberíades, por sua vez, foi dada a um dos seguidores próximos do rei, Hugo de Fauquembergues, o cavaleiro de Flandres que provavelmente se juntara a Balduíno durante a Primeira Cruzada. Hugo servia bem ao reino, mas logo se tornou vítima da insegurança militar da região: foi morto por uma flechada durante uma emboscada em 1106. Então passaram Tiberíades para Gervásio de Bazoches, um franco do norte que se tornou um dos favoritos de Balduíno e indicado senescal real (responsável pela administração financeira e pelo judiciário). Dentro de dois anos, entretanto, Gervásio seria capturado por tropas damascenas durante um ataque muçulmano na Galileia.

É claro que nem todos os vassalos de Balduíno I tiveram mortes abruptas ou tenebrosas. Ao longo da costa norte da Palestina, na fronteira com o Líbano e longe do alcance imediato de Jerusalém, o rei criou alguns novos domínios. Um deles, Sídon, foi dado para uma estrela em ascensão em seu reino, Eustáquio Grenier. Talvez de origem normanda, era dito que esse cavaleiro já servia a Balduíno em Edessa, e certamente lutou com ele contra os egípcios em 1105. Partindo de relativa obscuridade, Eustáquio rapidamente acumulou boa quantidade de domínios, incluindo a Cesareia e, através do casamento com Emma (a bem relacionada sobrinha do patriarca Arnulfo de Chocques), a cidade de Jericó. Eustáquio era, contudo, uma exceção. No geral, Balduíno parece ter criado uma classe nobre leal e eficaz que era também bastante subserviente à coroa.[58]

ENCARANDO O ISLÃ

É claro que, nos primeiros anos de seu reinado, Balduíno I podia se dar ao luxo de se concentrar simplesmente na consolidação de seu poder na Palestina; sempre mantendo olhos atentos a seus vizinhos muçulmanos, mais especificamente os fatímidas xiitas do Egito. Seu vizir al-Afdal fora humilhado pelos primeiros cruzados, mas com o porto de Ascalão – ponto de partida entre Palestina e Egito – ainda em mãos fatímidas, a porta continuava aberta para um contra-ataque ao reino de Jerusalém.

As batalhas de Ramla

Em maio de 1101, logo depois da violenta conquista da Cesareia por Balduíno, chegaram notícias de uma invasão egípcia. Al-Afdal despachou o grande grupo que agora avançava pela Cidade Sagrada sob o comando de um de seus principais generais, o ex-governador de Beirute, Sa'ad al--Daulah. Balduíno foi às pressas para o sul, mas em vez de entrar no campo de batalha, preferiu ficar em Ramla, em relativa segurança, e esperar pelo próximo movimento dos fatímidas. Durante os três meses seguintes formou-se um tenso impasse, com Sa'ad esperando em Ascalão o momento certo de atacar e Balduíno, nervoso, patrulhando a região entre Jafa e Jerusalém. Finalmente, na primeira semana de setembro, com a temporada de guerra chegando ao final, os egípcios começaram a avançar de fato.

Evitando uma estratégia de defesa reativa, Balduíno resolveu confrontar o inimigo: ordenou mobilização imediata em Jafa. Foi uma decisão corajosa, considerando-se a preocupante escassez de lutadores à disposição. Mesmo após convocar tropas de todo o reino e ordenar que todos os escudeiros fossem nomeados cavaleiros, ele partiu com apenas 260 cavaleiros e novecentos homens a pé. As estimativas latinas das forças muçulmanas nesse ponto variam bastante – de 31 mil a 200 mil – e parecem grosseiramente aumentadas. Nenhuma testemunha árabe confiável sobreviveu, mas tudo indica que os francos estavam em enorme desvantagem numérica naquele outono.

Aparentemente tomados por um desesperado senso de determinação, os cristãos saíram de Jafa em 6 de setembro para interceptar os fatímidas nas planícies ao sul de Ramla. Entre eles estava o capelão do rei, Fulquério de Chartres, que viria a escrever: "preparamo-nos fervorosamente para morrer pelo amor [de Cristo]", encontrando consolo na presença da relíquia que era a Verdadeira Cruz, que estava sendo levada com eles.

A atmosfera ao amanhecer do dia seguinte trazia ecos da Primeira Cruzada com as forças de Sa'ad al-Daulah – "as estradas de longe [...] cintilando na planície". O rei aparentemente caiu de joelhos perante a Verdadeira Cruz, confessou seus pecados e comungou. Fulquério relembra o empolgante discurso de batalha do seu monarca:

> Venham, soldados de Cristo, estejam bem dispostos e não tenham medo de nada, [mas] lutem, eu rogo, pela salvação de suas almas [...] Se lá vocês forem mortos, certamente estarão entre os abençoados. A porta do reino dos céus já está aberta para vocês. Se sobreviverem, brilharão, gloriosos, como vencedores entre os cristãos. Se, de qualquer forma, quiserem fugir, não se esqueçam de que a França fica bem longe daqui.

Com isso, os francos começaram a avançar em alta velocidade e levaram a luta aos egípcios, arregimentando cinco ou seis divisões. Balduíno, montado em sua ligeira égua apropriadamente chamada Gazela, liderou uma força de reserva pronta para atacar assim que o formato da disputa se tornasse mais claro. Cavalgando perto de seu rei o tempo todo, Fulquério de Chartres viria a evocar o horror caótico da batalha que se seguiu, escrevendo que "os inimigos eram tão numerosos e o bando se infiltrou tão rapidamente que ninguém mais conseguia ver ou reconhecer ninguém". A vanguarda latina foi logo dizimada – Geldemar Carpinel estava entre os mortos – e o exército inteiro foi velozmente cercado.

Com os cristãos à beira da derrota, Balduíno abriu mão de sua reserva, cavalgando ao lado da Verdadeira Cruz. Com a força de seu ataque, as tropas fatímidas foram cedendo, fileira após fileira. Fulquério testemunhou o rei furando a barriga de um emir egípcio com sua lança, e boa parte do exército muçulmano bateu em retirada. Foi provavelmente nesse ataque de choque que morreu Sa'ad al-Daulah. Um contemporâneo latino acreditava que a vitória foi garantida por um milagre associado à Verdadeira Cruz, no qual um governador muçulmano morreu estrangulado quando estava prestes a atacar o bispo que carregava a relíquia. Essa história parece ter circulado entre os militares, e certamente contribuiu para o florescente culto envolvendo a cruz, mas na realidade o confronto foi inconclusivo e rápido. Fulquério testemunhou que o campo ficou polvilhado de armas, armaduras e corpos muçulmanos e cristãos, estimando as perdas inimigas em cinco mil, mas reconhecendo que oitenta cavaleiros francos e um número maior da infantaria foram mortos. E se, por um lado, Balduíno conseguira retomar o controle da planície e das partes derrotadas da força fatímida que seguira rumo a Ascalão, por outro, os aterrorizados sobreviventes da vanguarda latina que tentavam fugir para Jafa eram perseguidos por tropas muçulmanas que se acreditavam vitoriosas.

A confusão foi tão grande que dois francos que fugiram da batalha se declararam derrotados ao chegar a Jafa. Com cerca de quinhentas tropas fatímidas dando voltas no porto, a traumatizada rainha de Balduíno (que então residia em Jafa) rapidamente despachou o mensageiro para o norte de Antioquia por navio, rogando a Tancredo que trouxesse ajuda. Felizmente para os francos, o povo de Jafa rejeitou qualquer ideia de rendição imediata, e no dia seguinte chegou ao litoral o rei Balduíno, que havia acampado no campo de guerra em declaração de vitória. De início, os soldados fatímidas remanescentes nos arredores de Jafa pensaram que o exército que estava chegando era deles e correram para recebê-lo alegremente; mas ao perceberem o erro e o grave revés que se daria, fugiram. Um segundo mensageiro foi imediatamente mandado ao norte para declarar que o rei estava vivo e vitorioso.[59]

Balduíno conseguira vencer através de uma mistura de decisão estratégica e boa sorte, mas a sensação de triunfo ou segurança não durou. Rico e próspero, o Egito oferecia a al-Afdal os recursos para preparar uma segunda invasão da Palestina quase imediatamente. Com a chegada da primavera de 1102 e o começo de nova temporada de guerra, outra guarda fatímida se formou em Ascalão, desta vez sob o comando do filho de al--Afdal, Sharaf al-Ma'ali. Em maio, os egípcios marcharam mais uma vez em Ramla, enfrentando os quinze cavaleiros guardiões de sua pequena torre fortificada e saqueando a Igreja de São Jorge em Lida, cidade próxima.

Balduíno I estava em Jafa a essa altura, se despedindo dos últimos membros da malfadada cruzada de 1101 que haviam pouco antes celebrado a Páscoa em Jerusalém. Guilherme de Aquitânia conseguiu pegar uma embarcação para o oeste, mas Estêvão de Blois, o conde Estêvão da Borgonha e muitos outros tiveram menos sorte: logo após zarpar, o vento ficou desfavorável e foram forçados a retornar. Estavam, portanto, ao lado do rei quando chegaram os rumores de sua última ofensiva egípcia, por volta de 17 de maio. Balduíno tomaria agora a decisão mais calamitosa de sua vida. Acreditando que as notícias de Ramla anunciavam a presença de uma pequena força expedicionária fatímida e não um exército de campanha inteiro, ele teve a imprudência de ordenar um ataque de retaliação sem pensar duas vezes. Em companhia de seus próprios agregados familiares e um pequeno grupo de cruzados – incluindo os dois Estêvãos, Hugo de Lusignan e Conrado, cônsul da Alemanha –, ele partiu de Jafa, aparentemente cheio de autoconfiança. Sua força continha meros duzentos cavaleiros e nenhuma infantaria.

Ao chegar à planície de Ramla, Balduíno avistou o exército egípcio em sua imponência e se deu conta da terrível realidade: havia avaliado erroneamente a situação. Encarando milhares de tropas muçulmanas (uma das estimativas era de 20 mil), para os francos agora não havia esperança de vitória, e as chances de sobrevivência eram mínimas. Sharaf al-Ma'ali se apressou em atacar o minúsculo grupo do rei no momento em que o avistou. Balduíno foi corajoso e tentou atacar, mas não havia esperança; rapidamente cercado, a carnificina começou. Em questão de minutos, a maior parte da sua guarda foi assassinada. Entre os mortos estavam o primeiro cruzado Stabelo, que já tinha sido camareiro de Godofredo de Bouillon, e Gerbod de Windeke, cruzado de 1101. Em meio à confusão, outro veterano da Primeira Cruzada, Rogério de Rozoy, conseguiu escapar com pequeno grupo para Jafa. Enquanto isso, com o inimigo se aproximando para matá-lo, Balduíno recuou lutando para Ramla com mais alguns sobreviventes, onde se abrigaram na torre fortificada.

Naquela noite, Balduíno viu que estava em situação desesperadamente desagradável. Sabendo muito bem que o amanhecer traria um ataque esmagador dos fatímidas que seguramente terminaria em morte ou captura, tomou uma decisão bem angustiada: abandonar seu exército e fugir na calada da noite. Acompanhado de cinco dos seus serventes mais confiáveis e assustadores, ele saiu furtivamente do forte cercado, provavelmente graças a algum tipo de disfarce e passando por uma pequena porta, mas logo foi desafiado pelas tropas muçulmanas. Teve início então uma sangrenta e caótica peleja na escuridão. De acordo com um contemporâneo, um cavaleiro franco chamado Roberto "tomou à frente com a espada desembainhada e foi rapidamente derrotado". Ao ver mais dois de seus companheiros caírem, Balduíno fugiu a todo galope em sua rápida Gazela. Tinha agora a seu lado um sobrevivente apenas, Hugo de Brulis (de quem não se soube mais nada).

Os egípcios rapidamente começaram uma caçada frenética pelo monarca fugitivo. Sentindo que estava próximo de ser capturado, o rei procurou abrigo e esconderijo em meio a um enorme canavial, mas seus perseguidores tocaram fogo na vegetação. Balduíno conseguiu escapar por pouco, sofrendo queimaduras sem gravidade. Passou os dois dias seguintes fugindo, tentando salvar sua vida. Desnorteado, com a comida e a água acabando, ele primeiro tentou encontrar um caminho para Jerusalém no mato, pelas Montanhas da Judeia, mas desistiu ao avistar numerosas patrulhas fatímidas vigiando a área. Em 19 de maio de 1102, seguiu para o noroeste para alcançar o litoral e acabou conseguindo chegar a Arsuf, onde ficou em relativa segurança. Durante esse período, Balduíno certamente foi torturado pela humilhação e pela incerteza; não tinha como saber o que o destino havia reservado para seus companheiros abandonados em Ramla, e nem se Jafa ou mesmo a Cidade Sagrada teriam capitulado em sua ausência. Uma das evidências do trauma físico e psicológico dos dias anteriores é que, ao chegar a Arsuf, sua primeira preocupação foi comer, beber e dormir. Como observou um contemporâneo latino, "foram as exigências do lado humano de sua natureza".

O dia seguinte foi mais afortunado. Hugo de Fauquembergues, senhor de Tiberíades, chegou a Arsuf com oitenta cavaleiros após ficar sabendo do ataque egípcio. Alguém confiscou um navio pirata inglês ancorado por perto e seguiu para Jafa, ao sul, enquanto Hugo avançava na mesma direção por terra, junto ao litoral. Balduíno encontrou Jafa em estado alarmante, cercada em terra pelas forças de Sharaf al-Ma'ali e no mar por uma frota egípcia de trinta embarcações vindas de Ascalão, ao norte. Após ter a ousadia de exibir no navio seu estandarte real para levantar o moral da guarda de Jafa, o rei se desviou por pouco da flotilha fatímida e chegou ao cais. Em terra, a notícia que encontrou foi das mais sombrias.

Jafa não se rendera por pouco. Sem saber do paradeiro do rei e do destino de seu exército em Ramla, e cercado por todos os lados, o povo do porto já estava em situação calamitosa. Foi quando Sharaf al-Ma'ali empregou uma tática ardilosa. Em vida, Gerbod de Windeke parecia ligeiramente com o rei. Os muçulmanos mutilaram o cadáver de Windeke, cortando-lhe a cabeça e as pernas e os envolvendo em tecidos com o púrpura da realeza, e então exibiram esses restos mortais perante os muros de Jafa, proclamando a morte de Balduíno e exigindo rendição imediata. Muitos, inclusive a rainha, que mais uma vez estava se abrigando em Jafa, caíram no estratagema e começaram a planejar uma fuga pelo mar. Foi exatamente nesse momento que o navio de Balduíno apareceu ao norte. A chegada do rei no momento perfeito levantou o moral dos seus, além de abalar a confiança de Sharaf. A maioria do exército fatímida havia agora recuado um pouco na direção de Ascalão, provavelmente para preparar o maquinário de cerco para um ataque com força total, mas com isso os francos tiveram um espaço inestimável que lhes permitiu retomar o fôlego para se reagruparem.

Balduíno havia chegado a tempo de salvar Jafa, mas tarde demais para intervir nos eventos em Ramla. Na manhã seguinte à sua fuga, tropas muçulmanas invadiram a cidade e cercaram a torre fortificada que agora abrigava o restante dos homens de Balduíno. Os fatímidas começaram um cerco intenso à rudimentar estrutura, solapando seus muros e acendendo fogueiras para que a fumaça expulsasse os ocupantes da torre. Em 19 de maio, os francos encurralados se encontravam em uma situação impossível; abandonados pelo rei e encarando a derrota, eles optaram por, nas palavras de um contemporâneo latino, "serem destruídos se defendendo de modo honrado [a] uma desprezível morte por asfixia". Os francos avançaram a cavalo de dentro da torre em um último ato suicida e quase todos foram prontamente chacinados. Um dos poucos a sobreviver foi Conrado da Alemanha, que lutou com tamanha ferocidade, cortando qualquer um que entrasse no raio de ação de sua comprida espada, que no final só restou ele cercado por mortos e moribundos. As tropas fatímidas ficaram perplexas e lhe ofereceram a chance de se render com a promessa de que ele seria poupado e levado como cativo ao Egito. Conrado deixou para trás muitos outros que não tiveram a mesma sorte, entre eles Estêvão de Blois, cuja morte em Ramla finalmente abafou a vergonha de sua covardia em Antioquia quatro anos antes.

O desastre em Ramla foi o fundo do poço para os francos naquele ano. No começo de junho de 1102 mobilizaram tropas de todo o reino, inclusive um contingente de Jerusalém, levando a Verdadeira Cruz. Seu exército também foi fortalecido pela chegada de uma considerável frota peregrina. Comandando agora um exército de campanha completo, Balduíno lançou o imediato contra-ataque aos mal preparados egípcios. O comando indeciso de Sharaf já havia lançado as sementes da insatisfação entre os fatímidas, e assim foram logo derrotados por esse súbito ataque dos francos. O número de perdas muçulmanas foi limitado e a coleta após a batalha foi parca – alguns camelos e burros –, mas o reino "cruzado" havia, não obstante, sido salvo.[60]

Entre Egito e Damasco

Nesses frágeis anos de formação, os latinos de Jerusalém tiveram a imensa sorte de não verem uma aliança entre os xiitas egípcios e o grande poderio dos sunitas sírios de Damasco. Se Balduíno tivesse de enfrentar a combinação de ambos em 1101 ou 1102, é provável que seu reino de parcos recursos tivesse sido derrotado. Isso se deu porque Duqaq de Damasco adotou uma política moderada de boas relações com palestinos francos pelo resto da vida. Dilacerado pela memória da derrota no rio do Cão, mas contente por permitir que os cristãos bloqueassem as ambições fatímidas na Cidade Sagrada, Duqaq manteve uma postura de neutralidade. Não obstante, após sua morte prematura em 1104 com apenas 21 anos, Damasco viria a adotar uma nova política.

Após uma competição breve, mas feia, o *atabeg*[d] Tughtegin, principal tenente de Duqaq, tomou o controle da cidade. Enquanto marido de Safwat, a manipuladora mãe viúva de Duqaq, ele havia esperado longamente nos bastidores; de fato, houve até rumores de que a morte prematura de Duqaq tinha sido resultado de envenenamento preparado pelo próprio Tughtegin. Agora, o que ajudou o *atabeg* a se projetar e ganhar poder foi seu dom para intrigas políticas diabólicas e sua atitude casual (e às vezes assustadoramente caprichosa) para com atrocidades. Em 1105 o *atabeg* aceitou uma proposta de cooperação militar com o Egito. Felizmente para os francos, todavia, essa coalizão sunita-xiita tinha seus limites. Talvez ainda desconfiado de seus novos aliados, Tughtegin quase organizou uma invasão damascena de ampla escala na Palestina. Mas resolveu, em vez disso, contribuir com uma força de 1.500 arqueiros quando al-Afdal enviou um terceiro exército, comandado por outro de seus filhos, para o norte de África no verão de 1105.

Com uma frota egípcia já arrasando Jafa, Balduíno I reconheceu que o porto logo seria sitiado e seu reino mais uma vez desestabilizado. Então tomou a iniciativa de convocar o patriarca de Jerusalém e a Verdadeira Cruz e atacar frontalmente o exército fatímida perto de Ramla. Nessa ocasião, comandou cerca de quinhentos cavaleiros e dois mil soldados de

---

d *Atabegs* eram normalmente nomeados guardiões dos príncipes, mas costumavam servir como governadores regionais ou comandantes em chefe.

infantaria, mas mesmo assim é certo que estavam em significativa desvantagem numérica. Todavia, pela terceira vez em quatro anos, a indisciplina marcial egípcia permitiu que Balduíno derrotasse o inimigo, ainda que com dificuldade. As perdas de ambos os lados foram mais ou menos equivalentes, mas o encontro, não obstante, teve efeito arrasador no moral dos fatímidas. O governador muçulmano de Ascalão foi assassinado na batalha; Balduíno ordenou a decapitação do emir e mandou levarem a cabeça a Jafa para exibi-la perante a frota egípcia, tentando assim encorajar que fossem embora às pressas.

O Egito continuou a ameaçar a Palestina dos francos, mas al-Afdal não lançou nenhuma outra ofensiva de larga escala e seguramente jamais alcançou sucesso expressivo. Por enquanto, Damasco estava parcialmente neutra. Tughtegin adotou uma abordagem mais flexível e predominantemente não agressiva ao lidar com Jerusalém. Ele certamente não era contra defender os interesses damascenos com força quando os considerava ameaçados, e também fazia incursões punitivas em território cristão. Mas, ao mesmo tempo, ele aceitava fazer uma série de pactos de tempo limitado com Balduíno, com a intenção básica de facilitar o caminho para um comércio mutuamente benéfico entre Síria e Palestina.

A consequência mais duradoura dessas transações foi a formulação de um armistício parcial (confirmado por um tratado por escrito) por volta de 1109. Esse memorável acordo relacionado à região ao leste do mar da Galileia (conhecida pelos francos como *Terre de Sueth* – terras negras – devido ao solo escuro de basalto) focava as terras férteis e cultiváveis de Hauran, que chegavam a adentrar as áreas ao norte das Colinas de Golã e ao sul do rio Yarmuk. Balduíno e Tughtegin concordaram em estabelecer o que era, em essência, uma zona parcialmente desmilitarizada nessa área, permitindo que fazendeiros muçulmanos e cristãos cooperassem na exploração da terra. Os produtos agrícolas da *Terre de Sueth* eram então divididos em três partes: uma delas ficava com os camponeses locais e as outras duas ficavam com Jerusalém e Damasco. Esse arranjo durou por quase todo o século XII.[61]

Contudo, a própria sobrevivência do rei Balduíno e de todo o seu reino estivera ameaçada nos primeiros cinco anos de seu reinado. Os latinos só prevaleceram por meio de momentos de liderança presenteada e devido à desunião dos muçulmanos e à incompetência militar dos fatímidas.

SÍRIA LATINA EM CRISE (1101-8)

Eram os primeiros e gelados cinco meses de 1105 e Tancredo, celebrado veterano da Primeira Cruzada, tinha todos os motivos para entrar em desespero. Ele estava no comando do principado latino de Antioquia em um momento em que esse reino recém-fundado parecia prestes a ser exterminado. A reputação de invencíveis dos francos se desfizera com a pavorosa e humilhante derrota que o exército de Antioquia sofreu nas mãos do Islã. Em resposta, o famoso tio de Tancredo e suposto príncipe de Antioquia, Boemundo, fugiu do Levante, exaurindo os recursos da cidade mesmo enquanto corria para navegar para o oeste. Com o principado desabando diante de seus olhos, assolado pela rebelião e pela invasão em todas as frentes, Tancredo encarou o fantasma da ruína. Sete anos antes, ele havia testemunhado em primeira mão o horror do cerco de Antioquia e o terrível custo de sua conquista pela cruzada. Agora parecia que o hesitante enclave franco criado por essa conquista estava fadado à queda.

Tancredo não podia ser responsabilizado por nada, ou quase nada, nessa crise. Ele viajou para a Palestina na primavera de 1101 para atuar como regente de Antioquia após a prisão de Boemundo. Nos dois anos seguintes, Tancredo rapidamente restaurou um senso de estabilidade e segurança no principado, demonstrando vigor e competência. Pouco depois de ser capturado, Boemundo deixou escapar do seu domínio a fértil planície da Cilícia, a noroeste de Antioquia. Na esperança de ter mais autonomia, a população de cristãos armênios da região fez uma aliança com o Império Bizantino, mas Tancredo os forçou a voltar atrás com uma campanha breve, porém feroz. Não contente em simplesmente recuperar as perdas do tio, Tancredo então procurou expandir o principado. Da mesma forma que o reino de Jerusalém, Antioquia precisava controlar os portos do litoral mediterrâneo, mas Latáquia, que abrigava o melhor porto natural da Síria, permanecia nas mãos dos gregos apesar dos intermitentes esforços de Boemundo. Após um cerco prolongado, entretanto, a cidade foi reconquistada por Tancredo em 1103.

Tancredo parece ter se deleitado com as recém-descobertas oportunidades e com a autoridade que sua posição oferecia, de modo que seguramente não fez nenhum esforço para orquestrar uma rápida libertação do tio. Essa tarefa foi assumida pelo patriarca Bernardo, recente nomeação eclesiástica de Boemundo, e pelo novo conde de Edessa, Balduíno de Bourcq. Juntos, eles conseguiram levantar o vultoso resgate exigido pelo captor de Boemundo, o emir Danishmendid: 100 mil peças de ouro. O armênio Kogh Vasil, senhor de duas cidades no Alto Eufrates, deu um décimo dessa soma em troca de promessas de aliança, mas nas palavras de um contemporâneo cristão do leste que ficou bastante escandalizado, "Tancredo não deu nada". Finalmente, em maio de 1103, Boemundo foi libertado. As consequências para Tancredo foram exasperantes: ele não apenas teve de entregar as rédeas do poder em Antioquia, como também foi forçado desistir de suas próprias conquistas em Cilícia e Latáquia.[62]

A Batalha de Harã (1104)

Com sua própria liberdade e autoridade restauradas, Boemundo procurou reforçar sua amizade com o conde Balduíno II de Edessa. Ao longo dos doze meses seguintes, os dois se uniram em uma série de campanhas com a intenção de subjugar o território entre Antioquia e Edessa, além de isolar e assediar Alepo. Provavelmente foi com o último objetivo em mente que eles lançaram uma expedição ao leste do Eufrates na primavera de 1104. Dominar essa região garantiria a segurança da fronteira ao sul do condado de Edessa e ao mesmo tempo prejudicaria a comunicação de Alepo com a Mesopotâmia. O que encontraram foi uma oposição cerrada de um exército muçulmano de tamanho considerável liderado pelos governadores turcos seljúcidas de Mossul e Mardin.

A batalha se deu nas planícies do sul de Harã por volta de 7 de maio. Boemundo e Tancredo ficaram com o flanco direito, enquanto Balduíno II comandava as forças de Edessa à esquerda, junto com seu primo Juscelino de Courtenay (um aristocrata bem relacionado do norte da França que chegou ao Levante após 1101 e havia recebido um domínio cujo centro era a maior fortaleza da cidade de Tell Bashir). Na luta que viria a seguir, as tropas de Edessa se desconectaram do resto do exército – sobrecarregando-se para atacar, acabaram sendo vítimas de um contra-ataque feroz e foram derrotados. Balduíno e Juscelino foram levados como prisioneiros enquanto milhares de seus compatriotas foram mortos ou presos. Boemundo e Tancredo lideraram um acoimado recuo em direção a Edessa, onde o último ficara com a responsabilidade de defender a cidade.

Harã representou um chocante revés para os francos. As perdas em campo de batalha por morte ou aprisionamento foram significativas, mas o dano maior foi psicológico. Essa derrota mudou o equilíbrio do poder e a confiança nos recônditos ao norte do Levante; agora ocorria aos povos nativos da Síria que os latinos não eram invencíveis, no final das contas. Um quase contemporâneo muçulmano escrevendo em Damasco refletiu que "[Harã] foi uma grande vitória sem precedentes [...] que desencorajou os francos, diminuiu os seus números e rompeu seu poder ofensivo, enquanto os corações dos muçulmanos foram fortificados". De fato, muçulmanos, gregos e armênios procuravam a oportunidade de virar a maré a seu favor, e não foi Antioquia, mas Edessa que mais sofreu. Os bizantinos voltaram a ocupar Cilícia e Latáquia, apesar de a cidadela da última ter permanecido nas mãos dos francos. No sudeste, as cidades da região de Summaq expulsaram suas guardas latinas e procuraram a liderança de Alepo. A indignidade final veio com a perda do domínio da cidade estrategicamente fundamental de Artah. Guardiã da principal estrada romana, localizada a quase um dia de marcha do noroeste de Antioquia, Artah era considerada por contemporâneos o "escudo" da cidade. No final do verão de 1104, o principado havia sido dizimado; só restou de seu antigo reino emergente um pequeno núcleo do território ao redor da própria Antioquia.[63]

No começo daquele outono, Boemundo tomou uma decisão inesperada. Chamou Tancredo, que estava em Edessa, e convocou um conselho na Basílica de São Pedro, anunciando sua intenção de deixar o Levante. Os verdadeiros motivos dessa atitude são difíceis de presumir. Publicamente, Boemundo declarou que, para salvar a Síria latina, pretendia recrutar um novo exército franco no oeste da Europa. Ele também deve ter expressado sua determinação em cumprir sua promessa a São Leonardo (a quem ele havia apelado quando estava preso) fazendo uma peregrinação ao templo de suas relíquias em Noblat, na França. Contudo, em privado, ele demonstrava pouca intenção de voltar tão cedo ao Ultramar, planejando, na verdade, juntar uma força para com ela atacar implacavelmente o Império

Bizantino nos Bálcãs. Isso deve ter distraído Aleixo Comneno, talvez para evitar um ataque grego em Antioquia, mas a estratégia de Boemundo provavelmente tinha mais a ver com seu desejo de conquistar território novo no Adriático e no Egeu, bem como com seu sonho de sentar no trono da poderosa Constantinopla.

O desencanto de Boemundo com a fragilidade da posição de Antioquia viria a ficar mais evidente através de sua calculada apropriação do que restou de riquezas e mão de obra na cidade antes de partir. Até mesmo seu contemporâneo latino, o escritor Rudolfo de Caen, normalmente apoiador da causa de Boemundo, observou que "ele levou ouro, prata, pedras preciosas e roupas e deixou a cidade para Tancredo sem proteção, sem soldo e sem mercenários". Boemundo partiu do litoral da Síria por volta de setembro de 1104. Ele havia treinado ao máximo seu gênio militar e sua astúcia avarenta durante a Primeira Cruzada, ao conquistar Antioquia. Agora, ao dar as costas ao Levante, ele sem dúvida sabia que estava abandonando seu velho prêmio em troca de um futuro incerto e sombrio.[64]

À beira do colapso

Foi assim que Tancredo começou o ano de 1105: em estado de tortuosa penúria, príncipe regente de um reino fadado a ser destruído. No ápice da crise – desafio que definiu sua carreira –, ele provou sua impetuosidade. Misturando charme e coerção, ganhou o apoio da população nativa de Antioquia para um imposto de emergência, fortalecendo o tesouro e financiando um novo recrutamento de mercenários. Ele também procurou reabastecer seus recursos ao explorar plenamente a única consequência positiva do fracasso em Harã, domínio simbólico de Antioquia sobre o condado de Edessa. Chamando todos os homens cristãos do norte da Síria às armas, tirando quase toda a defesa de Edessa, Marash e Tell Bashir, ele conseguiu juntar no começo da primavera um exército de cerca de mil cavaleiros e nove mil soldados a pé. A inquebrantável decisão de Tancredo e a acuidade estratégica incisiva agora vinham à tona.

Encarando uma infinidade de inimigos, ele reconheceu que não podia lutar em todas as frentes, nem voltar à política de defesa inerte. Então optou por agressão proativa com alvo certo, selecionando suas presas com muita cautela. Em meados de abril, Tancredo marchou em Artah, manejando um confronto decisivo com Ridwan de Alepo. Foi uma aposta audaciosa. Vencer esse inimigo em uma batalha campal talvez lhe permitisse recuperar a iniciativa e reacender a autoridade marcial dos francos – mas ele certamente sabia que os exércitos alepinos gozavam de superioridade numérica, talvez na proporção de três para um, e que qualquer fracasso marcaria o fim do domínio latino sobre a Síria.

Antes de deixar Antioquia, os cristãos fizeram rituais de purificação espiritual, incluindo um jejum de três dias, purgando os pecados de suas almas em preparação para a morte que ecoava nas práticas dos cruzados. Então Tancredo cruzou o rio Orontes pela Ponte de Ferro e avançou para cercar Artah. Assim que Ridwan mordeu a isca, avançando com 30 mil soldados (de acordo com relatos), Tancredo recuou. A peça central de sua estratégia era tirar vantagem de seu conhecimento próximo do terreno local e explorar sua crescente apreciação das táticas muçulmanas. A rota entre Artah e a Ponte de Ferro passava por uma área de terreno plano, porém pedregoso, sobre o qual os cavalos não podiam cavalgar com facilidade, até chegar a uma planície aberta. Foi para essa segunda zona que Tancredo recuou e, em 20 de abril de 1105, Ridwan foi atrás. Um contemporâneo latino descreveu a batalha que se seguiu:

> Os cristãos mantiveram sua posição como se estivessem entorpecidos [...] então, quando os turcos haviam passado pelo terreno acidentado, Tancredo atacou no meio deles como se tivesse sido acordado bruscamente. Os turcos logo recuaram, esperando, como era de seu feitio, dar meia-volta enquanto atiravam. Todavia, suas esperanças e seus truques foram frustrados [...] as lanças dos francos os atingiram nas costas e o caminho dificultou sua fuga. Seus cavalos nada podiam fazer.

Na batalha subsequente, os latinos investiram contra as fileiras apinhadas de tropas muçulmanas aterrorizadas, matando os inimigos quase à vontade enquanto desmoronava a resistência de Alepo. Horrorizado, Ridwan saiu correndo o mais rápido que podia em busca de segurança, perdendo seu estandarte no caminho, e Tancredo foi o vencedor no campo, enriquecido com espólio e glória.

A batalha de Artah foi um divisor de águas na história dos Estados cruzados do Norte. Pelos anos seguintes, Tancredo rapidamente recuperou as perdas sofridas depois de Harã. Artah foi imediatamente reocupada e o planalto de Summaq logo seguiu o mesmo rumo. Ridwan pediu paz, tentando se posicionar como aliado subserviente, e, com as zonas de fronteira entre Antioquia e Alepo seguras, Tancredo podia direcionar sua atenção para qualquer lugar. Em 1110, ele havia efetivado um domínio antioqueno de longo termo na Cilícia e Latáquia à custa dos gregos. Ao mesmo tempo, ele fortaleceu as defesas ao sul do principado contra outro vizinho muçulmano potencialmente agressivo, a cidade de Xaizar, ao tomar o antigo acampamento romano vizinho, Apamea. Em termos pessoais, o sucesso de 1105 também serviu para legitimar a posição de Tancredo; não tardou para ele comandar menos como regente de Boemundo e mais como príncipe em seu próprio direito. De todo modo, nisso ele também foi ajudado pelo concomitante declínio da fortuna de seu famoso tio.[65]

A cruzada de Boemundo

Boemundo de Taranto zarpou da Europa no outono de 1104. Mais tarde correriam rumores entre os gregos de que ele empregara um tipo bizarro de fraude para não ser capturado pelos agentes bizantinos durante a viagem pelo Mediterrâneo. Fingindo-se de morto, Boemundo teria viajado para o oeste em um caixão perfurado por buracos disfarçados para respiração. Para completar o ardil, ele ficou ao lado da carcaça em processo de apodrecimento de um galo enforcado para garantir que seu suposto cadáver parecesse emitir um odor adequadamente nauseabundo. De fato, a filha do Imperador Aleixo, Ana Comnena, até se permitiu uma nota de admiração pelo "indomável espírito bárbaro" de Boemundo ao escrever: "fico me perguntando como ele conseguiu suportar tamanho ataque às suas narinas e continuar vivo". A despeito de seu modo de transporte, a chegada de Boemundo na Itália no começo de 1105 foi saudada com amorosa efusão de adulação. O autoproclamado herói da Primeira Cruzada estava de volta. Logo ganhou o apoio do sucessor do papa Urbano, Pascoal II, para uma nova expedição cruzada, a qual Boemundo passaria a promover na Itália e na França pelos dois anos seguintes. No caminho, cumpriu a promessa de visitar o Templo de São Leonardo em Noblat, onde depositou uma oferenda de grilhões de prata em sinal de gratidão por sua soltura da prisão em 1103. Tudo indica que ele também tenha patrocinado a cópia e distribuição de uma empolgante narrativa sobre a Primeira Cruzada, semelhante ao *Gesta Francorum*, que promovia suas conquistas e ajudava a apagar o nome dos gregos. Com sua fama em ascensão e seus comícios de recrutamento atraindo multidões entusiasmadas, Boemundo conseguiu uma aliança matrimonial que o impeliu aos mais altos escalões da aristocracia franca. Na primavera de 1106, ele se casou com a princesa Constância, filha do rei da França, mais ou menos na mesma época em que uma das filhas bastardas do rei, Cecília, foi prometida a Tancredo. Boemundo usou suas próprias núpcias em Chartres para promover sua nova cruzada, planejando um ataque urgente contra seu proclamado inimigo, Aleixo Comneno – suposto traidor dos cruzados em 1098 e 1101, além de invasor de Antioquia.

No final de 1106, Boemundo havia retornado ao sul da Itália para supervisionar a construção de uma frota cruzada, após recrutar muitos milhares de homens para sua causa. Apesar do tamanho da força que ele juntou em Apulia um ano depois – uns 30 mil homens a serem levados em mais de duzentas embarcações –, os historiadores vêm questionando há muito tempo a natureza dessa expedição. O consenso atual mantém que essa campanha, que tinha como alvo o império cristão greco-bizantino, não poderia ser considerada uma cruzada em seu pleno direito – no mínimo deveria ser entendida como uma distorção do ideal das cruzadas. A expedição obviamente guardava semelhanças notáveis com a Primeira Cruzada, com seus participantes fazendo promessas, levando o símbolo da cruz e esperando perdão para seus pecados. Mas o cerne do debate depende do envolvimento papal. É certo que, como se alega, o papa jamais concederia em sã consciência o status privilegiado de cruzada a uma expedição contra outros cristãos; na verdade teria sido Boemundo, perturbado pela ambição e pelo ódio, que enganou Pascoal II, fingindo que seus exércitos lutariam no Levante.

Essa visão dos eventos traz problemas significativos. A maioria das provas contemporâneas indica que o papa estava ciente das intenções de Boemundo e o apoiou mesmo assim, chegando mesmo a despachar um legado pontifício para acompanhar e endossar as campanhas de pregação na

França e na Itália. Mesmo no improvável caso de o papa ter sido induzido ao erro, não há dúvida de que um grande número de recrutas leigos aceitou a ideia de se juntar a uma cruzada contra os gregos. De fato, a tendência a ofuscar a expedição de Boemundo como uma perversão das cruzadas é sintomática de um equívoco mais fundamental: a crença de que as ideias e práticas dos cruzados já haviam se unido para criar um ideal uniforme. Para a maioria das pessoas vivendo no oeste da Europa no começo do século XII, esse novo tipo de guerra devocional não tinha uma identidade finalizada e ainda era sujeita a um desenvolvimento contínuo e orgânico. Os cruzados não precisavam ser jogados contra os muçulmanos, e muitos rapidamente aceitaram a ideia de lutar em uma guerra santa contra Aleixo Comneno assim que ele foi considerado o inimigo da cristandade latina.

Seja qual for a ótica sobre as cruzadas de 1107 e 1108 contra Bizâncio, a expedição se mostrou um desastre estupendo. Os latinos atravessaram o Mar Adriático em outubro de 1107 e cercaram a cidade de Durazzo (na Albânia moderna), considerada pelos contemporâneos "o portão ocidental para o império [grego]". Mas, apesar de sua linhagem militar, Boemundo foi ludibriado por Aleixo, que enviou suas forças para cortar as linhas de suprimento dos invasores ao mesmo tempo que tomava o cuidado de evitar um confronto direto. Enfraquecidos pela fome, incapazes de romper as defesas de Durazzo, os latinos capitularam em setembro de 1108. Boemundo foi forçado a aceitar um humilhante acordo de paz, o Tratado de Devol. Nos termos desse acordo, ele deveria manter Antioquia pelo resto da vida como súdito do imperador, mas o patriarca grego deveria ser restaurado ao poder na cidade e o próprio principado seria emasculado pela cessão de Cilícia e Latáquia a Bizâncio.

Na verdade, este acordo não foi efetivado e, portanto, teve pouca influência sobre os eventos futuros, porque Boemundo nunca retornou ao Levante. Após navegar de volta ao sul da Itália no outono de 1108, ele passa a surgir apenas de relance em registros históricos, com a reputação destruída, seus grandes sonhos e ambições esfacelados. Constância lhe deu um filho – também chamado Boemundo – por volta de 1109, mas em 1111 aquele que um dia fora o grande comandante da Primeira Cruzada estava enfermo, e morreu em 7 de março, em Apulia. Em Antioquia, Tancredo permaneceu no poder, talvez ainda nominalmente como regente, mas com sua autoridade incontestável entre os francos. Da perspectiva do Ultramar, uma coisa positiva de fato surgiu no final da carreira de Boemundo: sua campanha nos Bálcãs desviou os recursos gregos do Levante, permitindo a Tancredo impor seu controle sobre Cilícia e Latáquia.[66]

COMANDAR NO REINO SAGRADO

O mergulho de Tancredo para expandir o principado de Antioquia e aumentar sua fortuna e influência internacional ganhou impulso após 1108, e ele mostrou uma disposição implacável para usar todo e qualquer meio para concretizar suas ambições, mesmo que isso implicasse lutar contra outros latinos e fazer alianças com muçulmanos. Tancredo trabalhou de modo incansável pelos cinco anos seguintes, recorrendo a uma fonte de energia marcial que parecia inesgotável para empreender campanhas quase o tempo inteiro. Tancredo chegou perto de forjar um império antioqueno no Levante ao sitiar seus vizinhos e oponentes ao misturar conquista territorial, coerção política e exploração econômica.

Os condados de Edessa e Trípoli

Entre 1104 e 1108, Antioquia exerceu poder de comando sobre Edessa. Ao assumir o controle do principado no outono de 1104, Tancredo nomeou governador de Edessa o cunhado Ricardo de Salerno, também italiano do Sul, normando e veterano da Primeira Cruzada. Apesar da impopularidade de Ricardo, a influência antioquena seguiu ilesa enquanto o conde Balduíno II permaneceu em cativeiro.

Antioquia certamente não se esforçou para orquestrar a soltura do conde. No verão de 1104, quando os captores de Balduíno começaram a organizar os termos do seu resgate, até Boemundo fez objeções. Em vez de corresponder à energia que Balduíno empregou para garantir a liberdade do próprio Boemundo em 1113, o príncipe preferiu manter o controle dos consideráveis recursos agrícolas e comerciais de Edessa, estimados em mais de 40 mil besantes de ouro por ano. Uma vez no comando da Síria franca, Tancredo continuou a desfrutar desse faturamento e a ignorar os apelos de Balduíno.

Juscelino de Courtenay, soberano de Tell Bashir e parceiro do conde, foi resgatado em 1107 pelo povo daquela cidade, e no ano seguinte negociou com sucesso a soltura de Balduíno de Mossul. Foi Chavli, senhor de guerra turco, quem finalmente concordou com os termos; mas atento à fragilidade de sua própria posição e aos correntes embates internos do Islã do Oriente Próximo, ele não apenas exigiu dinheiro de resgate, mas também uma aliança militar.

Deu-se um intenso impasse quando Balduíno resolveu reivindicar Edessa no verão de 1108. Após desfrutar do acesso à fortuna e aos recursos do condado durante quatro anos, Tancredo não tinha intenção de simplesmente entregar um território que havia salvado de invasores, e assim começou a pressionar Balduíno a fazer um voto de subserviência. Afinal, alegava, historicamente Edessa prestava vassalagem ao ducado bizantino de Antioquia. O conde se recusou, até porque já havia jurado fidelidade a Balduíno de Bolonha em 1100. Como nenhuma das partes se dispunha a ceder, o conflito parecia inevitável.

No começo de setembro, os dois homens recrutaram seus exércitos. Menos de dez anos após a conquista de Jerusalém, Balduíno e Tancredo – ambos latinos e veteranos de cruzada – agora estavam prontos para declarar guerra um contra o outro. Ainda mais chocante era o fato de Balduíno marchar para a batalha ao lado de seu novo aliado, Chavli de Mossul, e uma tropa de cerca de sete mil soldados muçulmanos. Quando se deu a batalha, provavelmente perto de Tell Bashir, Tancredo, apesar de estar em desvantagem numérica, conseguiu manter sua posição. Mas a morte de cerca de dois mil cristãos dos dois lados fez o patriarca Bernardo, soberano eclesiástico de Antioquia e Edessa, interferir para acalmar os ânimos e arbitrar. Depois que testemunhas declararam publicamente que na verdade Tancredo havia prometido a Boemundo em 1104 que renunciaria ao controle de Edessa quando Balduíno fosse solto, o governador antioqueno foi forçado a recuar a contragosto. A própria cidade de Edessa podia ter sido repatriada, mas o ódio incorporado e a rivalidade continuavam. Tancredo, obstinado, se recusava a ceder território ao norte do condado, e não demorou a pressionar Balduíno a pagar tributos em troca de paz com Antioquia.[67]

Com essa disputa ainda latente, o olhar cobiçoso de Tancredo mirou no nascente condado de Trípoli. No rescaldo da Primeira Cruzada, seu antigo rival Raimundo de Toulouse tentou estabelecer seu próprio domínio no Levante centrado nas áreas ao norte que atualmente fazem parte do Líbano. O desafio para Raimundo era considerável, pois, ao contrário dos fundadores de outros assentamentos latinos, ele não tinha conquistas como cruzado em que se basear, e a cidade dominante da região, Trípoli, permanecia nas mãos dos muçulmanos.

Não obstante, Raimundo fez algum progresso ao tomar o porto de Tortosa em 1102 com a ajuda de uma frota genovesa e sobreviventes da cruzada de 1101. Dois anos depois, ele conquistou outro porto ao sul, Jubail, resplandecente com suas ruínas romanas. Enquanto isso, em um monte perto de Trípoli, Raimundo construía um forte resistente e batizava o Monte do Peregrino para garantir o controle efetivo dos arredores. Ainda assim, apesar de seus persistentes esforços, o conde morreu com sessenta e alguns anos em 28 de fevereiro de 1105 sem ver Trípoli ser conquistada.

Nos anos seguintes, dois homens disputaram o legado de Raimundo. Seu sobrinho, Guilherme Jordão, o primeiro a chegar a Ultramar, continuou a fazer pressão em Trípoli ao mesmo tempo que conquistava a cidade vizinha de Arqa. Contudo, em março de 1109, Bertrando de Toulouse, filho de Raimundo, chegou à Cidade Sagrada com a determinação de reivindicar seus direitos de herdeiro. Ele levou uma frota considerável para reforçar o cerco a Trípoli, e assim os dois requerentes disputaram o direito à cidade, apesar de ela ainda ter de ser conquistada, e Guilherme Jordão renunciou ao Monte do Peregrino pelo norte. Tudo indica que o emergente condado de Trípoli seria fundado em meio a uma amarga disputa dinástica.

Entretanto, a disputa pelo controle de Trípoli envolvia muito mais do que uma simples questão de herança; Trípoli se tornou a peça central de uma batalha mais ampla pelo domínio dos Estados cruzados. Ao perceber que precisaria de um aliado se quisesse ter alguma esperança de reivindicar Trípoli, Guilherme Jordão procurou Tancredo e se ofereceu para ser seu vassalo. Não foi surpresa Tancredo aproveitar essa súbita oportunidade para expandir a influência antioquena para o sul; se Trípoli ficasse sob sua influência e seus projetos para Edessa vingassem, o principado poderia reivindicar corretamente o título de grande potência de Ultramar. Análises históricas modernas têm persistentemente subestimado o significado desse episódio, partindo da presunção de que o reino de Jerusalém era automática e imediatamente reconhecido como soberano do Leste franco no começo do século XII. É verdade que a Cidade Sagrada foi o foco da Primeira Cruzada, e Balduíno de Bolonha foi o único governador latino no Levante a assumir o título de rei, no entanto seu reinado incluía a Palestina, não todo o Oriente Próximo. Todos os quatro Estados cruzados foram fundados com um regime independente e o status preeminente de Jerusalém sobre eles jamais foi ratificado formalmente. Uma corrente de rivalidade havia manchado as relações entre Balduíno e Tancredo desde que eles reivindicaram o controle da Cilícia em 1097; agora, em 1109, a impetuosa assertividade de Tancredo representava um desafio à autoridade de Balduíno que viria a determinar o equilíbrio de poder no Levante latino.

Ao longo dos próximos doze meses, o monarca de Jerusalém resolveu essa crise política com impressionante elegância, se revelando um jogador categoricamente superior a seu oponente. Há de se reconhecer que Balduíno não fez nenhuma tentativa de enfrentar a ambição antioquena apelando para as armas, preferindo na verdade promover e explorar o conceito de solidariedade entre os francos perante os adversários muçulmanos. Empregando diplomática astúcia, ele afirmou a supremacia hierosolimita mesmo enquanto avançava com a segurança e a defesa de Ultramar.

No verão de 1109, Balduíno chamou os governadores do Leste latino para auxiliar Bertrando de Toulouse no cerco a Trípoli. À primeira vista, parecia uma grande aliança entre os francos, dedicada a subjugar um fortim muçulmano intransigente. O próprio rei marchou para o norte com cerca de quinhentos cavaleiros; Tancredo, acompanhado de setecentos cavaleiros, chegou acompanhado por seu novo aliado, Guilherme Jordão; Balduíno II de Edessa e Juscelino também levaram um reforço considerável. Ao lado da marinha provençal de Bertrando e da frota genovesa, isso representava um conjunto formidável. A animosidade entranhada, a desconfiança e a má vontade fervilhavam sob a superfície dessa coalizão.

É claro que o subtexto de todo o episódio – como todos os atores principais certamente sabiam – era a questão do poder entre os francos. Será que Balduíno I deixaria a crescente influência de Antioquia por isso mesmo? E caso não deixasse, que tipo de resposta o rei empregaria? Quando todos estavam reunidos, o rei decretou seu astuto esquema. Já tendo Bertrando de Toulouse debaixo da sua asa e depois de extrair um juramento de fidelidade pelo apoio de Jerusalém, ele agora convocou um conselho geral para resolver a disputa relacionada ao futuro de Trípoli. O golpe de mestre de Balduíno I foi não se comportar nem como um soberano raivoso e prepotente, nem como rival dissimulado de Tancredo, e sim como um imparcial árbitro de justiça. Nas palavras de um contemporâneo latino, o rei ouviu "todas as injúrias, de ambos os lados" ao lado de um júri de seus "homens leais" e, por fim, decretou a reconciliação. Os herdeiros de Raimundo de Toulouse "fizeram as pazes", com Bertrando e assim ganharam o direito à maior parte do condado, incluindo Trípoli, o Monte do Peregrino e Jubail, enquanto Guilherme ficou com Tortosa e Arqa. Balduíno II e Tancredo ainda teriam, como disseram, chegado ao entendimento de que Antioquia renunciaria ao controle de todo o território remanescente de Edessa. Como compensação, Tancredo foi reconduzido ao poder como governador de Haifa e Galileia.

Tudo indicava que o rei havia chegado a um acordo justo, restaurando a harmonia em Ultramar. A coalizão de forças sem dúvida conseguira demandar o investimento de Trípoli com renovado vigor, enxotando violentamente a guarda muçulmana da cidade até a submissão em 12 de julho de 1109. Na realidade, contudo, Tancredo estava frustrado e humilhado. Ele não fez nenhum esforço para reivindicar seu domínio sobre o reino de Jerusalém, até porque isso envolvia um juramento de subserviência a Balduíno I. O rei, enquanto isso, apesar de manter a fachada de imparcialidade, estava cuidando de seus próprios interesses, protegendo sua relação com Edessa e nomeando seu favorito como novo governador de um condado tripolitano. Não é provável que ele tenha ficado muito acabrunhado quando, pouco após a capitulação de Trípoli, Guilherme Jordão foi morto em um ataque secreto "com uma lança atravessada no coração", deixando Bertrando em uma posição de autoridade incontestável.

Em maio de 1110, Balduíno I procurou uma oportunidade de consolidar ainda mais seu status como soberano do Levante latino. Naquela primavera, Mohamed, sultão seljúcida de Bagdá, finalmente reagiu à sujeição imposta pelos francos ao Oriente Próximo. Ele enviou um exército mesopotâmico para começar o trabalho de reivindicar a Síria sob o comando de Maudud, um competente general turco que havia chegado ao poder em Mossul recentemente. O primeiro alvo era o condado de Edessa. Os latinos se uniram perante a ameaça, e a rápida chegada de uma grande coalizão de exércitos de Jerusalém, Trípoli e Antioquia forçou Maudud a encerrar seu curto cerco a Edessa. O rei Balduíno I aproveitou a oportunidade que se apresentou com essa reunião da elite de governadores francos para convocar o segundo conselho de habitação se concentrando exclusivamente em abordar a corrente disputa entre Tancredo e Balduíno de Bourcq. De acordo com um contemporâneo cristão, uma solução tinha de ser alcançada "ou mediante um julgamento justo, ou mediante um acordo de um conselho de magnatas". Ciente que era improvável que ele viesse a receber qualquer coisa parecida com um tratamento "justo", Tancredo teve de ser persuadido por seus conselheiros mais próximos a comparecer e, assim que começou o conselho, seus medos logo se confirmaram. Com o rei Balduíno presidindo o julgamento, Tancredo foi acusado de incitar Maudud de Mossul a atacar Edessa e de se aliar aos muçulmanos. Essas acusações foram quase certamente forjadas e, por incrível que pareça, nenhuma menção foi feita à aliança do próprio Balduíno de Bourcq com Mossul em 1108, e nem aos negócios de Balduíno I com Damasco. Confrontado pelo opróbrio unânime do conselho e ameaçado de ostracismo na comunidade franca, Tancredo foi mais uma vez forçado a recuar. A partir daí, parou de exigir tributos de Edessa.

A submissão de Antioquia ainda não havia sido formalizada e, nos anos seguintes, o principado viria a tentar várias vezes declarar sua independência. Durante as primeiras décadas do século XII, a luta pelo círculo do poder também se refletiu em uma prolongada e amargurada querela pela jurisdição eclesiástica entre os patriarcas latinos de Antioquia e de Jerusalém. Não obstante, em 1110, o rei Balduíno havia, pelo menos até segunda ordem, reafirmado sua própria autoridade e situado Jerusalém como poder secular preeminente em Ultramar.[68]

O legado de Tancredo

Apesar dos reveses políticos de 1109 e 1110, Tancredo teve algumas vitórias nos últimos anos de vida. Com vigor inexorável, ele dilatou as fronteiras do principado ao máximo e, lutando por meses a fio quase sem pausa, subjugou os vizinhos muçulmanos. Nesse período, Tancredo fez frente a um significativo dilema estratégico que tem sido amplamente ignorado pelos historiadores modernos. Para Tancredo, bem como para todos os governantes militares medievais, a topografia era uma questão chave. Em 1110 o principado havia expandido suas fronteiras até dois limites naturais. Ao leste, na fronteira entre Antioquia e Alepo, o poderio franco agora chegava ao pé das Montanhas de Belus, uma íngreme e árida coluna de montanhas de baixa altitude. Ao sul, em direção à muçulmana Xaizar, o principado se ampliou até o limite do planalto de Summaq e do vale do rio Orontes. Na prática, as barreiras físicas ao longo dessas duas zonas de fronteira ofereciam tanto para a Antioquia latina quanto para seus vizinhos muçulmanos um equilíbrio relativamente igual de poder e segurança.[69]

Tancredo podia ter aceitado essa situação, permitindo que o *status quo* se mantivesse e engendrando a possibilidade de coexistência no longo termo. Mas no lugar disso, optou pelos riscos e pela potencial recompensa de continuar a expansão. Em outubro de 1110, atravessou as Montanhas de Belus para fazer uma expedição de cobrança de impostos no inverno que levou à conquista de uma série de assentamentos na região de Jazr (ao leste das Montanhas de Belus), inclusive al-Atharib e Zardana. Isso deixou mais de trinta quilômetros de planície aberta, sem defesa, entre o principado e Alepo. Assim, na primavera de 1111, Tancredo procurou aplicar mais ou menos o mesmo nível de pressão no sul, iniciando a construção de uma nova fortaleza em um monte perto de Xaizar. Pelo menos de início, Ridwan de Alepo e os governadores muçulmanos de Xaizar (o clã Munqidh) reagiram a essa agressão com conciliatória submissão, oferecendo o pagamento de 30 mil dinares de ouro em tributos para manter a paz.

Havia um precedente bem estabelecido para essa forma de exploração financeira. Na Ibéria do século XI, as forças cristãs do norte haviam gradualmente dominado as fraturadas cidades-estados muçulmanas do sul, estabelecendo complexas redes de pagamentos anuais de tributos. Esse sistema ganhou fama ao culminar, em 1085, na ocupação pacífica da há muito perdida capital da península, Toledo (Espanha Central).

Tancredo pode muito bem ter nutrido planos similares para levar Alepo e Xaizar ao esgotamento, mas suas políticas tinham uma obliquidade perigosa. Aplicar pressão demais e exigir pagamentos muito exorbitantes por proteção pode acabar levando a vítima a arriscar uma retaliação. No caso de Alepo, a mistura de intimidação e exploração se mostrou eficaz e culminou em um período de submissão duradoura. Mas em 1111, Tancredo exagerou na pressão contra Xaizar, de modo que o clã Munqidh rapidamente se aliou a Maudud de Mossul naquele setembro, quando Maudud conduziu o segundo exército abássida Síria adentro. Ameaçado pela invasão da região de Summaq, Tancredo reuniu toda a força bélica antioquena possível. Além disso, pediu ajuda aos companheiros latinos e, apesar das tensões que haviam recentemente dividido suas fileiras, os exércitos de Jerusalém e Trípoli se juntaram mais uma vez. Essa força composta assumiu uma posição defensiva em Apamea e a manteve pacientemente, embotando assim as tentativas de Maudud de provocar uma batalha decisiva e por fim forçar seu recuo.

Tancredo havia mais uma vez afugentado uma ameaça à sobrevivência do principado, mas qualquer esperança de garantir a conquista de Alepo ou Xaizar deu em nada quando, após anos de campanha incansável, sua saúde lhe faltou aos 36 anos. Mateus de Edessa, historiador cristão armênio do começo do século XII, não poupou elogios elegíacos a Tancredo ao registrar sua morte em dezembro de 1112, escrevendo que "ele era um homem religioso e piedoso, dotado de uma natureza gentil e compassiva, sempre manifestando preocupação por todos os cristãos de fé; e, além disso, demonstrava um nível extraordinário de humildade ao lidar com o povo". Esse panegírico oculta traços mais sombrios de Tancredo: sua fome insaciável por crescimento; seu dom para intrigas políticas e sua disposição para atrair ou guerrear contra todos ao seu redor em busca de poder. Foram essas qualidades, aliadas ao seu dinamismo ilimitado, que fizeram de Tancredo uma potência notável e lhe permitiram forjar um duradouro reino franco no norte da Síria. Se for feita justiça, a história considerará que foi Tancredo o fundador do principado de Antioquia, não seu infame tio Boemundo.[70]

SOBERANO DE ULTRAMAR (1113-18)

A morte de Tancredo se deu em um momento de maior mudança geral na forma e no equilíbrio de poder no Oriente Próximo devido a uma mistura de sucessão dinástica e intriga política. Na própria Antioquia, o poder passou para o sobrinho de Tancredo, Rogério de Salerno, filho do Primeiro Cruzado Ricardo de Salerno. Rogério foi logo entrelaçado no tecido da sociedade franca quando uma série de alianças matrimoniais de alto nível uniu a elite que comandava Ultramar. Essa complexa teia de conexões familiares impulsionou uma nova fase de crescente interdependência entre os Estados cruzados. Rogério se casou com a irmã de Balduíno de Bourcq, conde de Edessa, enquanto Juscelino de Courtenay, soberano de Tell Bashir, era casado com a irmã de Rogério. A morte de Bertrando de Toulouse no começo de 1112 levou à ascensão de Pons, seu jovem filho, a conde de Trípoli. Ele logo se distanciou da política tradicional adotada por Toulouse de subserviência a Bizâncio e antipatia a Antioquia e, em algum momento entre 1113 e 1115, se casou com a viúva de Tancredo, Cecília da França. Pons continuou dependente de Jerusalém, mas o dote de Cecília trouxe um significativo domínio antioqueno no Vale Ruj, um dos dois acessos ao sul para Antioquia. Era duplo o significado mais amplo dessas trocas de recursos humanos e alianças: por um lado, eles prometiam engendrar uma nova era de cooperação franca diante das ameaças externas; por outro, reabriram velhas questões sobre o equilíbrio de poder em Ultramar e, mais notadamente, o relacionamento entre Antioquia e Edessa.

Força na união

Os laços que uniam os latinos não demoraram a ser testados pela corrente ameaça de invasão pelo Iraque. Em maio de 1113, Maudud de Mossul, agora principal comandante militar de Bagdá, conduziu um terceiro exército abássida pelo Oriente Próximo, e nessa ocasião deu as costas à Síria para invadir a Palestina. A frequência e a ferocidade da ameaça chegaram a Balduíno I em Acre, que despachou aos novos vizinhos, Rogério e Pons, um chamado urgente de reforços. Agora o rei tinha uma decisão difícil a tomar. Deveria esperar que se reunissem os aliados dos francos para estar com força total, deixando Maudud e Tughtegin livres para devastar o nordeste do reino, ou seria melhor arriscar um movimento imediato para reagir à invasão com recursos militares limitados? Optou pelo segundo curso de ação entre meados e fim de junho. O comportamento precipitado de Balduíno foi amplamente criticado por contemporâneos – de fato, até mesmo seu capelão observou que o rei havia sido denunciado por seus aliados por "correr atrás do inimigo em um surto desordenado, sem esperar nenhum aviso ou ajuda" –, e historiadores modernos vêm condenando Balduíno de forma análoga. Em defesa do rei, parece que ele não agiu com a mesma impetuosidade nociva demonstrada em 1102. Detalhes dos eventos do verão de 1113 são incertos, mas tudo indica que o rei partiu de Acre para estabelecer uma base avançada de onde patrulhar a Galileia, não com a intenção expressa de confrontar o inimigo no calor da batalha.

Infelizmente para ele, em 28 de junho seu exército foi massacrado por um ataque surpresa. Normalmente tão assíduo no uso de observadores e inteligência estratégica, Balduíno aparentemente acampou próximo da ponte de al-Sennabra, um cruzamento sobre o rio Jordão logo ao sul do mar da Galileia, sem se dar conta de que seus inimigos espreitavam por perto, no litoral leste. Quando os forrageadores muçulmanos descobriram a localização de Balduíno, Maudud e Tughtegin fizeram um ataque relâmpago. Eles se espalharam pela ponte, devastaram em passo acelerado os perplexos francos, matando entre mil e dois mil homens, incluindo cerca de trinta cavaleiros. O próprio rei caiu em desgraça; perdeu seu estandarte real e sua tenda, símbolos-chave de sua autoridade real.

Castigado, Balduíno recuou para as encostas do Monte Tabor, no alto de Tiberíades, onde logo se juntou aos exércitos de Antioquia e Trípoli. A partir de então, passou a adotar uma estratégia bem mais cautelosa, guardando suas forças em posição defensiva, policiando a região, mas evitando confronto direto. Durante quase quatro semanas os dois lados permaneceram na área, testando a determinação um do outro, mas diante de uma força latina tão grande, Maudud e Tughtegin não podiam bancar uma marcha em massa ao sul de Jerusalém: só davam conta de realizar uma série de incursões mais amplas. Em agosto, os aliados muçulmanos atravessaram o rio Jordão, deixando, nas palavras de um cronista damasceno, o inimigo "humilhado, arrasado, derrotado e desalentado". Como prova de seu triunfo, enviaram para o sultão de Bagdá, como presente de pilhagem, prisioneiros francos e cabeças dos cristãos que haviam matado. Balduíno sobrevivera, mas com um dano considerável em sua reputação.[71]

Maudud fatidicamente decidiu passar o começo de outono em Damasco. Após comparecer às preces de sexta-feira com Tughtegin na Grande Mesquita em 2 de outubro de 1113, o governador de Mossul estava caminhando por um jardim quando foi emboscado e mortalmente ferido por um atacante solitário. O agressor foi sumariamente decapitado e seu cadáver queimado, mas nem sua identidade e nem o motivo do crime foram determinados com precisão. Suspeitava-se ser ele adepto de um culto nizari secreto. Essa dissidência do ramo islâmico Isma'ali de Shi'a, que vinha do nordeste da Pérsia, havia começado a desempenhar um papel notável na política do Oriente Próximo do começo do século XII. Com recursos limitados, ganhavam poder e influência ao assassinar os inimigos e, como diziam seus adeptos, eram viciados em haxixe (daí que surge uma nova palavra para descrevê-los – assassinos). Enquanto Ridwan ibn Tutush era vivo, eles ganharam um ponto de apoio significativo em Alepo, mas foram afastados da cidade depois de sua morte em 1113. Os Assassinos então encontraram novo aliado em Tughtegin, e por isso o *atabeg* foi considerado cúmplice do assassinato de Maudud. Até onde Tughtegin se envolveu não está claro, mas o mero rumor bastou para afastá-lo de Bagdá e reaproximá-lo de Damasco e Jerusalém.[72]

Para os francos, a crise de 1113 não deixou dúvidas sobre a necessidade de uma resistência unificada aos inimigos muçulmanos, além de reafirmar a sabedoria de uma cautelosa estratégia de defesa. Analisados em conjunto, os eventos de 1111 e 1113 estabeleciam um padrão de prática militar latina que viria a persistir pela maior parte do século XII: diante de uma força invasora potente, os francos se uniam; arregimentando em um local defensável, procuravam policiar a região ameaçada e impedir a liberdade de movimento do inimigo, tudo isso enquanto evitavam ao máximo as incertezas de uma batalha aberta.

Foi precisamente essa abordagem que Rogério, príncipe de Antioquia, adotou inicialmente em 1115, quando enfrentou a primeira ameaça real aos seus domínios. A única diferença foi que, nessa ocasião, ele contou com o apoio não apenas de seus compatriotas latinos, mas também dos soberanos muçulmanos da Síria. Alepo se encontrava em estado de desordem, e o sultão de Bagdá viu nisso uma oportunidade de tomar o controle da cidade, reafirmando, por conseguinte, sua autoridade sobre o Oriente Próximo. Foi com esse objetivo que ele patrocinou uma nova expedição através do Eufrates, desta vez liderada por um comandante persa, Bursuq de Hamadan.

A perspectiva de uma intervenção direta provocou uma reação sem precedentes por parte dos governadores muçulmanos da Síria, que eram inimigos entre si. Tughtegin se aliou ao genro, Il-ghazi de Mardin, líder de uma dinastia romana conhecida como artúquida, que dominava a região de Diar Baquir do Alto Tigre. Juntos, Tughtegin e Il-ghazi tomaram o controle temporário de Alepo e despacharam uma representação diplomática a Antioquia para solicitar negociações de paz. De início, Rogério recebeu essa abordagem com certa desconfiança, mas logo foi convencido, talvez pelas súplicas de um de seus principais vassalos, Roberto fitz-Fulk, o Leproso, que detinha um dos principais domínios do principado na fronteira leste, e que havia desenvolvido uma amizade próxima com Tughtegin. Um tratado de cooperação militar foi devidamente selado no começo daquele verão e assim começaram as preparações para a invasão de Bursuq.

Ao chegar à Síria e descobrir que Alepo agora estava fechada para ele, Bursuq seguiu o exemplo de Maudud de Mossul em 1111 e pediu apoio a Xaizar para atacar a fronteira ao sul de Antioquia. Rogério, enquanto isso, respondia à altura marchando com uma tropa de dois mil soldados para manter posição em Apamea, provavelmente em companhia de Balduíno II de Edessa. Foi nesse mesmo local que se reuniu a extraordinária aliança panlevantina. Tughtegin, fiel à sua palavra, juntou-se a Rogério com cerca de dez mil homens, enquanto no final de agosto chegaram Balduíno I e Pons. Ao que tudo indica, essas forças armadas unidas – as mesmas que tantas vezes combateram umas às outras – não tiveram dificuldade para manter sua posição ao longo do verão com seu amálgama de tropas latinas e muçulmanas.

Ao se deparar com um exército inimigo entrincheirado tão grande, Bursuq fez de tudo para provocar uma batalha aberta: enviou combatentes para assediar o acampamento inimigo e liderou ataques ao planalto de Summaq. Uma das provas da dificuldade de manter a disciplina perante tanta provocação é que Rogério ameaçou cegar qualquer soldado que saísse de formação. Os latinos, junto com seus companheiros damascenos, mantiveram a devida posição. Frustrado, Bursuq recuou para Xaizar e, como agora parecia que o perigo para a Síria tinha ficado para trás, a grande coalizão se desfez.

Rogério retornou a Antioquia, mas nos primeiros dias de setembro foi revelado que a retirada de Bursuq era uma farsa. Após recuar em direção a Hama para aguardar a dissolução do exército defensor, ele deu a volta, cortando um pedaço do norte de Summaq. Com o principado correndo risco real de ser tomado, Rogério, isolado de seus aliados, se viu em um desconcertante dilema. A única coisa que lembrava a força militar de um governante cliente de Antioquia eram as tropas de Balduíno de Edessa, que permaneceram no principado por todo o verão. Será que Rogério deveria esperar obedientemente que a coalizão latino-muçulmana se juntasse novamente, deixando Bursuq vagar pelo interior da Síria impunemente, ou deveria arriscar uma ação rápida e independente? Em essência, esse dilema replicava o que Balduíno I enfrentara dois anos antes e, a despeito das evidentes lições daquele embate, em 12 de setembro de 1115 o príncipe de Antioquia juntou sua guarda em Rugia e marchou para interceptar o inimigo. A atitude não passou de uma bravata imprudente. Liderando entre quinhentos e setecentos cavaleiros e talvez uns dois ou três mil soldados de infantaria, ele estava em desvantagem numérica de pelo menos dois para um. Apesar de os latinos aparentemente confiarem muito na relíquia antioquena da Verdadeira Cruz que era carregada pelo bispo de Jabala e no ritual de purificação espiritual que haviam realizado, Rogério não tinha como deixar de reconhecer que estava arriscando o futuro da Síria franca.

Foi, assim, a vez de os cristãos desfrutarem do benefício da sorte e da inteligência militar mais avançada. Seguindo pelo Vale Ruj, Rogério acampou em Hab enquanto procurava sinais do exército de Bursuq. Na manhã de 14 de setembro chegaram sentinelas avançadas com a notícia: o inimigo estava acampado perto do Vale do Sarmin e não sabia da proximidade dos latinos. Rogério fez um ataque surpresa e os muçulmanos recuaram, em pânico, para Tell Danith, cidade próxima onde pouco depois foram derrotados. Com a debandada de Bursuq, Rogério saboreou a vitória. A pilhagem no acampamento muçulmano foi tão farta que o príncipe vencedor precisou de três dias para distribuir aos seus homens sua parte. Rogério havia quebrado as regras de batalha e vencido; mas com isso acabou estabelecendo um preocupante precedente de impetuosidade e furor.[73]

Os últimos anos de Balduíno de Bolonha

O rei Balduíno I viria a reafirmar mais adiante, naquele mesmo outono, sua propensão a façanhas audaciosas e até mesmo visionárias. Havia ao leste uma região árida, inóspita e quase despovoada, depois das margens do rio Jordão e entre o Mar Morto e o Mar Vermelho. Hoje em dia ela mal se ajusta às fronteiras da Jordânia; no século XII a área ficou conhecida como Transjordânia. Por mais desolada que fosse, a região funcionava como um canal essencial de comércio e comunicação entre a Síria e cidades do Egito e da Arábia. Balduíno já havia se aventurado por lá nos anos de 1107 e 1113 em campanhas limitadas de exploração. Agora, quase no fim de 1115, ele fez uma tentativa ousada de iniciar uma colonização franca na área como primeiro passo para controlar o tráfego translevantino. Marchando com apenas duzentos cavaleiros e quatrocentos soldados de infantaria a um promontório local conhecido como Shobak, Balduíno construiu um castelo improvisado e o batizou Montreal, ou Montanha Real. Retornou à região no ano seguinte para estabelecer um pequeno posto avançado em Aqaba, na costa do Mar Vermelho. Ao tomar essas medidas, Balduíno começou um processo de expansão territorial que viria a beneficiar o reino nos anos seguintes.

Depois de uma severa crise de fraqueza no inverno de 1116-17, Balduíno passou meses convalescendo, mas no começo de 1118 estava pronto para contemplar novos empreendimentos militares. Em março, montou uma ambiciosa campanha de invasão ao Egito. Em pleno sucesso, de repente ele caiu seriamente doente; o antigo ferimento que sofrera em 1103, do qual jamais se recuperara por completo, estava agora reaberto. Profundamente entranhado em território inimigo, o grande rei estava sentindo uma dor tão terrível que não conseguiu cavalgar e teve de fazer uma torturante viagem de volta para a Palestina sobre uma maca improvisada. Poucos dias depois, em 2 de abril de 1118, chegou à diminuta colônia de fronteira em al-Arish, mas não conseguiu avançar e morreu ali mesmo, após confessar seus pecados.

Os Estados Cruzados no Início do Século XII

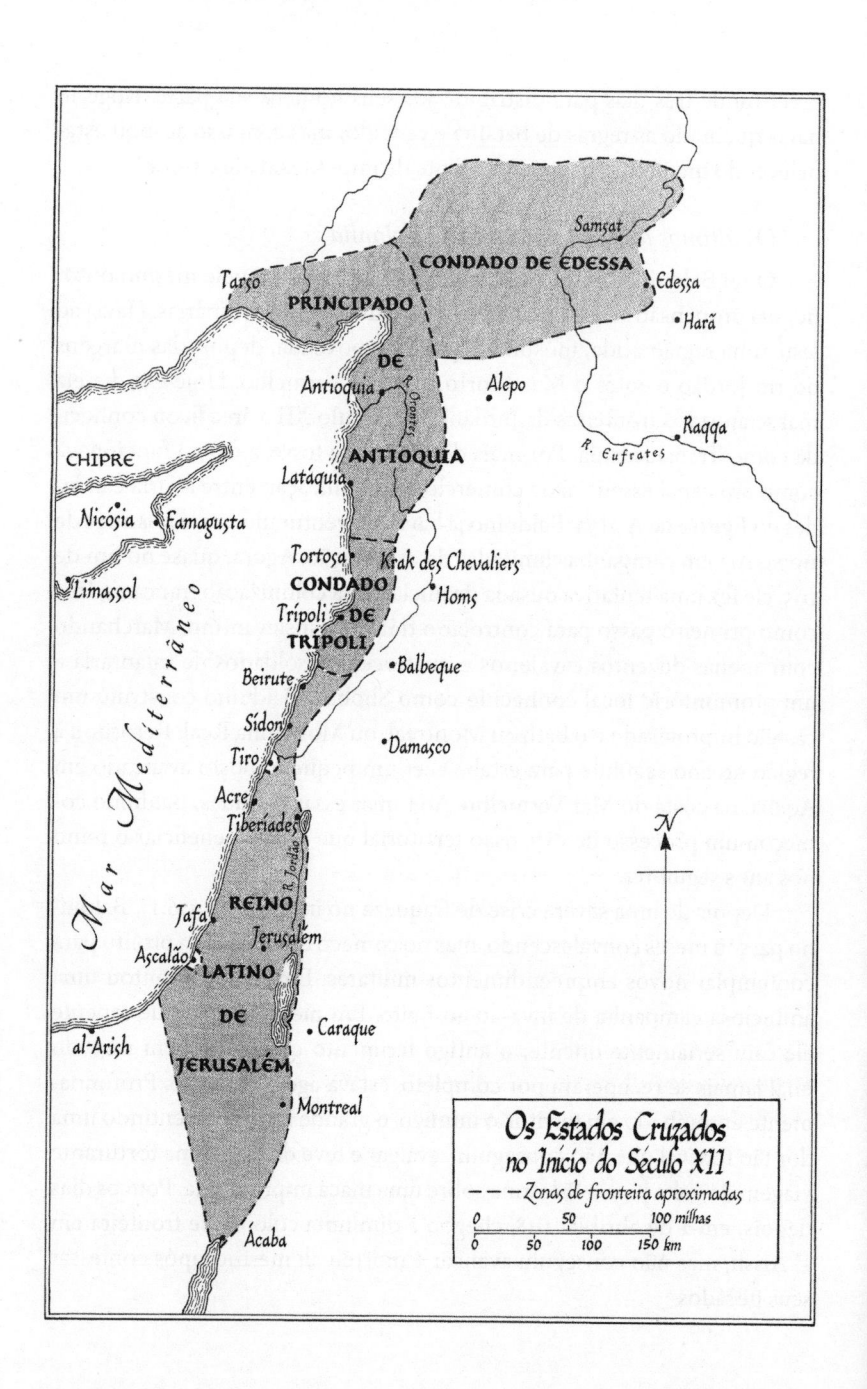

– – – Zonas de fronteira aproximadas

O rei havia determinado expressamente que seu corpo não deveria ser deixado no Egito, portanto, após sua morte, as instruções que ele havia deixado para seu cozinheiro Addo foram cumpridas à risca, por mais macabras que fossem, para não deixar seu cadáver apodrecendo no calor:

> Fizeram justo como ele havia resolutamente solicitado: cortaram-lhe a barriga, tiraram e enterraram os órgãos internos, seu corpo foi salgado por dentro e por fora, nos olhos, na boca, nas narinas e nos ouvidos, além de embalsamado com temperos e bálsamo, e então foi costurado em uma pele e enrolado em um tapete, e colocado nas costas de um cavalo, ao qual foi firmemente amarrado.

O funeral com seus restos mortais chegou a Jerusalém naquele Domingo de Ramos e, de acordo com seus últimos desejos, foi enterrado na igreja do Santo Sepulcro, ao lado de seu irmão Godofredo de Bouillon.[74]

Apesar de os primeiros cruzados terem processado a invasão inicial do Levante, a verdadeira tarefa de conquistar o Oriente Próximo e criar Estados cruzados foi realizada pela primeira geração de colonos em Ultramar. As maiores contribuições individuais vieram, sem dúvida, do rei Balduíno I e do seu rival Tancredo de Antioquia. Juntos, esses dois governantes conduziram o Leste latino durante um período de extrema fragilidade em que se desfez o mito da invencibilidade franca em batalha, e quando vieram à tona os primeiros sinais intermitentes de uma reação dos muçulmanos. Entre 1100 e 1118, talvez ainda mais do que durante a Primeira Cruzada, o real significado da desunião islâmica ficou claro, pois nesses anos de estruturação o assentamento do leste europeu na Síria e Palestina poderia ter sido interrompido pelo ataque concentrado e conjunto dos muçulmanos.

Os sucessos de Balduíno e Tancredo foram construídos sobre uma flexibilidade de abordagem que misturava rudeza e pragmatismo. Assim, o trabalho de consolidação e subjugação não foi realizado meramente através de conquista militar direta, mas também através de diplomacia, exploração financeira e incorporação da população local não latina à estrutura dos estados francos. A sobrevivência latina era igualmente dependente da boa vontade de Balduíno, Tancredo e seus contemporâneos de equilibrar competições e confrontos mortíferos com cooperação mediante ameaças externas. Havia alguns ecos da ideologia cruzada na luta pela defesa da Cidade Sagrada, vide o uso do ritual de purificação antes da batalha e a ascensão do culto da Verdadeira Cruz. Mas os primeiros colonos latinos ao mesmo tempo demonstraram intenção inequívoca de fazer parte do mundo do Oriente Próximo ao fazer pactos de comércio, tréguas de tempo limitado e até mesmo alianças militares em cooperação com seus vizinhos muçulmanos. É claro que essa variedade de abordagens simplesmente espelhava e aumentava a realidade da guerra santa vista durante a Primeira Cruzada. Os francos continuavam capazes de classificar os muçulmanos e até os gregos como inimigos declarados e ainda assim interagir em nível mais amplo com os povos locais do Levante de acordo com os costumes normalizados da sociedade franca.

5. ULTRAMAR

Pouco antes das primeiras luzes do amanhecer de 28 de junho de 1119, o príncipe Rogério de Antioquia já estava com seu exército de prontidão para a batalha. Seus homens se juntaram para ouvir um sermão, participar de uma missa e venerar a relíquia antioquena da Verdadeira Cruz – direcionando suas almas para a batalha a seguir nos dias anteriores a esse momento. Ele havia reagido com decisiva resolução ao ouvir a notícia de uma invasão muçulmana iminente. Após anos aguentando passivamente o expansionismo antioqueno e as incessantes exigências de tributos exorbitantes, Alepo havia subitamente passado para a ofensiva. O novo emir da cidade, o artúquida turco Il-ghazi, juntou uma força de talvez até dez mil homens e marchou para zona de fronteira com a Antioquia franca. Diante dessa ameaça, Rogério poderia ter esperado por reforços de seus vizinhos latinos, inclusive Balduíno de Bourcq (que havia assumido a coroa hierosolimita em 1118). Mas o príncipe resolveu reunir cerca de setecentos cavaleiros, três mil soldados de infantaria e uma unidade de turcopoles (mercenários cristãos nascidos turcos) para atravessar os flancos a leste das Montanhas de Belus. Rogério acampou em um vale perto do pequeno assentamento de Sarmada –, que ele considerava bem defendido pelas montanhas rochosas que o cercavam – e naquela manhã estava prestes a iniciar um rápido avanço, na esperança de pegar os inimigos despreparados e repetir o sucesso de 1115. Mal sabia o príncipe, contudo, que na noite anterior espiões haviam revelado a Il-ghazi a posição dos cristãos. Baseando-se em conhecimento local do terreno ao redor, o comandante artúquida despachou tropas para o acampamento de Rogério a partir de três diferentes direções e, como atestou um cronista árabe, "assim que amanheceu os francos viram os estandartes muçulmanos avançando para cercá-los por completo".[75]

O CAMPO DE SANGUE

Com o som urgente da corneta chamando as tropas às armas, Rogério correu para organizar suas forças para o combate, tendo atrás de si um clérigo que carregava a Verdadeira Cruz. Os homens de Il-ghazi se aproximavam e não havia tempo para reunir os exércitos latinos além dos confins do acampamento. Com a vã esperança de retomar a ação, Rogério ordenou que os cavaleiros francos à sua direita atacassem pesadamente e, de início, parecia que eles haviam conseguido conter o avanço do exército de Alepo. Mas, à medida que mais homens foram se juntando à batalha, um contingente de turcopoles parou diante da ala esquerda, bloqueando-a, e a derrota fragmentou a formação latina. Cercados e em minoria, os antioquenos foram gradualmente derrotados.

Flagrado no olho do furacão, o príncipe Rogério ficou horrivelmente exposto, mas "mesmo com seus homens caindo mortos por todo lado [...] ele jamais recuou nem olhou para trás". Uma testemunha latina descreveu que o príncipe "lutou com muita energia [...] foi atingido pela espada de um muçulmano do meio do nariz até o cérebro, selando assim sua morte [e debaixo] da Sagrada Cruz [ele] entregou seu corpo para a terra e sua alma para o paraíso". O infeliz sacerdote que levava a Verdadeira Cruz também morreu pela espada, apesar de dizerem depois que a relíquia teve sua miraculosa vingança por essas mortes ao levar todos os muçulmanos dos arredores a serem subitamente possuídos pela ganância do ouro e das pedras preciosas que possuíam e, por conseguinte, assassinarem uns aos outros.

Com o colapso da resistência, uns poucos francos escaparam na direção oeste para as Montanhas de Belus, mas a maioria acabou sendo assassinada. Um muçulmano que vivia em Damasco descreveu essa como sendo uma das maiores vitórias do Islã, observando que "os cavalos do inimigo, chacinados e espalhados pelo chão, pareciam ouriços por causa da quantidade de flechas espetada em seus corpos". Era tão grande o número de cristãos mortos que os antioquenos viriam apelidar o local de "*Ager Sanguinis*", o Campo de Sangue.

O principado latino, desprovido de seu governador e de seu exército, estava aberto a outros ataques. Il-ghazi, não obstante, não tomou qualquer medida concreta para conquistar Antioquia. Tradicionalmente, ele era bastante criticado por não aproveitar uma oportunidade ideal para capturar a capital dos francos. Mas a verdade é que Antioquia estava enfraquecida, porém longe de indefesa. Suas fortificações extraordinariamente formidáveis significavam que, mesmo com poucos homens na defesa, a cidade podia resistir a qualquer tentativa de invasão por inimigos externos. Il-ghazi não tinha tempo para investir em um cerco de rotina e nem homens para defender a cidade caso ela caísse. Ciente que os reforços dos francos do sul provavelmente chegariam dentro de semanas, e com os interesses estratégicos de Alepo priorizados em sua mente, Il-ghazi preferiu se concentrar na fronteira de Jazr a leste da área das Montanhas de Belus, retomando al-Atharib e Zardana. No começo de agosto ele ocupou essa zona neutra, salvaguardando a sobrevivência de Alepo enquanto poder muçulmano.

Enquanto isso, os exércitos latinos de Jerusalém e Trípoli chegaram a Antioquia, e o rei Balduíno II se preparou para um contra-ataque. Ele reuniu o que havia restado de lutadores no principado e, em 14 de agosto de 1119, enfrentou Il-ghazi em uma batalha inconclusiva perto de Zardana. O exército muçulmano, recentemente reforçado por tropas damascenas, foi levado a sair do campo e, hesitante, Il-ghazi encerrou a campanha. As perdas entre os cristãos foram altas, e entre os capturados estava Roberto fitz-Fulk, o Leproso, senhor de Zardana. Levado a Damasco, ele devia estar esperando clemência do amigo e ex-aliado Tughtegin, mas quando Roberto se recusou a negar sua religião, o *atabeg* teve um surto de raiva e o decapitou com um golpe de espada. Dizem que Tughtegin mandou colocar a caveira de Roberto em uma espalhafatosa taça banhada a ouro e incrustada de joias.[76]

A chegada do rei Balduíno II no norte da Síria garantiu a sobrevivência imediata do principado franco, mas Ultramar como um todo agora tinha de confrontar o terrível rescaldo do Campo de Sangue. As perdas territoriais foram graves – além das conquistas de Il-ghazi, a cidade muçulmana Xaizar explorou a fraqueza cristã para dominar todo o planalto de Summaq, barrando o fortim em Apamea –, entretanto Antioquia havia se recuperado de uma situação ainda pior após a derrota em Harã, em 1104. O verdadeiro significado de 1119 estava na morte do príncipe. Nunca um governador latino incumbente havia morrido em batalha e, pior ainda,

Rogério morreu sem filhos, deixando Antioquia em uma paralisante crise de sucessão. Com poucas opções disponíveis, Balduíno avançou para a brecha. Ressurgiu a alegação do filho de nove anos de Boemundo de Taranto, seu homônimo, e o rei concordou em atuar como regente até o jovem príncipe nomeado completar quinze anos de idade, quando chegasse à maioridade.

Em um sentido mais amplo, o Campo de Sangue foi um choque profundamente desconcertante para a cristandade latina. Esse não foi o primeiro revés sofrido pelos francos. Ainda sob o efeito resplandecente da "milagrosa" Primeira Cruzada, fracassos anteriores já haviam formado suas sombras: o colapso da cruzada de 1101; a derrota de Balduíno I na segunda batalha de Ramla; a pancadaria em Harã. Mas depois de 1119 – a "tristeza das tristezas", que "levou embora toda alegria e ultrapassou os limites e as medidas de toda a infelicidade" – não foi mais possível evitar uma questão transtornadora que chegava ao âmago do sistema de crenças que sustentava as cruzadas e o assentamento de Ultramar. Se a guerra santa era mesmo o trabalho de Deus, sancionado e reforçado por sua vontade divina, então como explicar a derrota? A resposta era o pecado – o sucesso do Islã na guerra pelo domínio do Levante era uma punição enviada dos céus para as transgressões dos cristãos. O pecador (ou bode expiatório) eleito no Campo de Sangue foi o príncipe Rogério, acusado agora de adultério e usurpação. No futuro, o conceito de pecado como causa de derrota voltaria a ganhar ainda mais adeptos, e outros indivíduos e grupos se tornariam alvo de quem exigia explicação dos caprichos de guerra.[77]

COMBATENDO O INFORTÚNIO

Em certo sentido, o alarme causado pelo Campo de Sangue se mostrou infundado. A ameaça representada por Alepo logo perderia ímpeto e Il-ghazi morreria em 1122 sem conseguir mais nenhuma vitória significativa contra os francos. Ao longo das próximas duas décadas, o Islã do Oriente Próximo permaneceria desunido, tomado por lutas internas de poder – e, portanto, sem pensar muito em lutar uma *jihad* contra Ultramar. De fato, os latinos fizeram um número significativo de conquistas nesse período. Balduíno II recuperou as perdas de Antioquia em Summaq e no leste das Montanhas de Belus. Um ponto de apoio em outra zona de fronteira estrategicamente sensível – dessa vez entre Jerusalém e Damasco – foi garantido quando os francos ocuparam a cidade fortificada de Banyas, situada ao leste da nascente do rio Jordão, montando guarda sobre a Terre de Sueth. Em 1142, a coroa hierosolimita também apoiava a construção de um grande castelo na Transjordânia. Empoleirada sobre uma estreita cordilheira no meio do deserto jordaniano, a fortaleza de Kerak cresceu, se transformou em um dos maiores portos seguros cruzados do Levante e ganhou o status de centro administrativo da região.

Não obstante, os Estados cruzados foram castigados pela instabilidade nos anos seguintes ao Campo de Sangue. Isso se deu boa parte por azar, não por agressão muçulmana entrincheirada, já que o cativeiro e a morte prematura roubaram dos latinos uma série de líderes, o que gerou crises de sucessão e engendrou conflitos civis. Feito prisioneiro durante um ataque muçulmano aleatório em abril de 1123, o rei Balduíno II passou dezesseis meses no cativeiro até ser libertado mediante resgate, e durante esse tempo um golpe na Palestina foi evitado por pouco. Boemundo II chegou em 1126 para assumir o controle de Antioquia e se casou com Alice, filha de Balduíno II, mas o jovem príncipe acabou sendo morto em um ataque na Cilícia quatro anos depois, deixando herdeira uma filha pequena, Constância. Alice passou o começo dos anos 1130 tecendo intrigas de poder no principado. A morte do próprio Balduíno II por doença em 1131, seguida rapidamente pela morte do seu aliado e sucessor como conde de Edessa, Juscelino de Courtenay, também erradicou os últimos vestígios da velha guarda de Ultramar. Tornou-se cada vez mais urgente a necessidade de uma injeção de força e apoio contra esse cenário de incipiente fraqueza.[78]

As Ordens Militares

O nascimento de duas ordens religiosas combinando os ideais de cavalaria e monasticismo desempenhou um papel vital para reforçar o Levante franco. Por volta de 1119 havia um pequeno bando de cavaleiros, liderados pelo nobre franco Hugo de Payens, que se dedicou à caridosa tarefa de proteger os peregrinos cristãos a caminho da Cidade Sagrada. Em termos práticos, no início isso significava patrulhar a estrada de Jafa para Jerusalém, mas o grupo de Hugo logo ganhou amplo reconhecimento e o patrocínio do patriarca latino, que não tardou a conceder ao grupo o status de ordem espiritual. Além disso, o próprio rei lhes cedeu aposentos na Mesquita de Al-Aqsa em Jerusalém, conhecida pelos franceses como Templo de Salomão, e a partir do local a ordem ganhou seu nome: Ordem do Templo de Salomão, ou Templários. Como monges, eles faziam votos de pobreza, castidade e obediência, mas não viviam orando em abrigos de comunidades isoladas; em vez disso usavam espadas, escudos e armaduras para lutar pela cristandade e defender a Cidade Sagrada.

Como líder (ou mestre) dos templários, Hugo de Payens viajou para a Europa em 1127 em busca de validação e endosso para sua nova ordem. O reconhecimento formal da Igreja Romana veio em janeiro de 1129, em um grande conselho eclesiástico que se deu em Troyes (Champagne, França). Nos anos seguintes, esse selo de aprovação oficial ainda viria a ser coroado com o apoio papal e inúmeros privilégios e imunidades. Os templários também ganharam o apoio de um dos maiores luminares religiosos do mundo latino, Bernardo de Claraval. Abade de um monastério cisterciense, Bernardo era renomado por sua sabedoria, além de ser um conselheiro respeitado em todas as cortes do Ocidente. Combinava poder político e eclesiástico de modo sem precedentes, mas, em termos físicos, Bernardo era um desastre: precisava que cavassem uma vala para lhe servir de latrina perto de seu banco na igreja, podendo assim aliviar os sintomas de uma aterradora aflição intestinal crônica.

Por volta de 1130, Bernardo escreveu um tratado – intitulado *Em honra da Nova Cavalaria* – exaltando as virtudes do modo de vida dos templários. O abade declarou que a ordem era "digna de total admiração", enalteceu sua confraria como "verdadeiros cavaleiros de Cristo lutando as batalhas do Senhor", certos do glorioso martírio em caso de morte. Essa exortação lírica desempenhou um papel central na popularização do movimento templário pela Europa latina ao conquistar aceitação para um ramo revolucionário da ideologia cruzada que, em muitas maneiras, era a destilação essencial e expressão máxima da guerra santa cristã.

O exemplo dado pelos templários encorajou a militarização de outra ordem religiosa de caridade fundada pelos latinos no Oriente Próximo. Desde o final do século XI, o bairro cristão de Jerusalém tinha um hospital fundado por mercadores italianos e dedicado a cuidar dos peregrinos e dos doentes. Com a conquista da Cidade Sagrada pelos primeiros cruzados e o resultante influxo de tráfego de peregrinos, a instituição dedicada a João Batista e até então conhecida como o Hospital de São João ganhou poder e importância. Os hospitalários, como ficaram conhecidos, foram aprovados como ordem religiosa pelo papa em 1113 e começaram a atrair patrocínio internacional de todas as partes. Conduzidos por seu mestre, Raimundo de Le Puy (1120-60), o movimento acrescentou um elemento marcial às suas correntes funções médicas, emergindo em meados do século XII como a segunda Ordem Militar.

Ao longo dos séculos XII e XIII, os templários e hospitalários ocuparam o coração da história das cruzadas, desempenhando papéis fundamentais na guerra pela Cidade Sagrada. No meio da Idade Média, nobres latinos laicos costumavam lutar para afirmar sua devoção a Deus dando esmolas a movimentos religiosos, frequentemente em forma de terra ou direitos sobre seus recursos. E, assim, a imprevisível popularidade das ordens militares lhes trouxe ricas doações em Ultramar e por toda a Europa. A despeito de suas origens relativamente humildes – imortalizadas no caso dos templários por seu selo, que mostrava dois cavaleiros pobres montando um só cavalo –, as duas ordens logo acumularam grande fortuna. Elas também atraíram um fluxo constante de recrutas, muitos dos quais se tornaram monges guerreiros altamente treinados e bem equipados (como sargentos subordinados ou cavaleiros). Os grupos de guerra europeus medievais eram compostos, na maioria, por indivíduos flagrantemente amadores, acostumados apenas a lutar em campanhas curtas e pontuais, além de serem, no geral, parcamente treinados e irregularmente armados. Os templários e hospitalários, por sua vez, faziam frente a forças militares profissionais: ambos formavam, de fato, o primeiro exército profissional da cristandade latina.

As Ordens Militares se tornaram movimentos supranacionais. Concentradas primordialmente na proteção dos Estados cruzados, elas ainda assim desenvolveram uma gama de outros interesses europeus em termos militares, eclesiásticos e financeiros, inclusive desempenhando papel de destaque nas guerras contra o Islã na fronteira ibérica. No Levante, o poderio militar sem precedentes e a prosperidade econômica dessas ordens lhes garantiu um nível concomitante de influência política. As duas ordens gozavam de patrocínio papal, ganhando assim independência de jurisdições locais eclesiásticas e seculares, e tinham potencial para desestabilizar regimes soberanos. Como poderes fora da lei, podiam questionar ou mesmo revogar a autoridade da coroa, ignorar decretos patriarcais e instruções episcopais. No entanto, por enquanto esse perigo estava mais equilibrado do que os benefícios transformadores de seu envolvimento na defensa de Ultramar.

Juntos, os templários e os hospitalários trouxeram um influxo desesperadamente necessário de recursos humanos e conhecimento marcial para os Estados cruzados, famintos de recursos militares. E o crucial: também possuíam recursos financeiros para manter e depois aumentar a rede de fortes e castelos de Ultramar. A partir de 1130, os senhores laicos do Leste latino começaram a ceder o controle de locais fortificados para as ordens, frequentemente permitindo que elas desenvolvessem enclaves semi-independentes em zonas de fronteira. O comando do castelo de Baghras deu aos templários uma posição de domínio nos recônditos ao norte do principado antioqueno. Os direitos sobre Safad, na Galileia, e Gaza, no sul da Palestina, implicaram para a ordem responsabilidades e direitos semelhantes. Enquanto isso, os hospitalários ganhavam centros em Kerak, localizado acima do Vale Bouqia, entre Antioquia e Trípoli, e em Bethgibelin, um dos três fortes construídos no sul da Palestina para defender Jerusalém e exercer pressão militar sobre Ascalão, controlada por muçulmanos.[79]

Recorrendo à cristandade

Após 1119, os francos levantinos também começaram a procurar ajuda além das próprias fronteiras. Ao menos em tese, os cristãos do leste deveriam ser uma fonte óbvia de assistência.[e] Cercada pelo Islã e longe do Oeste Europeu, essa região cristã precisava de um vizinho aliado se quisesse sobreviver a longo prazo. Todavia, apesar de os Estados cruzados compartilharem a mesma fé cristã que o Império Bizantino – o superpoder

---

e   Por volta desta época, a dinastia rubenida armênia cristã, que estava em ascensão, começou a se expandir para além de sua base de poder nas Montanhas Taurus. Eles acabariam se tornando um dos principais poderes do Levante, mas apesar da manutenção de relações em geral cordiais com Edessa, o desejo dos rubenidas de estabelecer um reino na Cilícia os levou a entrar em conflito com Antioquia.

mediterrâneo temido e respeitado pelo mundo muçulmano –, os gregos haviam contribuído muito pouco com a guerra na Cidade Sagrada desde a conquista de Jerusalém. A amarga disputa por Antioquia estava no cerne do fracasso em garantir apoio imperial, e esse era um problema que, caso não resolvido, podia acabar mutilando o Levante franco pelas próximas décadas. Em 1137, após longos anos de distração em algum lugar de Bizâncio, o filho e herdeiro de Aleixo I, o Imperador João II Comneno, marchou Síria adentro para reafirmar a influência grega sobre o que ele considerava a periferia leste de seu reino. João conseguiu impor uma suserania teórica sobre a Antioquia e, a partir daí, as relações do principado com o resto dos domínios latinos passaram a ser equilibradas por suas ligações com Constantinopla. No entanto, em termos militares, a contribuição do império era decepcionante, com expedições contra Alepo e Xaizar terminando em fracasso. João retornou ao leste no final do verão de 1142, provavelmente planejando criar um novo regime bizantino em Antioquia, comandado diretamente por seu filho mais novo, Manoel. Ocorreu então a morte do imperador em um acidente de caça na Cilícia em abril de 1143 – uma catástrofe inesperada que interrompeu de imediato a expedição grega.[80]

De fato, as regiões agora cristãs do Levante apelaram com mais frequência à ajuda da cristandade ocidental após o Campo de Sangue. Em janeiro de 1120, em uma assembleia geral dos líderes seculares e eclesiásticos do reino de Jerusalém em Nablus (norte da Cidade Sagrada), foi discutida a crise enfrentada pelos Estados cruzados. Isso resultou no primeiro apelo direto ao papa Calisto II por uma nova cruzada em direção à Cidade Santa e outro pedido de ajuda a Veneza. A república mercantil italiana respondeu enviando uma frota de pelo menos setenta navios ao leste no outono de 1122 sob a bandeira cruzada. Com a ajuda veneziana, os francos hierosolimitas tomaram a extremamente fortificada cidade de Tiro em 1124 – um dos últimos portos controlados por muçulmanos que ainda havia na Palestina e um dos maiores centros de navegação e comércio do Mediterrâneo.[f] O

---

f   Os venezianos receberam uma impressionante variedade de concessões do reino de Jerusalém em troca de assistência. Entre elas, um terço da cidade e o comando de Tiro, mais um pagamento anual de trezentos besantes de ouro dos rendimentos de Acre; isenção de todas as tributações, salvo as devidas por levar peregrinos à Terra Santa; o direito de usar medidas venezianas no comércio; e uma parcela de propriedade em toda cidade do reino (constituída de uma rua e uma quadra, mais uma igreja, uma padaria e uma casa de banho) pela eternidade. Balduíno II depois

rei Balduíno II procurou formar outra cruzada para um ataque projetado em Damasco em 1129, mas, apesar de recrutar um grupo considerável de cavaleiros do oeste, a campanha acabou sendo um fiasco.

Decididos a forjar conexões mais próximas com o Oeste latino e ávidos para resolver suas próprias crises de sucessão, os francos levantinos também procuraram assegurar maridos europeus disponíveis para suas herdeiras. Nos Estados cruzados, bem como na cristandade medieval, havia uma necessidade perceptível de comando masculino; esperava-se que senhores seculares, dos reis aos condes, liderassem ou, pelo menos, direcionassem seus exércitos em tempos de guerra, e o comando militar era geralmente considerado reserva natural masculina. O ideal era que os candidatos ao matrimônio fossem nascidos na alta aristocracia – homens dispostos a se comprometer com a defesa da Cidade Sagrada e que possuíam a posição social necessária para atrair novas fortunas e mão de obra para o leste. Uma dessas personalidades era Raimundo de Poitiers – segundo filho do duque de Aquitânia e parente do rei capetíngio da França –, que se casou com Constância de Antioquia em 1136, dando fim a um longo período de turbulência política no norte da Síria. Uma união ainda mais influente foi orquestrada no final da década de 1120. O rei Balduíno II tinha quatro filhas com Morfia, sua esposa armênia, mas não tinha filhos homens, de modo que buscava um parceiro para sua filha mais velha, Melisenda, e assim garantir a sucessão real. Depois de uma prolongada negociação, em 1129 a princesa estava devidamente casada com o conde Fulque V de Anjou, um dos mais eminentes potentados da França, ligado aos monarcas da Inglaterra e da França.

Depois da morte de Balduíno II, Fulque e Melisenda foram consagrados e coroados em 14 de setembro de 1131. Talvez com seus 22 anos de idade, a nova rainha foi a primeira comandante de Jerusalém de origem mista (latino-armênia). Como tal, ela era a prova viva de uma nova sociedade franca no leste. Por volta de 1134, todavia, a Palestina latina foi levada à beira da guerra civil por uma disputa sobre direitos de coroa. A aristocracia franca estabelecida em Jerusalém, ressentida pela decisão do

---

conseguiu fazer alguns ajustes ao acordo – mais notadamente, que as terras dos domínios de Tiro ficariam como feudos venezianos, com serviço militar a mando da coroa – mas o acordo, não obstante, transformou Veneza na potência comercial do Levante franco.

novo rei de nomear para posições de fortuna e influência seus apoiadores escolhidos a dedo e por seu afastamento cada vez maior de Melisenda, tentou diminuir a autoridade de Fulque, forçando-o a governar em conjunto com a rainha. Após um período decididamente gélido, durante o qual o rei teria descoberto que "nenhum lugar era inteiramente seguro entre os parentes e partidários da rainha", o casal real se reconciliou. A partir daí, Melisenda começou a desempenhar um papel central no governo do reino, e sua posição foi ainda mais consolidada após a morte de Fulque em 1143, quando foi nomeada governante ao lado do filho mais novo, Balduíno III.

Em longo termo, esses eventos ajudaram a reformatar a natureza e a extensão da autoridade real na Palestina. Balduíno I e Balduíno II frequentemente comandaram quase como autocratas, mas à medida que o século XII progredia foi ficando claro que a nobreza latina tinha como limitar o poder absoluto da monarquia. Com o tempo, os comandantes coroados da Jerusalém franca passaram a consultar mais os líderes da nobreza, e o conselho dos donos de terra e eclesiásticos mais importantes, conhecido como *Haute Cour* (Alta Corte), se tornou o fórum mais importante da Palestina para a tomada de decisões legais, políticas e militares.[81]

UMA SOCIEDADE CRUZADA?

Um dos tesouros mais raros e bonitos a sobreviver à era das cruzadas é um pequeno livro de preces, considerado produto do reino de Jerusalém durante a década de 1130 e que agora se encontra na Biblioteca Britânica de Londres. O livro, encadernado em frente e verso de marfim decorado com entalhes de insuperável delicadeza, traz em suas páginas uma série de iluminuras profundamente sentimentais ilustrando a vida de Jesus. Resultado do trabalho de muitos artesãos, o livro é uma peça da mais alta qualidade possível e foi projetado como guia pessoal de vida cristã e observação religiosa – detalhando os dias de santos, dando a lista de preces –, que tecnicamente se chamaria saltério. Considerando-se meramente em seus próprios termos, trata-se de uma obra-prima da arte medieval.

Mas o que distingue essa notável reminiscência de uma era distante é sua proveniência. Considera-se que esse saltério tenha sido encomendado pelo rei Fulque de Jerusalém como presente para sua esposa, Melisenda, talvez até uma oferta de paz para curar as feridas abertas em 1134. Assim, o livro nos oferece uma conexão extraordinária e tangível com o mundo de Melisenda. É bastante comovente poder ver, talvez até mesmo tocar, uma peça que pertenceu à rainha, especialmente uma tão intimamente relacionada ao seu cotidiano.

Mas o saltério de Melisenda tem muito mais a nos dizer; na verdade, sua mera existência gera um debate furioso que alcança o coração da história das cruzadas. A construção e a decoração do livro indicam uma cultura artística na qual os estilos latino, grego, cristão do oeste e até mesmo islâmico se misturaram, fundindo-se para criar uma forma nova e única, que poderia ser chamada de "arte cruzada". Pelo menos sete artesãos que trabalhavam na oficina da igreja do Santo Sepulcro colaboraram na produção do saltério (inclusive um artista com treinamento bizantino que atendia por Basílio, nome de sonoridade especialmente grega que assinou uma das imagens internas). As imagens forjadas nas capas de marfim são bastante bizantinas no formato, mas estão dentro de contornos geométricos densos que sugerem influência islâmica. Outros elementos do manuscrito exibem diferentes influências: o texto foi atribuído a algum autor francês; as numerosas letras maiúsculas decoradas que apresentam as páginas são típicas do Oeste Europeu; e seu detalhado calendário, inglês.[82]

Esse saltério refletiria maiores verdades sobre a natureza da vida no Levante franco? Será que a sociedade na qual vivia Melisenda e seus contemporâneos se distinguia em si mesma em caráter e qualidade, e seria esse mundo cruzado de guerra perpétua – uma comunidade fechada de intolerância religiosa e étnica – ou um caldeirão de intercâmbio cultural? Esse debate tem potencial para oferecer uma análise profundamente instrutiva sobre a realidade da vida medieval. E também é a discussão mais inflamada de toda a história das cruzadas. Nos últimos duzentos anos, os historiadores apresentaram visões radicalmente diferentes do relacionamento entre os cristãos francos e os povos nativos do Oriente Próximo, uns aplicando certa ênfase nas forças de integração, adaptação e aculturação, e outros descrevendo os Estados cruzados como regimes coloniais intolerantes e opressivos.

Considerando-se a relativa escassez de provas medievais autênticas que esclareçam o contexto social, cultural e econômico em Ultramar, não é surpresa que a imagem divulgada dos Estados cruzados tenha frequentemente revelado mais sobre as esperanças e preconceitos do nosso próprio mundo do que sobre a mentalidade e os costumes do passado medieval. Para quem acredita na inevitabilidade de um "choque de civilizações" e de uma conflagração global entre o Islã e o Ocidente, as sociedades cruzadas podem servir como triste prova da vocação nata da humanidade apelando para a selvageria, o fanatismo e a repressão tirânica do "outro", o inimigo. Por outro lado, a evidência de fusão e de coexistência pacífica transcultural nos Estados cruzados pode ser aproveitada para reforçar o ideal de *convivencia* (literalmente, "viver junto"), sugerindo que povos de diferentes origens étnicas e religiosas podem viver juntos em relativa harmonia.[83]

Apesar de todas essas evidentes complexidades, o mundo de Ultramar é uma referência tão essencial a questões fundamentais da história das cruzadas que exige um exame próximo e cuidadoso, levantando duas questões prementes: a conquista e colonização do Oriente Próximo pelos francos teria sido incomum por ter ocorrido no contexto da guerra santa, ou na verdade não foi nada digno de nota? E teria a criação dos Estados cruzados mudado a história do Oeste Europeu – acelerando o contato e a difusão intercultural de conhecimento, servindo como solo fértil para aumentar a familiaridade e a compreensão entre os cristãos latinos e os muçulmanos?

A vida em Ultramar

Uma série de fatos elementares condicionou a natureza da vida nos Estados cruzados. A fundação de Ultramar não causou deslocamento generalizado da população nativa do Levante. Em vez disso, os colonos francos governaram de modo a refletir a diversidade histórica da região – uma mistura de muçulmanos, judeus e cristãos orientais. Este último grupo incluía um impressionante número de ritos, entre eles armênios, gregos, jacobitas, nestorianos e coptas; bem como cristãos "sírios" (ou melquitas), que eram gregos ortodoxos, mas falavam árabe. A distribuição e a relativa representação desses diferentes povos variavam consideravelmente nos Estados cruzados por causa dos padrões de ocupação estabelecidos: com uma preponderância de armênios no condado de Edessa e gregos no principado de Antioquia; e provavelmente uma proporção maior de muçulmanos no reino de Jerusalém.

Os latinos comandavam esses nativos como uma elite, mas em grande desvantagem numérica. A diferença linguística parece ter permanecido como um fator definidor e divisor. A língua comum falada pelos latinos era o francês arcaico (com o latim sendo usado em documentos formais), e, apesar de alguns colonos aprenderem o árabe e outras línguas do leste como grego, armênio, siríaco e hebraico, a maioria não fazia isso. Muitos francos residiam em comunidades urbanas e/ou costeiras – e, portanto, em relativo isolamento da população agrária nativa. Em ambientes rurais do interior, os senhores do oeste geralmente viviam em mansões à parte, sem contato com seus súditos, mas a necessidade pragmática de compartilhar recursos escassos como água às vezes impulsionava maiores contatos. No geral, pequenos assentamentos costumavam ter uma identidade devocional coerente, de modo que um povoado podia ser de maioria muçulmana, outro de gregos (o que continua valendo em partes do Oriente Próximo atual). Mas as grandes cidades eram mais multiculturais.

Assim, é evidente que os francos comandavam e, em alguns casos, viviam entre uma diversa gama de povos "orientais". Será que os latinos ficavam afastados ou se integravam a esse cenário tão diversificado? De acordo com o que escreveu Fulquério de Chartres, capelão do rei Balduíno I, parece que na década de 1120 eles passaram por um alto nível de aculturação em passo acelerado:

> Eu vos rogo que considerem e reflitam como em nosso tempo Deus transformou o Ocidente [oeste] no Oriente. Pois nós, que éramos ocidentais, nos tornamos orientais. Quem era romano ou franco nessa terra se transformou em galileu ou palestino. Quem era de Reims ou Chartres agora se tornou cidadão de Tiro ou Antioquia. Nós já nos esquecemos dos lugares onde nascemos.

É certo que Fulquério estava escrevendo o equivalente a um manifesto de recrutamento, procurando atrair novos colonos latinos para o leste. Mas mesmo com essa condição em mente, seu testemunho parece indicar abertura à ideia de assimilação. Ele se pôs a descrever outro modo de contato intercultural – misturas matrimoniais. Uniões entre francos e cristãos gregos e armênios do leste eram relativamente comuns, e às vezes serviam para solidificar alianças políticas. A própria rainha Melisenda de Jerusalém era produto de um desses casamentos. Homens francos também podiam se casar com mulheres muçulmanas convertidas ao cristianismo. Mas casamentos entre latinos e muçulmanos eram extremamente raros. Em um conselho ocorrido em Nablus em 1120, logo depois da crise causada pelo Campo de Sangue, a hierarquia franca instituiu uma série de leis proibindo explicitamente a confraternização. As punições para o sexo entre cristãos e muçulmanos eram severas: o homem seria castrado, a mulher que consentisse teria o nariz cortado. Esses foram os primeiros exemplos do tipo de proibição codificada no mundo latino. A mesma legislação também punia os muçulmanos pelo uso de roupas "ao modo franco". A importância dessas regras é discutível, em parte porque nenhuma lei podia ser lida de forma positiva ou negativa. Será que os decretos de Nablus refletem um mundo de intensa segregação, onde atos desse tipo seriam inimagináveis? Ou será que essas leis foram criadas para restringir o que havia se tornado prática comum? Certamente, não há evidência que indique que esses editos tenham sido postos em prática, tampouco seguiram fazendo parte dos códigos de direito da região no século XIII.

No começo, quando capturaram cidades como Antioquia e Jerusalém e decidiram colonizar o Oriente Próximo, os latinos tiveram de desenvolver maneiras de comandar seus novos domínios estabelecendo enquadramentos administrativos. No geral, sua abordagem era importar muitas práticas do Ocidente, ao mesmo tempo adotando e adaptando alguns dos modelos levantinos. Esse processo foi provavelmente impelido pela necessidade pragmática de rapidamente estabelecerem um sistema funcional, e não por qualquer desejo em particular de abraçar novas formas de governo. Considerações regionais também influenciaram as decisões. No principado de Antioquia, com sua história sob o comando grego, a principal autoridade oficial era um *dux* (duque), uma instituição extraída de um modelo bizantino; no reino de Jerusalém, um papel semelhante era desempenhado por um visconde de estilo franco.

Os cristãos do Oriente seguramente desempenharam algum papel no governo local e mesmo regional; e o mesmo também valia de vez em quando para os ismaelitas. Em sua maioria, os vilarejos muçulmanos aparentemente eram representados por um *ra'is* – equivalente a um chefe –, assim como quando eram comandadas pelos turcos ou pelos fatímidas. Através de uma só referência, é sabido que em 1181 os cidadãos muçulmanos de Tiro também tiveram seu próprio *ra'is* chamado Sadi. Outra evidência isolada semelhante indica que em 1188 o porto sírio de Jabala, comandado por latinos, tinha um *qadi* (juiz muçulmano). É impossível aferir a verdadeira extensão desse tipo de representação.[84]

Talvez a mais fascinante fonte de provas da natureza da vida no Levante seja *O livro da contemplação*, de Usama ibn Munqidh, uma coleção de contos e histórias de um nobre árabe do norte da Síria que testemunhou o desdobramento da guerra pela Cidade Sagrada no século XII. O texto de Usama é repleto de comentários diretos (e detalhes incidentais) sobre o contato com os francos e a vida nos Estados cruzados. Seu interesse era quase sempre no bizarro e no peculiar, de modo que o material que ele registrou deve ser usado com certa cautela; não obstante, seu trabalho é fonte inestimável de informação. Sobre a questão dos latinos orientalizados, ele escreveu: "Há alguns francos que se aclimataram e são vistos em companhia de muçulmanos. Estes são melhores do que aqueles que simplesmente vieram de suas terras, mas são exceção e não podem ser tomados como regra". Ao longo de sua vida, Usama encontrou francos que saíam para comer comida levantina e outros que frequentavam *hammans* (casas de banho) abertas tanto para latinos quanto para muçulmanos.

Uma das revelações mais surpreendentes a emergir dos escritos de Usama é a natureza normalizada, quase cotidiana de seus encontros com francos. Se por um lado alguns desses encontros ocorreram em contexto de combate, muitos deles foram amigáveis e corteses. Isso pode muito bem ter se dado devido à alta classe social de Usama, mas está claro que os latinos de fato fizeram amizades entre os muçulmanos. Em um caso, ele escreveu como "um respeitado cavaleiro [do exército do rei Fulque] passou a gostar de estar sempre ao meu lado e se tornou minha constante companhia, me chamando de 'meu irmão'. Entre nós havia laços de amizade e sociabilidade". Não obstante, havia certa insinuação nessa história, e ela reverberou através de muitas das histórias contadas n'*O livro da contemplação*: uma sensação congênita de superioridade muçulmana em termos culturais e intelectuais. No caso de seu cavalheiresco amigo, isso veio à tona quando o franco ofereceu levar o filho de catorze anos de Usama com ele para a Europa a fim de que o garoto recebesse educação adequada e "adquirisse razão". Ele pensou que a disparatada proposta revelava "a falta de inteligência dos francos".

Outra associação aparentemente improvável da qual ele desfrutava era sua relação amigável com os templários. Segundo ele:

> Quando visitei os locais sagrados em Jerusalém, fui à Mesquita de Al-Aqsa, ao lado da qual havia uma mesquita pequena que os francos haviam convertido em igreja. Quando entrei na Mesquita de Al-Aqsa – onde estavam os templários, que são meus amigos –, a pequena mesquita foi desocupada para que eu pudesse rezar nela.

Usama evidentemente não tinha dificuldade em fazer uma peregrinação até a Cidade Sagrada e nem em encontrar uma mesquita em território franco na qual pudesse fazer suas preces diárias canonicamente obrigatórias. Será que seu direito se estendia aos que viviam em lugares governados por latinos – aliás, será que a população não franca de Ultramar como um todo era tratada com igualdade, ou sofria opressão e abusos? Um fato está claro: no leste latino, a principal divisão não era entre cristãos e muçulmanos, mas entre francos (ou seja, cristãos latinos) e não francos (fossem cristãos do leste, judeus ou muçulmanos). Este segundo grupo de povos locais subjugados era composto basicamente de camponeses e alguns comerciantes.[85]

Em termos legais, os não francos eram geralmente tratados como uma classe separada: em caso de violações graves da lei, ficavam sujeitos à corte "burguesa" (como os latinos não nobres), e os muçulmanos tinham permissão para usar o Alcorão para fazer juramentos, mas casos civis eram submetidos à *Cour de la Fonde* (Tribunal Comercial), instituída especificamente para os não francos. A constituição desse organismo favorecia os cristãos do leste, pois era composto por um júri de dois francos e quatro sírios, sem nenhum muçulmano. O código de lei latino do Oriente aparentemente também previa punições mais graves a infratores muçulmanos.

Boa parte do debate histórico sobre o tratamento dos muçulmanos subjugados se concentrou em questões cotidianas de liberdade religiosa e exploração financeira. Nesse sentido, são muito esclarecedoras as provas oferecidas pelo viajante e peregrino muçulmano ibérico Ibn Jubayr. Ao longo de uma grande jornada no começo dos anos 1180 abrangendo o norte da África, a Arábia, o Iraque e a Síria, ele passou pelo reino de Jerusalém e visitou Acre e Tiro antes de pegar o navio para a Sicília. Sobre essa jornada pelo oeste da Galileia ele escreveu:

> Durante a viagem de volta, passamos por várias fazendas e ocupações ordenadas, cujos habitantes eram todos muçulmanos vivendo confortavelmente com os francos. Deus nos proteja de tamanha tentação! Eles entregam a metade de sua colheita aos francos e também pagam um imposto de um dinar e cinco qirats por pessoa. Fora isso, ninguém lhes perturba, a não ser por um leve imposto sobre as frutas. Eles mantêm plena posse sobre suas casas e todos os seus pertences.

Esse relato parece indicar que havia uma grande e sedentária população muçulmana vivendo em relativa paz dentro da Palestina latina, pagando um imposto por cabeça (como os impostos que os governantes islâmicos exigiam de pessoas não muçulmanas) e o imposto sobre produtos agrícolas. De acordo com provas remanescentes, o nível dos impostos em estados islâmicos por volta da mesma época sugere que os camponeses e fazendeiros muçulmanos não tinham vida pior sob a lei franco-cristã. Na verdade, Ibn Jubayr chegou a sugerir que os muçulmanos tinham mais chances de receber tratamento "justo" por um senhorio franco e de sofrer mais "injustiça" nas mãos de "um senhorio da mesma fé". Isso não significa que ele aprovava a coexistência pacífica e nem a abjeta submissão ao governo latino. Em certo momento ele observa que "não pode haver desculpa aos olhos de Deus para um muçulmano ficar em qualquer condado infiel, a não ser que esteja de passagem". Mas objeções éticas como essa na verdade davam mais crédito às observações positivas que ele optou por registrar.[86]

Ibn Jubayr também relatou que os muçulmanos tinham acesso a mesquitas e direito à prece em Acre e Tiro. É impossível afirmar categoricamente, tomando por base esse fiapo de evidência, que todos os muçulmanos que viviam na Palestina gozavam da mesma liberdade religiosa. Em linhas gerais, o máximo que se pode sugerir é que os colonos francos, em desvantagem numérica, tinham interesse velado em manter seus súditos nativos contentes e *in situ*, e as condições de vida para os cristãos e os muçulmanos do leste não suscitaram descontentamento civil generalizado e nem migração. Pelos padrões do Oeste Europeu ou do Leste muçulmano da época, os não francos que viviam nos Estados cruzados provavelmente não eram especialmente oprimidos ou explorados e nem eram alvo preferencial de abusos.[87]

Outro modo de contato que decisivamente uniu os francos levantinos e os muçulmanos foi o comércio. Havia sinais indiscutíveis de vibrantes empreitadas comerciais durante os primeiros cem anos de colonização latina. Mercadores italianos de Veneza, Pisa e Gênova desempenhavam papéis de liderança nesse processo, estabelecendo uma complexa rede de rotas de comércio transmediterrâneas. Essas pulsantes artérias de comércio que ligavam o Oriente Próximo ao Ocidente, permitindo que os produtos levantinos (como cana-de-açúcar e azeite de oliva) e produtos preciosos do Oriente Médio e da Ásia chegassem aos mercados da Europa. Até o momento, o grosso do comércio que vinha do leste ainda passava pelo Egito, mas, mesmo assim, o desenvolvimento econômico de Ultramar se mostrou extraordinariamente lucrativo: ele abriu caminho para cidades como Veneza se tornarem forças de liderança mercantil na Idade Média; e através das taxas e alfândegas, também ajudou a reforçar as finanças de Antioquia, Trípoli e Jerusalém. Isso não significa que as colônias latinas no leste devam ser consideradas tão exploradoras quanto as colônias europeias. Seu estabelecimento e sobrevivência podem ter dependido, em parte, de lugares como Gênova, mas essas colônias não foram estabelecidas a princípio como iniciativas econômicas. Tampouco serviram a interesses dos "países ocidentais", pois a tendência era os benefícios financeiros acumulados pelo "estado" ficarem no leste.

O trânsito dos produtos do mundo muçulmano para os portos mediterrâneos dominados pelo Levante franco foi crucial não apenas para os latinos. Essa movimentação também se tornou um dos eixos da economia mais ampla do Oriente Próximo: vital para a subsistência dos comerciantes muçulmanos navegando em caravana para o leste; essencial para a receita das grandes cidades islâmicas, Alepo e Damasco. Esses interesses compartilhados produziram interdependência e promoveram contato cuidadosamente regulado (e, portanto, essencialmente pacífico), mesmo em época de exaltado conflito político e militar. No final – mesmo em meio à guerra santa –, o comércio era importante demais para ser perturbado.

Os historiadores costumam apresentar 1120 como um ano de crise e tensão no Levante. Afinal, o Campo de Sangue estava fresco na memória, e foi neste ano que o conselho de Nablus determinou punições severas para confraternização intercultural. Mas nesse mesmo ano Balduíno II também instituiu intensa redução de impostos em Jerusalém. De acordo com Fulquério de Chartres (que estava então vivendo na Cidade Sagrada), o rei declarou que cristãos, bem como sarracenos, teriam liberdade de ir e vir para vender quando e para quem quisessem. De acordo com uma testemunha muçulmana, por volta da mesma época Il-ghazi – o vitorioso no Campo de Sangue – aboliu os pedágios em Alepo e aceitou os termos da trégua com os francos. O nível de coordenação entre esses dois supostos inimigos é impossível determinar, mas ambos estavam evidentemente fazendo tentativas estrídulas de estimular o comércio. Na verdade, o teor e o escopo dos contatos comerciais latino-muçulmanos aparentemente permaneceram intactos apesar da onda crescente de entusiasmo pela *jihad* dentro do Islã. Até mesmo Saladino, o "campeão" da guerra santa, forjou ligações próximas com comerciantes marítimos da Itália quando se tornou o governante do Egito muçulmano. Ávido em promover um comércio lucrativo e garantir o pronto suprimento de madeira para construção de navios (que era difícil de conseguir no norte da África), ele concedeu aos pisanos um enclave comercial protegido em Alexandria em 1173.[88]

Conhecimento e cultura

Outra forma de troca que também ocorria em Ultramar durante o século XII era a transmissão de conhecimentos e de cultura de origem muçulmana e cristã entre membros da elite intelectual latina. A evidência dessa forma de diálogo em Jerusalém é limitada, mas em Antioquia, que tinha longa tradição acadêmica, a situação foi bem diferente.[89] A cidade e seus arredores eram lar de numerosas casas monásticas de cristãos do leste conhecidas como centros de vida intelectual desde antes das cruzadas. Aqui, algumas das grandes mentes do mundo cristão se reuniam para estudar e traduzir textos de teologia, filosofia, medicina e ciência que foram escritos em idiomas como grego, árabe, siríaco e armênio. Com a criação dos Estados cruzados, os intelectuais latinos naturalmente começaram a se congregar na cidade e ao redor dela. Por volta de 1114, o famoso filósofo e tradutor Adelardo de Bath fez uma visita à região, permanecendo ali por cerca de dois anos. Uma década depois, Estêvão de Pisa – tesoureiro latino da igreja de São Paulo – estava realizando estudos pioneiros. Ao longo dos anos 1120 ele produziu algumas das mais importantes traduções latinas feitas no Levante. Estêvão ficou muito famoso por sua tradução do *Livro Real*, de al-Majusi – um compêndio extraordinário de conhecimentos médicos –, que mais tarde ajudou a impulsionar a ciência na Europa Ocidental.[90]

Até onde esse conhecimento médico influenciou a prática da medicina no Levante latino é discutível. Usama ibn Munquidh escreveu com prazer sobre as técnicas peculiares e às vezes particularmente assustadoras usadas pelos médicos francos. Em determinado caso, uma mulher doente foi diagnosticada como tendo "um demônio dentro da cabeça". Usama, ao que tudo indica, assistiu enquanto o médico latino "primeiro raspou a cabeça da mulher e depois pegou uma navalha e fez um corte em sua cabeça no formato de uma cruz; então ele prontamente puxou a pele expondo o crânio, o qual ele esfregou com sal. A mulher morreu instantaneamente". Usama concluiu secamente: "ao partir, havia aprendido coisas sobre medicina que jamais soube". Colonos latinos nos Estados cruzados parecem ter reconhecido que muçulmanos e cristãos do leste eram dotados de conhecimento médico avançado; e alguns, como a família real franca em Jerusalém durante a segunda metade do século XII, usavam os serviços de médicos não latinos. Mas havia alguns centros de excelência operados por cristãos do oeste, inclusive o enorme hospital em Jerusalém dedicado a São João e dirigido pela Ordem Militar Hospitalária.

A fusão artística do saltério de Melisenda reverberou em construções erguidas nos Estados cruzados por volta desta época, mas notoriamente no maciço programa de reconstrução realizado no Santo Sepulcro em Jerusalém, durante os reinos de Fulque e Melisenda. Quando os francos conquistaram a Palestina, essa igreja estava em certo estado de decadência até as décadas de 1130 e 1140, e os latinos reformaram esse local considerado dos mais sagrados, projetando uma estrutura adequadamente majestosa que, pela primeira vez, abrangeria todos os santuários associados à Paixão de Cristo: inclusive a capela do Calvário no suposto local de sua crucificação e seu túmulo ou sepulcro. A essa altura, a igreja já era intimamente associada aos governantes coroados francos de Jerusalém, sendo o local de coroações e funeral dos reis.

Em sua configuração geral, o novo plano para o Santo Sepulcro aderia ao estilo romanesco do Oeste Europeu do começo da Idade Média, que trazia alguma semelhança com outras grandes igrejas latinas de peregrinos no oeste, inclusive a que se encontrava em Santiago de Compostela (noroeste da Espanha). A igreja cruzada de fato tinha algumas características peculiares – inclusive uma grande rotunda em forma de domo –, mas muitas dessas peculiaridades resultaram do cenário único da construção e da ambição de seus arquitetos de incorporar tantos "locais sagrados" debaixo de um só teto. A igreja do Santo Sepulcro que existe hoje ainda é, de modo geral, a mesma do século XII, mas quase toda decoração "cruzada" interna se perdeu (bem como as tumbas reais). Dentre os vários mosaicos latinos resta apenas um – quase escondido no teto, dentro dos confins obscuros da capela do Calvário –, representando Cristo em estilo bizantino. A entrada principal para o edifício, por um grandioso portal transepto no sul, foi coroada por dois lintéis luxuosamente esculpidos em pedra: um, à esquerda, mostrando cenas dos últimos dias de Jesus, incluindo a Última Ceia; o outro, uma complexa teia geométrica de videiras entrelaçadas, pontilhadas por imagens humanas e mitológicas. Esses lintéis permaneceram no local até os anos 1920, quando foram removidos para um museu próximo para serem preservados. A fachada sul da escultura incorpora influências francas, gregas, sírias e muçulmanas.

A nova igreja cruzada foi consagrada em 15 de julho de 1149, exatamente cinquenta anos depois da reconquista de Jerusalém. Essa construção buscava proclamar, honrar e venerar a santidade única do Santo Sepulcro – o epicentro espiritual da cristandade. A igreja também representava uma declaração ousada de confiança latina, afirmando a permanência do comando franco e do poder de sua dinastia real; e como um monumento que celebrava as conquistas da Primeira Cruzada, ainda que também trouxesse em si um esplêndido testemunho da diversidade cultural de Ultramar.[91]

A terra de Deus: fé e devoção

A igreja "cruzada" do Santo Sepulcro foi apenas uma expressão da intensa reverência devocional ligada a Jerusalém e à Terra Santa como um todo. Para os francos, esse mundo levantino – através do qual o próprio Cristo havia caminhado – era em si mesmo uma relíquia sagrada, onde o ar e a terra estavam envolvidos de uma aura numinosa de Deus. Era inevitável que os monumentos religiosos construídos nessa terra santificada e as expressões de fé ocorridas entre seus muitos locais sagrados viessem a ser coloridos por uma devoção especialmente febril. Muitos povos nativos do Oriente Próximo – inclusive cristãos do leste, muçulmanos e judeus – compartilhavam esse senso de adoração zelosa, o que também afetou a vida religiosa latina.

Ao longo do século XII, os visitantes europeus ocidentais mais comuns em Ultramar não eram os cruzados, e sim os peregrinos. Eles vinham aos milhares da cristandade latina, chegando a portos como Acre – o equivalente humano de cargas preciosas embarcados de leste para oeste; outros vinham de lugares como a Rússia e a Grécia. Alguns ficavam como colonos ou se tornavam monges, freiras ou eremitas; apenas algumas poucas casas religiosas foram erguidas em lugares inteiramente não desenvolvidos, mas muitos outros abandonados foram revitalizados (como o convento beneditino de Santa Ana em Jerusalém), e monastérios latinos anteriores às cruzadas, como o de Notre Dame de Josafat (logo depois da Cidade Sagrada), desfrutaram de uma grande injeção de popularidade e apoio.

Atos de devoção também colocavam os francos em contato com os habitantes naturais do Levante. Alguns latinos procuravam se aproximar de Deus vivendo em isolamento como ascetas em áreas selvagens, como o Monte Carmelo (ao lado de Haifa) e a Montanha Negra (perto de Antioquia), onde se misturavam com os eremitas ortodoxos gregos em comunidades esparsas. Um dos exemplos mais notáveis de convergência religiosa ocorreu no convento de Nossa Senhora em Saidnaya (cerca de 25 quilômetros ao norte de Damasco). Localizada bem no interior do território muçulmano, essa casa religiosa de gregos ortodoxos abrigava uma imagem "miraculosa" da Virgem Maria que se transmutara de tinta em carne. Diziam que dos seios da imagem saía um óleo considerado valioso devido às suas incríveis propriedades curativas. Saidnaya era um destino popular de peregrinos cristãos do leste e também de muçulmanos (que reverenciam Maria por ser mãe do profeta Jesus). A partir da segunda metade do século XII, o local também passou a receber peregrinos latinos – alguns dos quais recolhiam amostras em ampolas do óleo supostamente milagroso da Virgem e as levavam para a Europa –, e o templo se mostrou particularmente popular entre os templários.

Assim como os francos tinham permissão para passar por terras islâmicas para chegar a Saidnaya, também os peregrinos muçulmanos ocasionalmente tinham acesso a locais sagrados em Ultramar. No começo dos anos 1140, Unur de Damasco e Usama ibn Munqidh tiveram permissão para visitar o Domo da Rocha em Jerusalém. Por volta da mesma época, Usama também viajou para a cidade franca de Sebaste (perto de Nablus) para ver a cripta de João Batista (e, como previamente observado, ele dizia ter feito muitas viagens à Mesquita de Al-Aqsa). No começo dos anos 1180, o acadêmico muçulmano 'Ali al-Harawi conseguiu fazer uma excursão completa por todos os locais religiosos islâmicos no reino de Jerusalém, e depois escreveu um guia para a região em árabe tomando por base esses poucos incidentes potencialmente isolados, contudo, sendo impossível avaliar a real extensão do trânsito de peregrinos muçulmanos.

Apesar dessas variadas formas de interação devocional, a atmosfera religiosa subjacente ainda se caracterizava por um nível marcante de intolerância. Escritores francos e muçulmanos continuavam a desqualificar a fé um do outro, normalmente com acusações de paganismo, politeísmo e idolatria. As relações entre os cristãos latinos e orientais também continuavam estremecidas por tensão e desconfiança. A conquista do Oriente Próximo pelos cruzados pôs um efetivo (e talvez permanente) fim à hierarquia eclesiástica ortodoxa grega estabelecida na região. Novos patriarcas latinos foram nomeados em Antioquia e Jerusalém, e arcebispos e bispos latinos foram instalados por toda Ultramar. Os líderes dessa Igreja Latina fizeram esforços estridentes para defender sua jurisdição eclesiástica e para conter o que consideravam o perigo da mútua contaminação entre ritos cristãos do leste e do oeste, particularmente no que diz respeito ao monasticismo.[92]

O Leste franco – Cortina de ferro ou porta aberta?

Os Estados cruzados não eram sociedades fechadas, completamente isoladas do mundo do Oriente Próximo ao redor, e nem colônias europeias uniformemente opressivas e exploradoras. Mas tampouco se poderia retratar Ultramar como uma utopia multicultural – um paraíso de tolerância onde cristãos, muçulmanos e judeus eram capazes de viver juntos em paz. Na maioria das regiões do Leste latino do século XII, a realidade da vida estava em algum ponto entre esses dois extremos.

A minoria europeia ocidental dominante mostrava certa disposição pragmática de acomodar e incorporar os não francos no tecido legal, social, cultural e devocional de Ultramar. Imperativos econômicos – desde manter mão de obra nativa a facilitar o acesso ao comércio – também promoviam um nível de interação equitativa. Em tese, era possível esperar que os dois paradigmas conflitantes formatassem a sociedade "cruzada": por um lado, a diminuição das antipatias iniciais ao longo do tempo, como resultado de uma familiaridade gradualmente mais intensa; e, por outro, a força potencialmente contrária do entusiasmo crescente que a *jihad* despertava no Islã. Na verdade, nenhuma das tendências se impôs claramente. Desde o começo, os francos e os muçulmanos se dispuseram a um diálogo diplomático, a negociar pactos e forjar laços comerciais; e continuaram assim pelo século XII afora, e, mesmo depois de décadas, escritores de todas as crenças persistiam em reforçar estereótipos tradicionais para expressar uma suspeita e um ódio aparentemente imutáveis pelo "outro".[93]

Os francos, os cristãos do leste e os muçulmanos que viviam no Oriente Próximo podem ter se conhecido um pouco melhor ao longo do século XII, mas isso não resultou em entendimento ou harmonia perene. Considerando-se as realidades prevalecentes do mundo como um todo, não deveria haver surpresa. O próprio oeste medieval foi assolado pela rivalidade entre os latinos e por intermináveis contendas marciais; além do que, estava em alta uma endêmica intolerância social e religiosa. Por esses padrões, a difícil mistura de contato pragmático e conflito latente que era visível no Levante não foi tão digna de nota. E apesar de ser possível que o espírito da guerra santa tenha influenciado a natureza da sociedade franca, a Palestina latina não parece ter sido definida pelo ideal das cruzadas.

Por tudo isso, a colonização latina do Oriente Próximo de fato deu origem a uma sociedade extraordinária, ainda que não totalmente original – uma sociedade sujeita a uma diferente gama de forças e influências. Os padrões de vida na região mostram alguns sinais de aculturação, e as provas remanescentes de empreendimentos artísticos e intelectuais carregam a marca da fusão cultural. Mas é provável que isso tenha sido resultado de um desenvolvimento indireto e orgânico, não de uma assimilação deliberada.

ZENGUI – O TIRANO DO LESTE

Houve época em que era popular insinuar que as atitudes dos muçulmanos em relação a Ultramar passaram por uma radical mudança com a ascensão do déspota turco Zengui em 1128. Este foi sem dúvida um ano de muita mudança na política do Oriente Próximo. Tudo começou com a morte do governante damasceno Tughtegin, que, na época, foi sucedido por uma série de emires ineficazes da dinastia burida, colocando Damasco no caminho da decadência interna e do enfraquecimento. Em junho desse ano, Zengui, o *atabeg* de Mossul, explorou o partidarismo endêmico que afligia o norte da Síria para ganhar o controle de Alepo, dando início a uma nova era de governança segura e enérgica.

Descrito como "bonito, de pele marrom, com belos olhos", Zengui era um indivíduo realmente notável. Mesmo em uma época brutal e regida por conflitos, sua capacidade de violência destemperada era legendária, e sua fome insaciável por poder era sem igual. Um cronista muçulmano fez uma descrição desoladora e deslumbrada do *atabeg*: "Ele tinha a personalidade de um leopardo. Era como um leão furioso, não recuava nem mesmo perante a maior severidade e desconhecia qualquer tipo de gentileza... era temido por seus ataques súbitos e evitado por sua grosseria; agressivo, insolente, ele era a morte dos seus inimigos e cidadãos". Nascido por volta de 1084, filho de um proeminente senhor de guerra turco, Zengui cresceu em meio ao inferno da guerra civil. Sobrevivendo em um ambiente de combate quase constante e próspero em traição e assassinato, ele aprendeu a ser engenhoso, ardiloso e excepcionalmente impiedoso. Ganhou destaque nos anos 1120, quando recebeu o apoio do sultão seljúcida de Bagdá. Em 1127 foi nomeado governador de Mossul, além de conselheiro militar e comandante para os dois filhos do sultão.

Zengui tinha uma reputação merecida e, sem dúvida, cuidadosamente cultivada de brutalidade cruel, insensível e mesmo arbitrária. Ele acreditava piamente no poder do medo mais abominável, tanto para inspirar lealdade nos aliados quanto para submeter os inimigos. Um cronista árabe admitiu que o *atabeg* usava o terror para controlar suas tropas, observando que ele "era tirânico e atacava com indiscriminada negligência", notando também que "quando ficava insatisfeito com um emir, Zengui o matava ou bania, e podia deixar os filhos do indivíduo vivos, mas certamente os castrava".[94]

Considerando-se suas características temerárias, era de se esperar que Zengui transformasse a sorte do Islã na guerra pela Cidade Sagrada. Não resta dúvida de que no passado ele foi apresentado como uma figura de importância central na história das cruzadas – como o primeiro líder muçulmano a realizar um ataque decisivo contra os francos, o progenitor de uma contracruzada islâmica que reacendeu a chama da *jihad*, como um imponente *mujahid* (santo guerreiro) e campeão dessa nova era. Apesar de tudo isso, ao longo de sua carreira Zengui demonstrou mínimo interesse pelas cruzadas e pelo impacto real que nelas causou, o que poderia ser explicado meramente pela geopolítica. O *atabeg* dominou o Oriente Próximo e o Médio como um colosso, com um pé em Mossul e outro no oeste do Eufrates, em Alepo. Por pura necessidade, foi forçado a dividir seu tempo, energia e recursos entre essas duas esferas de influência – Mesopotâmia e Síria –, e assim nunca foi capaz de realmente se concentrar na luta contra os francos. Mas mesmo esse raciocínio, comumente alardeado para defender a credencial de *jihadi* de Zengui, é um pouco duvidoso, pois se baseia em duas falsas premissas.

Para senhores da guerra turcos como Zengui, o Oriente Próximo (inclusive a Síria e a Palestina) e o Oriente Médio (particularmente o Irã e o Iraque) não tinham valor político e significado equivalentes. A carreira do *atabeg* demonstra que, na primeira metade do século XII, o coração do Islã sunita permanecia na Mesopotâmia. E era em cidades como Bagdá e Mossul que havia as maiores riquezas e o maior poder a serem conquistados. Para Zengui e muitos de seus contemporâneos, a batalha contra os francos no oeste era semelhante a uma guerra de fronteira e, como tal, de interesse meramente intermitente e tangencial.

Ainda por cima, quando o *atabeg* se preocupou com questões levantinas, o objetivo básico era a conquista de Damasco e não a erradicação dos Estados cruzados. Ao longo dos anos 1130, entre longos períodos de ausência da Mesopotâmia, Zengui tentou várias vezes esticar a esfera da influência de Alepo para o sul, rumo a seu objetivo, procurando absorver povoados comandados por muçulmanos, como Hama, Homs e Balbeque, que haviam se tornado dependências damascenas. O tempo todo Zengui mostrou disposição para prontamente quebrar juramentos, se voltar contra aliados e aterrorizar inimigos para alcançar suas metas. Em 1139, a antiga cidade romana de Balbeque (no fértil Vale de Biqa, no atual Líbano) foi forçada a admitir a derrota após um ataque lancinante e finalmente se rendeu com a promessa de que suas tropas seriam poupadas. Determinado a mandar uma mensagem de cruel clareza para qualquer muçulmano sírio que quisesse resistir a sua autoridade, Zengui renegou esses termos e crucificou a guarda de Balbeque. Então, para garantir a lealdade da cidade, nomeou outro membro em ascensão de sua equipe como governador, o guerreiro curdo Ayyub ibn Shadi, um homem cuja família ganharia cada vez mais destaque ao longo do século XII.

Durante esse mesmo período, Zengui apresentou uma mistura de intriga diplomática e extrema pressão militar ao lidar com Damasco, na esperança de engendrar a submissão da capital e enfim sua captura. Sua causa foi favorecida pela contenda caótica e sangrenta que dominou a cidade por boa parte dos anos 1130. Não obstante a sobrevivência da dinastia burida na forma de uma sucessão de testas de ferro medíocres, o verdadeiro poder em Damasco rapidamente recaiu sobre Unur – um comandante militar turco que havia servido a Tughtegin como mameluco (soldado escravo). Ele agora tinha que encarar o espectro da agressão de Zengui. Na sequência da feroz conquista de Balbeque, Zengui sitiou Damasco em dezembro de 1139, mantendo um cerco frouxo com ataques intermitentes pelos seis meses seguintes. Ele ficou relutante em lançar um ataque com força total contra uma cidade de tamanho e profundo significado histórico para o Islã – sua esperança era conseguir estrangular Damasco lentamente até a rendição.

Ainda assim, quando o nó apertou em 1140, Unur rejeitou os pedidos de rendição. Em vez de se submeter ao domínio de Zengui, ele procurou um poder não muçulmano para pedir ajuda, e despachou um embaixador a Jerusalém para selar uma nova aliança contra Alepo. Em uma audiência com o rei Fulque, Zengui foi retratado como "um inimigo cruel, igualmente perigoso para ambos (Palestina latina e Damasco)", e um magnânimo tributo mensal de 20 mil peças de ouro foi prometido em troca da assistência dos francos em combater essa ameaça. Além disso, Banyas (que havia sido retomada pelos muçulmanos em 1132) seria cedida a Jerusalém.

Convencidos do valor desses termos extremamente generosos e dos benefícios de evitar que Zengui conquistasse a Síria, Fulque se pôs a conduzir um exército para o norte com o objetivo de ajudar Damasco. Com suas operações contra a cidade estagnadas, essa ameaça bastou para causar o recuo do *atabeg*. Ele retornou a Mossul, mais uma vez voltando sua atenção para as questões da Mesopotâmia.[95]

Zengui contra os francos

Ao longo da década de 1130, Zengui mostrou pouco ou nenhum interesse em implementar uma *jihad* contra os francos, e qualquer ataque contra os latinos nesse período foi quase acidental ou relacionado ao seu avanço no sul da Síria. A única ofensiva digna de nota do *atabeg* contra Ultramar foi em julho de 1137, quando ele escolheu como alvo a fortaleza de Barin (a oeste de Hama e do rio Orontes). Mas mesmo essa campanha deve ser interpretada com cautela, já que a intenção básica de Zengui era usar Barin como ponto de paragem para sua agressão contra Homs. O *atabeg* tinha como preocupação principal a expansão para o sul rumo a Damasco, e não fazer um ataque mortal contra os Estados cruzados.

Durante o começo dos anos 1140, Zengui se concentrou quase exclusivamente em eventos a leste do Eufrates, procurando expandir sua base de poder no Iraque e consolidar relações com o sultão seljúcida de Bagdá. A partir de 1143 ele ficou particularmente preocupado com a subjugação dos príncipes artúquidas e dos senhores de guerra curdos de menor grandeza do norte, em Diar Baquir. Perante a agressão, um artúquida, Qara Arslan de Hisn Kaifa, forjou um pacto com Joscelino II de Edessa (que sucedeu o pai em 1131), oferecendo entregar o território aos francos em troca de ajuda. No outono de 1144, acreditando que seu condado estava a salvo de ataques, Joscelino enviou um grande exército para ajudar Qara Arslan. Esse gesto, nascido de uma avaliação imperfeita das ambições e capacidades de Zengui, teria profundo impacto na história do Ultramar.

Pouco depois da partida do conde, as poucas tropas que permaneceram em Edessa ao lado de seu arcebispo latino ficaram perplexas ao ver Zengui do outro lado dos muros. O *atabeg* já reconhecia há muito tempo o valor de um serviço de inteligência preciso e atualizado, e gastava de boa vontade uma pequena fortuna para manter uma extensa rede de espiões e informantes por todo o Oriente Médio e Próximo. Logo, ficou sabendo quase imediatamente da ausência de Joscelino e da vulnerabilidade da guarda de Edessa. Sentindo uma oportunidade rara e provavelmente inesperada, Zengui trocou de alvo; em vez de Diar Baquir, a cidade franca. Seu bando de guerreiros (já equipados com aparato bélico de cerco) chegou à cidade em marcha cortada no final de novembro e iniciou imediatamente uma investida devastadora. Pelas quatro semanas seguintes, os cristãos da cidade conseguiram aguentar os repetidos ataques das torres blindadas e equipes de sapadores, mas sua situação era desesperadora.

Ao saber do ataque, Joscelino II tentou reunir reforços em Tell Bashir. Melisenda respondeu imediatamente aos apelos do conde e mandou tropas para o norte, porém, por razões que permanecem desconhecidas, Raimundo de Antioquia prevaricou. O conde ainda estava tentando desesperadamente preparar uma contraofensiva quando recebeu a péssima notícia da queda de Edessa. Em 24 de dezembro de 1144, os mineradores de Zengui derrubaram uma grande parte das altas fortificações da cidade. Com as tropas muçulmanas invadindo pela brecha, os cristãos fugiram aterrorizados em direção à cidadela. Em meio ao pânico, centenas de pessoas morreram pisoteadas, entre elas o arcebispo latino, enquanto os soldados do *atabeg* faziam seu terrível serviço. Um armênio da cidade escreveu que os muçulmanos "foram impiedosos e derramaram uma enorme quantidade de sangue, sem respeitar idosos nem se apiedar de crianças inocentes como cordeiros". Os poucos que alcançaram o interior da fortaleza aguentaram por mais dois dias, mas em 26 de dezembro a cidade inteira estava nas mãos do Islã.

A conquista de Edessa por Zengui pode ter sido largamente oportunista, mas foi ainda assim uma catástrofe absoluta para os francos. As consequências estratégicas por si só já eram profundamente alarmantes. Ao perder sua principal cidade, os arredores do condado latino ficaram à beira da ruína total. Seus Estados cruzados mais ao norte cairiam sem contato e a comunicação entre as forças muçulmanas na Mesopotâmia e na Síria ficaria bem mais fluente e segura. Nesse contexto, o futuro do principado de Antioquia parecia bastante incerto: seu vizinho e aliado ao norte virou seu inimigo; a cidade rival, Alepo, ressurgia. Era óbvio o perigo do efeito dominó, com a fraqueza e a vulnerabilidade, levando ao colapso sucessivo de todo regime latino. O cronista franco Guilherme de Tiro refletiu sobre o "desastre sinistro" de 1144, observando que agora era real a perspectiva de o leste inteiro ser invadido pelo mundo muçulmano.[g]

O impacto psicológico desse evento talvez tenha sido mais significativo ainda. Era a primeira vez que uma das quatro grandes capitais de Ultramar caía em mãos islâmicas. Edessa, a primeira cidade do leste a ser conquistada pelos cruzados, permanecera invicta por quase meio século. Sua perda súbita e pouco divulgada gerou uma onda de medo e apreensão que latejou por todo o Levante latino, abalando severamente a confiança e o moral. O pouco que ainda restava da fama de invencíveis dos cristãos se evaporou; o sonho de um repovoamento permanente e divinamente forjado na Terra Santa se esfacelou. E para piorar as coisas, era de se esperar que Zengui, que há tanto tempo representava uma ameaça, se aproveitasse de sua vitória, estimulando o Islã a alcançar objetivos ainda maiores na guerra pelo domínio do Oriente Próximo.

Com a chegada da péssima notícia, o renomado abade Bernardo de Claraval reverberou essas terríveis preocupações, afirmando em uma carta que: "O mundo está abalado porque o Senhor do céu está perdendo sua terra... o inimigo da cruz começou a levantar sua sacrílega cabeça aqui também para devastar pela espada essa terra abençoada, essa terra de promessas". Bernardo avisou que a sagrada Jerusalém, "a própria cidade do Deus vivo", podia ser invadida. A única resposta para o Leste latino, e mesmo a cristandade ocidental como um todo, era lançar uma nova cruzada.[96]

---

g   Guilherme de Tiro nasceu no Levante em 1130 e acabou se tornando chanceler do reino latino em Jerusalém e arcebispo de Tiro. Entre mais ou menos 1174 e 1184, Guilherme escreveu um relato em forma de narrativa inestimável sobre a história de Ultramar a partir da Primeira Cruzada.

6. O RENASCIMENTO DA CRUZADA

A queda de Edessa chocou o Levante. Enviados francos e armênios viajaram em 1145 para a Europa para divulgar a calamitosa notícia e para explicitar a ameaça de aniquilação que agora pairava sobre todos os cristãos do Oriente Próximo. Em resposta, o mundo latino lançou uma enorme expedição militar batizada de Segunda Cruzada.[97] Era a primeira vez que os reis ocidentais adotavam a luta e, em um verdadeiro surto de recrutamento, cerca de 60 mil soldados marcharam para o leste para salvar os Estados cruzados. Ao mesmo tempo, as guerras da cruz foram levadas para novos cenários de conflito na Ibéria e no Báltico. Foi uma explosão gigantesca e sem precedentes de entusiasmo pela cruzada – superando até mesmo a de 1095. Será que todo esse fervor garantiria o sucesso da empreitada? E como o renascimento da guerra santa cristã afetaria a história futura das cruzadas?

FAZENDO A CRUZADA NO COMEÇO DO SÉCULO XII

A fervorosa reação da Europa latina à pregação da Segunda Cruzada só pode ser compreendida apropriadamente no contexto dos acontecimentos relacionados a cruzadas no começo do século XII. A primeira conquista "miraculosa" da Terra Santa pelos primeiros cruzados em 1099 estabeleceu um frágil fortim latino no Levante e aparentemente forneceu provas conclusivas de que Deus endossava essa inédita fusão de peregrinação e guerra. Sob essas circunstâncias, é de se esperar que as décadas iniciais do século XII tenham sido marcadas por uma inundação de atividade "cruzada", já que o Oeste Europeu correu para abraçar essa extensão da guerra santa cristã e defender a Terra Santa.

Mas não foi esse o caso. A memória da Primeira Cruzada sem dúvida brilhava ardentemente, mas os anos que levaram a 1144 testemunharam apenas um esporádico punhado de pequenas cruzadas esporádicas. Em parte isso se deu porque muitos consideravam a Primeira Cruzada um evento extraordinariamente singular que, em essência, não era possível de repetir. Baseando-se em séculos de retrospectiva, historiadores posteriores identificaram a peregrinação da massa armada estimulada pela pregação do papa Urbano II em 1095 como a primeira de uma sucessão de cruzadas e, portanto, o começo de um movimento. Mas esse "futuro" não era de forma alguma aparente no começo do século XII, e a ideia de uma cruzada ainda precisava coalescer.

Até certo ponto, é possível explicar a relativa falta de entusiasmo e o limitado refinamento ideológico através de fatores mitigadores. A habilidade do papado em controlar e desenvolver o movimento das cruzadas foi restringido por uma sucessão de reviravoltas paralisantes: o surgimento de um cisma papal entre 1124 e 1138, que viu a nomeação de uma série de antipapas alternativos, e também a pressão crescente sobre Roma vinda de poderes rivais da Alemanha imperial ao norte e do emergente reino normando da Sicília. Alguns desses problemas permaneceram até a época da Segunda Cruzada, e o papa sequer foi capaz de entrar em Roma em 1145. Convulsões parecidas afetaram a laicidade secular. A Alemanha sofria com as rivalidades internas – duas dinastias, os Hohenstaufen e os Welfs, lutavam pelo poder. Enquanto isso, a Inglaterra estava fora de controle devido à guerra civil durante o tumultuado reinado do rei Estêvão (1135-54), filho do primeiro cruzado Estêvão de Blois. Sob a dinastia dos Capetos, a monarquia francesa desfrutou de grande estabilidade, mas apenas nessa época começava a manifestar sua autoridade além da área do território real centrado em Paris.

Uma característica da ideologia cruzada também pode ter servido para restringir o recrutamento. Pregadores da Primeira Cruzada podem ter jogado com um senso de obrigação espiritual ou social de retomar a Terra Santa, mas a expedição de 1095 reverberava essencialmente entre os cristãos latinos, pois era apresentada como uma empreitada pessoal intensamente devocional. Milhares tomaram a cruz e entraram na guerra santa em busca de redenção dos seus pecados. A cruzada era movida por devoção religiosa, porém em uma forma autocentrada. Considerando-se a natureza particularmente árdua, perigosa, assustadora e cara das peregrinações armadas ao leste, participar de uma cruzada representava um caminho extremo para a salvação. Muitos prefeririam atividades de penitência mais óbvias e imediatas – prece, dar esmolas, fazer peregrinações localizadas. As décadas e os séculos seguintes provariam que, no geral, apenas catástrofes sísmicas combinadas a pregações vigorosas e envolvimento ativo da alta aristocracia eram capazes de produzir cruzadas em larga escala.

Isso não deve nos levar a imaginar que não houve cruzadas entre 1101 e 1145. Alguns membros da Igreja e da laicidade sem dúvida fizeram tentativas esporádicas de replicar ou imitar a Primeira Cruzada nesse período, pregando a participação na empreitada que incluíam algumas, ou mesmo todas as características que acabaram se tornando elementos mais estáveis na construção de uma cruzada: promulgação papal; o compromisso com voto definido e o símbolo da cruz; a promessa de recompensa espiritual (ou indulgência) em retorno pelo serviço militar. Mas, ao mesmo tempo, a natureza fundamental da cruzada permanecia relativamente fluida e mal definida. Questões básicas como quem detinha o poder de invocá-la, que recompensas seriam oferecidas aos participantes e contra quem se lutaria essa forma de guerra certificada foram deixadas amplamente sem solução.

Duas cruzadas significativas para a Terra Santa foram lançadas nos anos 1120, mas se por um lado a veneziana (1122-4) foi, sem dúvida, obra do papa Calisto II, a expedição a Damasco de 1129 parece ter sido pregada na Europa por Hugo de Payens com pouco ou nenhum envolvimento papal. Nesse mesmo período começaram as cruzadas em regiões geográficas fora do Levante, e contra outros inimigos que não os muçulmanos do Oriente Próximo. Cenário antigo do conflito religioso, a península Ibérica logo testemunharia campanhas semelhantes às cruzadas. O líder de uma ofensiva conjunta de catalães e pisanos contra as ilhas Baleares (1113-15) levava o símbolo da cruz no ombro, enquanto o papa ofereceu absolvição total dos pecados para todos que morreram no ataque aragonês de 1118 em Saragoça. Calisto II, que havia sido delegado pontifício na Espanha e, portanto, estava familiarizado com questões ibéricas, deu um grande passo com a formalização do papel das cruzadas na península. Ele lançou uma carta papal em abril de 1123 encorajando recrutas a fazer o voto oficial de lutar na Catalunha com "o símbolo da cruz nas roupas" em troca da "mesma absolvição dos pecados que concedemos aos defensores da Igreja do leste".

Os não muçulmanos também eram alvo. A cruzada de Boemundo de Taranto (1106-8) na verdade foi contra o Império Bizantino cristão. Em 1135, o papa Inocêncio II até tentou estender os privilégios da cruzada para aqueles que lutassem contra seus inimigos políticos, afirmando que a seus aliados seria concedida "a mesma absolvição... decretada pelo papa Urbano no conselho de Clermont para todos que fossem a Jerusalém para libertar os cristãos".

Apesar de todas as referências à absolvição dos pecados dos primeiros cruzados, a formulação concreta da recompensa espiritual a ser oferecida continuava vaga e equívoca. Era preciso esclarecer questões capazes de constranger teólogos e até mesmo guerreiros – a participação na cruzada livraria a pessoa de todos os pecados ou apenas daqueles que foram confessados? O martírio era garantido para todos que morressem? Foi Bernardo de Claraval, apoiador dos templários, quem enfrentou uma das mais espinhosas consequências teológicas das cruzadas. Com a pregação da Primeira Cruzada, o papado de certa forma abriu sem querer a Caixa de Pandora. O chamado para a luta armada para manifestar a Vontade Divina de Deus na Terra acabava sugerindo que Deus, na verdade, precisava dos homens e, portanto, podia não ser totalmente onipotente – uma linha de pensamento de óbvio potencial explosivo. Bernardo equilibrou esse problema com sua típica agilidade intelectual. Ele argumentou que Deus apenas fingia precisar do homem em um gesto de caridade, deliberadamente engendrando a ameaça para a Terra Santa de modo que os cristãos pudessem ter outra chance de acessar esse novo modo de purificação espiritual. De uma só vez, o abade defendia a ideia da cruzada e promovia sua eficácia espiritual. Bernardo viria a desempenhar um papel central na promulgação da Segunda Cruzada, mas, em primeira instância, o trabalho de lançar a expedição foi realizado por outros.[98]

LANÇANDO A SEGUNDA CRUZADA

Ao pedir ajuda à Europa em 1145, o Levante cristão tinha como alvo líderes eclesiásticos e seculares. Um dos destinatários dos apelos era o papa

Eugênio III, monge cisterciense e protegido de Bernardo de Claraval, que havia acabado de ascender ao ofício papal naquele fevereiro. A situação de Eugênio não era ideal. Desde o começo de seu pontificado, o profundo envolvimento do novo papa em uma longa disputa com o povo de Roma sobre a governança secular da cidade o forçou a viver no exílio. Ao mesmo tempo que fazia planos de lançar uma grande nova cruzada, foi forçado a passar a maior parte de 1145 em Viterbo, a cerca de oitenta quilômetros ao norte do Palácio Lateranense.

Emissários de Ultramar também visitaram Luís VII, o monarca capetíngio franco – uma das áreas centrais de entusiasmo pelas cruzadas. Agora com seus vinte e tantos anos, Luís fora coroado em 1137, levando ao trono vitalidade e juventude. Por várias vezes ele foi definido elogiosamente como devoto. Na verdade, o começo do seu reinado foi marcado por disputas acaloradas com Roma pelas nomeações eclesiásticas francesas e uma disputa cáustica com o conde de Champagne. O predecessor do papa Eugênio de fato colocou as terras capetíngias sob interdição papal (temporariamente excomungando o reino inteiro). Em 1143, no ápice do conflito com Champagne, as tropas de Luís deram o brutal passo de incendiar completamente uma igreja em Vitry contendo mais de mil pessoas, uma atrocidade pela qual o rei parece ter demonstrado remorso. Em 1145, o jovem monarca havia se reconciliado com o papado, e seu tipo de devoção religiosa fervorosa tinha uma tendência penitente. Tocado pelas notícias do destino de Edessa, ele abraçou entusiasticamente a ideia de liderar um exército para reforçar os Estados cruzados.

Eugênio III e Luís VII aparentemente coordenaram os planos de iniciar uma cruzada, mas isso não foi o suficiente. A cúria papal (a corte administrativa) elaborou uma encíclica (carta geral de proclamação) anunciando um novo chamado às armas em 1 de dezembro de 1145, mas ele não alcançou Luís a tempo para atingir sua corte reunida para o Natal em Burges (na França central). Quando o monarca declarou sua intenção de tomar a cruz e fazer a guerra na Terra Santa, a reação foi moderada. Eugênio III relançou sua encíclica de forma quase idêntica três meses depois, e sua mensagem foi transmitida com muito mais eficácia na segunda assembleia capetíngia em Vézelay, na Páscoa de 1146. A partir desse momento, a centelha de paixão pela cruzada foi reacendida e seguiu inflamando toda a Europa ao longo do ano seguinte. A carta oficial do papa – convencionalmente conhecida como *Quantum praedecessores* – teve muito mais precisão.

Um fato impressionante fica logo aparente a partir da encíclica de Eugênio – a memória da Primeira Cruzada era central para sua visão nessa nova campanha. Buscando legitimar e reforçar o poder de seu próprio chamado às armas, o papa fez várias referências à expedição de 1095. Ele se declarou inspirado a convocar a Segunda Cruzada pelo exemplo de "nosso predecessor de feliz memória, papa Urbano" e deixou claro que as recompensas espirituais agora oferecidas eram "exatamente as mesmas anteriormente instituídas por nosso citado predecessor". Algumas das ideias empregadas por Urbano em Clermont foram igualmente reverberadas. Eugênio tomou cuidado para enfatizar repetidamente que detinha o mandato divino, "a autoridade que nos foi concedida por Deus", para iniciar essa guerra santa. Ele também retratou a cruzada como tão somente uma resposta à agressão muçulmana: afirmou que Edessa havia sido "tomada pelos inimigos da cruz de Cristo"; descreveu como clérigos foram mortos e as santas relíquias "pisadas por pés infiéis". Esses eventos foram retratados como "um grande perigo para toda a cristandade".

Ao mesmo tempo, os temas da memória e do passado foram reposicionados em *Quantum praedecessores* de uma forma inovadora e extraordinariamente eficaz. O papa declarou que os cristãos deviam se entusiasmar a tomar a cruz em nome da memória dos antepassados que sacrificaram "o próprio sangue" para libertar Jerusalém da "imundície dos pagãos. "O que foi conquistado pelos esforços de seus pais deveria ser vigorosamente defendido por vocês", exortou, pois, caso contrário, a bravura dos pais terá sido diminuída pelos filhos. Essa imagem potente aproveitava a memória coletiva da Primeira Cruzada e procurava atingir o senso de honra e de obrigação para com a família.

Apesar de projetar explicitamente essa nova campanha como uma recriação da primeira cruzada, a encíclica de Eugênio na verdade ajustava ou desenvolvia muitas das ideias de Urbano II. Alistar o tipo certo de cruzados (ou seja, aqueles capazes de lutar) em número suficiente já vinha se mostrando um problema óbvio desde o começo. A expedição de 1095 foi apresentada como uma forma de peregrinação, mas, como essa prática penitencial era tradicionalmente voluntária e aberta a todos, o papado encontrou dificuldade em restringir o número de recrutas não combatentes – desde mulheres e crianças a monges e pobres. Já nas cruzadas do começo do século XII, tiveram de se esforçar para atrair recrutamento em massa. Na década de 1140 havia uma tensão evidente entre o elemento popular e extasiante da cruzada e o crescente impulso em direção às prescrições e o controle papal. A Igreja viria a lutar com esse dilema pelas próximas décadas, procurando conter e dirigir o entusiasmo sem acabar com o fervor. O *Quantum praedecessores* fez uma tentativa hesitante de abordar essa questão, aconselhando aos que estavam ao lado de Deus e especialmente os mais poderosos e nobres a se juntar à cruzada, mas a dificuldade de equilibrar seletividade e apelo popular permanecia basicamente sem solução.

Eugênio também refinou de modo significativo a gama de proteções e privilégios oferecidos àqueles que tomassem a cruz. Sua encíclica proclamava que, na ausência de um cruzado, a Igreja protegeria suas viúvas e filhos, seus bens e suas posses, enquanto processos legais relacionados à propriedade de um cruzado seriam banidos até que houvesse certeza absoluta de seu retorno ou morte. Igualmente, eram cancelados os juros sobre dívidas de um cruzado.

A área de maior avanço tinha a ver com a indulgência. Se faltava clareza na formulação de 1095 de Urbano II, o *Quantum praedecessores* oferecia informações específicas, afirmando que o papa "concederia remissão e absolvição dos pecados" dos participantes, explicando que "qualquer um que comece e complete com devoção essa jornada tão sagrada ou que nela morra obterá absolvição de todos os seus pecados confessados com coração humilde e contrito". Eugênio não estava oferecendo uma garantia global de salvação, mas estava comunicando a certeza de que o benefício espiritual da cruzada ainda poderia ser desfrutado mesmo sem morte.

Através de sua precisa formulação e ampla disseminação, o *Quantum praedecessores* deu forma à Segunda Cruzada, ajudando a garantir mais uniformidade na pregação e avançando bastante no sentido de sedimentar a ideia de que uma cruzada legítima tinha de ser promulgada pelo papa. O documento talvez seja de importância ainda mais essencial para a história por causa do seu "após vida". A cúria papal medieval era, por sua natureza, uma instituição que valorizava a retrospectiva. Quando os oficiais de

Roma desejavam formular uma decisão ou enquadrar um pronunciamento, sempre procuravam um precedente. Nesse contexto, o *Quantum praedecessores* se tornou referência para as cruzadas, apresentando uma memória oficial do que o papa Urbano II havia supostamente pregado em 1095 e consagrando certas ideias sobre a natureza da própria Primeira Cruzada. Da segunda metade do século XII em diante, a encíclica serviu para definir o escopo, a identidade e a prática da empreitada, pois futuros papas usariam o documento como exemplo. Muitos se basearam em seu estilo, formato e substância; outros simplesmente o copiaram sem alterações.

Considerando-se tudo isso, a encíclica de Eugênio era surpreendentemente obscura em uma questão chave: o objetivo preciso da Segunda Cruzada. O destino de Edessa foi destacado, mas não foi feita nenhuma demanda explícita de retomar a cidade e Zengui não foi chamado de inimigo. Na verdade, os cruzados eram exortados "a defender... a igreja do leste" e libertar "as muitas centenas de nossos irmãos cativos" que estavam em mãos muçulmanas. Essa falta de especificidade foi provavelmente resultado da incerteza sobre o objetivo estrategicamente realista em 1145 e 1146, mas ele expôs a expedição a futuras disputas de direção e foco.[99]

Essa lacuna na formulação do *Quantum praedecessores* também refletia um problema mais profundo na relação entre a cruzada e os Estados cruzados. Os dois eram, de fato, tragicamente discordantes. As cruzadas eram expedições essencialmente devocionais e espiritualmente autocentradas de duração finita, conduzidas por indivíduos com suas próprias ambições, pautas ou objetivos (sobretudo para completar uma peregrinação aos lugares santos). Mas para sobreviver, os assentamentos francos no leste na verdade precisavam de reforços militares estáveis e obedientes, com disposição para executar a vontade dos governadores da Palestina latina.

A FALA DE UM SANTO –
BERNARDO DE CLARAVAL E A SEGUNDA CRUZADA

A encíclica *Quantum Praedecessores*, do papa Eugênio III, proclamou a Segunda Cruzada. O texto dessa carta, deliberadamente projetado como instrumento de pregação que poderia ser facilmente traduzido do latim para os idiomas de vernáculo comum do oeste medieval, ocupava o âmago da mensagem da cruzada disseminada em 1146 e 1147. Ainda assim, incapaz sequer de controlar a Itália central, o papa não estava verdadeiramente em posição de lançar uma campanha de pregação extensa para o norte dos Alpes. Por isso, ele voltou seus olhos a Bernardo, abade de Claraval.

Bernardo foi o pregador mais potente e influente da Segunda Cruzada. Acima de todos os outros eclesiásticos, ele tem de receber o crédito por disseminar e popularizar a mensagem contida em *Quantum Praedecessores*. Nascido na Borgonha por volta de 1090, juntou-se a uma comunidade de monges beneditinos recém-formada em Cîteaux quando tinha 23 anos e desfrutou de uma meteórica ascensão à proeminência. Após apenas dois anos, foi instruído a estabelecer em Claraval um novo monastério cisterciense (ou seja, seguidor dos princípios estabelecidos em Cîteaux), e sua fama rapidamente se espalhou pelo Oeste latino. Renomado como orador e ávido correspondente – trocava cartas frequentes com muitos dos grandes políticos e eclesiásticos de sua época –, Bernardo emergiu como uma das figuras mais ilustres do século XII.

A influência do abade cresceu paralelamente à da ordem cisterciense à qual ele pertencia. Fundada em 1098, esse novo movimento monástico se espalhou por toda a Europa, defendendo uma interpretação fundamentalista da regra beneditina – que ditava a vida monástica – e que estimulou uma nova atmosfera de austeridade e simplicidade. Os cistercienses passaram por um crescimento vertiginoso: de duas casas em 1113 a 353 por volta de 1151. Em meados do século XII, Cîteaux podia desafiar e até mesmo superar a influência de formas mais estabelecidas de monasticismo, como a de Cluny. Esta mudança ficou totalmente aparente nas origens de cada papa, pois enquanto Urbano II tinha origem cluniacense, Eugênio III havia sido monge em Claraval antes de sua eleição para o trono papal.[100]

Bernardo pregou sobre a cruzada pela primeira vez durante a grande assembleia na Semana Santa, em Vézelay, no ano de 1146. O local do encontro, planejado em conjunto pelo papado e pela monarquia francesa para relançar a expedição, não foi por acaso. Aninhada no coração dos monasticismos cluniacense e cisterciense borgonhês, Vézelay era o lugar perfeito para um comício de recrutamento. Já intimamente associada com a prática da peregrinação como um dos pontos de partida para a jornada para Santiago de Compostela, a cidade também abrigou uma magnífica igreja abacial dedicada a Santa Maria Madalena.

A dimensão do encontro em Vézelay não tinha precedentes. Enquanto o conselho de Clermont em 1095 foi, em grande parte, um evento eclesiástico, em 1146 a fina flor da nobreza do noroeste da Europa compareceu em peso. O rei franco Luís VII apareceu com sua bela e voluntariosa esposa Leonor, herdeira de Aquitânia, um ducado imensamente poderoso. Os dois se casaram em 1137, quando ela tinha quinze anos de idade e ele estava prestes assumir o trono (aos dezessete), mas o calor inicial do casamento foi de certa forma arrefecendo à medida que crescia a religiosidade do rei. Tomada por uma notável sede de viver, Leonor acompanhou Luís na cruzada, apesar de serem falsas as histórias que viriam a circular posteriormente, segundo as quais ela teria liderado um exército de amazonas.

O irmão do rei, Roberto, conde de Dreux, também estava presente em Vézelay, bem como uma série de outros potentados francos, muitos dos quais tinham ligações históricas com a cruzada. Entre esses estavam o conde Thierry de Flandres, que provavelmente já havia feito uma peregrinação a Jerusalém no final da década de 1130, e o conde Afonso-Jordão de Toulouse, filho do líder cruzado Raimundo e parente de governadores latinos de Trípoli. Os grandes grupos de nobres foram acompanhados por tamanha turba que a assembleia teve de ser feita fora dos confins da igreja abacial. Do ponto de vista vantajoso de uma plataforma de madeira construída às pressas, Luís e Bernardo fizeram discursos empolgantes e apaixonados no Domingo de Páscoa. A roupa do rei da França já estava brasonada com uma cruz enviada para ele pelo papa e, de acordo com uma testemunha, quando o abade terminou seu comovente discurso, "todo mundo começou a gritar pelas cruzes. Quando Bernardo distribuiu, ou talvez devamos dizer semeou, o monte de cruzes que ele havia preparado, foi forçado a rasgar suas roupas e distribuir ao povo". O clamor parece ter sido tamanho que o palco de madeira desabou, apesar de, por sorte, ninguém ter se machucado (o que por si só foi interpretado como um sinal de proteção divina).

Vézelay foi um enorme sucesso, promovendo um contagiante senso de entusiasmo e animação, mas mesmo assim, para a cruzada alcançar seu pleno potencial, o chamado às armas precisava ser veiculado para um público ainda maior. Tendo isso em mente, Bernardo tomou uma série de medidas. Pregadores adicionais foram convocados para espalhar a palavra por toda a França, enquanto dezenas de cartas exaltando as virtudes da cruzada foram enviadas para outras regiões, incluindo Inglaterra, norte da Itália e Bretanha. Nessas missivas, o abade quase adotou a linguagem de um comerciante para promover a cruzada. Em uma delas a expedição era caracterizada como uma oportunidade única para superar o pecado: "A era atual é como nenhuma outra na história; uma nova abundância de misericórdia divina vem dos céus; abençoados são aqueles que estão vivos neste ano para agradar ao Senhor, este ano de remissão (...). Digo-vos, o Senhor não fez isto por nenhuma geração anterior". Outra carta encorajava os cristãos a "não deixar passar a chance de lutar por Deus e, por conseguinte, ser pago com a remissão de seus pecados e com a glória sempiterna".[101]

Enquanto isso, apesar de estar com mais de cinquenta anos e fisicamente frágil, o próprio Bernardo embarcou em uma prolongada excursão ao nordeste da França, Flandres e Alemanha, gerando ondas de recrutamento em todos esses lugares. Em novembro de 1146, o abade encontrou Conrado III, rei da Alemanha, alegadamente o governante secular mais poderoso de toda a cristandade latina. Com cerca de cinquenta anos de idade, ele ainda não havia sido coroado pelo papa, estando, portanto, incapaz de reivindicar o título de imperador, desfrutado por seus predecessores, mas aparentemente era apenas uma questão de tempo para essa honraria lhe ser conferida. Durante a Primeira Cruzada, Roma e Alemanha haviam se envolvido em uma disputa acrimoniosa que pôs em xeque qualquer esperança de envolvimento imperial direto na expedição. Porém, em meados do século XII, as relações entre os dois poderes melhoraram consideravelmente. Conrado havia se mostrado um aliado papal sincero e valioso, sobretudo contra a agressão normanda siciliana na Itália; ele também havia demonstrado afinidade pela Terra Santa, tendo provavelmente visitado o Levante nos anos 1120. Não obstante, Conrado inicialmente relutou em aceitar a cruz, ciente de que, em sua ausência, rivais políticos – como a família Welf, do duque da Baviera – poderiam tentar tomar o poder. Em seu primeiro encontro em Frankfurt, o rei então declinou quando Bernardo sugeriu que ele se alistasse.

A resposta do abade foi se lançar em uma vigorosa campanha de pregação de inverno, fazendo sermões em lugares como Freiburg, Zurique e Basileia. Diziam que sua jornada foi acompanhada por uma variedade de milagres – mais de duzentos aleijados teriam sido curados, demônios teriam sido expulsos e um indivíduo teria até voltado dos mortos; apesar de Bernardo não falar alemão, e ter de discursar com a ajuda de um intérprete, suas palavras foram capazes de levar o público às lágrimas. Entre novembro e dezembro, centenas, ou talvez milhares, se comprometeram com a causa. Certamente não foi coincidência essa jornada ter levado o abade ao sul da Alemanha, território vizinho ao domínio da família Welf da Baviera, e nem ter culminado com o comprometimento do próprio duque de Welf com a cruzada.

Estimulado por essa conquista, Bernardo se reuniu a Conrado em Speyer em 24 de dezembro. No decorrer daquele Natal, o abade fez um sermão público e então, em 27 de dezembro, foi-lhe concedida uma audiência privada com o rei. No dia seguinte, Conrado finalmente aceitou a cruz. Historiadores continuam a discutir o nível de influência exercida por Bernardo nesse momento crítico, alguns argumentando que ele efetivamente incitou o rei a se juntar à cruzada contra sua vontade, enquanto outros defendem que a decisão de Conrado foi longamente premeditada. De fato, contemporâneos descreveram como o abade misturou sua costumeira gentileza com advertências funestas sobre um apocalipse iminente para convencer o rei, mas provavelmente foi o recrutamento de Welf da Baviera que se mostrou decisivo.

Não obstante esse debate, Bernardo de Claraval ainda tinha de ser considerado como força principal por detrás da pregação da Segunda Cruzada. O próprio abade comentou que, através de seus esforços, os exércitos latinos haviam se multiplicado "além do esperado", e que havia quase um homem para cada sete mulheres deixadas nos povoados pelos quais ele passou. Havia, contudo, outros indivíduos e influências atuando nesse período. As noções de memória e herança familiar enfatizadas no *Quantum Praedecessores* evidentemente haviam causado um impacto no recrutamento. Luís VII tinha ligação sanguínea com a Primeira Cruzada – seu tio-avô, Hugo de Vermandois, havia participado da expedição. Análises de outros conhecidos por terem se juntado à Segunda Cruzada revelam que muitos tinham semelhantes linhagens em comum.[102]

Devido à natureza medieval da evidência textual – que foi normalmente tomada na forma de documentos escritos por clérigos –, a imagem sobrevivente dominante da cruzada tende a ser intrinsecamente colorida por uma perspectiva eclesiástica. De modo geral, historiadores que desejam reconstruir a história dessa época acabam se baseando, por necessidade, em escritos de clérigos e monges. E essas fontes estão sujeitas a evidentes caprichos de preconceito e omissão. Porém, os cruzados envolveram a Igreja e a laicidade, então como pode a perspectiva secular de cavaleiros e soldados ser aferida? Um caminho compensador é o estudo de canções populares cantadas, não em latim, mas nas línguas vulgares. Essas canções quase certamente desempenhavam um papel importante para inflamar o recrutamento e o moral desde o começo da era das cruzadas, mas as primeiras letras a sobreviver datam da década de 1140. Uma delas era a velha canção francesa "Cavaleiros, muitas são as promessas", recitada por trovadores da corte (*troubadours*), nos meses seguintes à assembleia de Vézelay. O refrão e o primeiro verso eram assim:

> Quem ao rei Luís acompanhar
> Jamais o inferno temerá,
> Sua alma para o paraíso seguirá
> Onde os anjos do Senhor se encontram a habitar.

> Edessa foi tomada, como sabem,
> E os cristãos longa e amargamente sofreram.
> Agora as igrejas de lá estão vazias,
> E entre as massas não há mais cantorias.
> Ó, cavaleiros, que isto devem considerar,
> Vocês que nas armas dão o que falar,
> E então que cada um se mostre pessoalmente oferecido
> Em nome daquele que por vocês foi com espinhos coroado.

Esse raro vislumbre de canção laica celebrando e promovendo a cruzada enfatiza algumas das mensagens inerentes à pregação clerical: a promessa de recompensas espirituais; o sofrimento da cristandade do leste; lutar em serviço e imitação de Cristo. Mas a linguagem era mais direta, e as nuances, diferentes. Luís VII foi identificado como o líder central, sem menção ao papa. As complexidades da indulgência foram substituídas por uma garantia direta de um lugar no "paraíso". E, em outro verso, Zengui foi nomeado como o principal inimigo do empreendimento. Apesar de a Igreja utilizar o *Quantum Praedecessores* e o abade Bernardo propagar o chamado às armas, o laicato era nitidamente capaz de moldar sua própria visão da Segunda Cruzada.[103]

EXPANDINDO O IDEAL

A perda de Edessa provocou a Segunda Cruzada e, em 1147, os maiores exércitos comandados por Luís VII da França e Conrado III da Alemanha se prepararam para lutar no Levante. Mas o alcance da atividade cruzada no final dos anos 1140 não se limitava ao Oriente Próximo, pois nesse período as tropas latinas se engajaram em guerras santas semelhantes na Libéria e no Mar Báltico. Para alguns, era como se todo o Ocidente tivesse pegado em armas em uma cruzada pan-europeia. Até o papa Eugênio III escreveu, em abril de 1147, que "tamanha multidão de fiéis de diversas regiões que se preparam para lutar contra os infiéis (...) quase toda a cristandade está sendo convocada para essa grande tarefa". Duas décadas depois, o cronista latino Helmond de Bosau (na região costeira alemã próxima ao mar Báltico) aparentemente reforçava esta perspectiva ao escrever que "para os iniciadores da expedição, uma parte do exército devia ser enviada para a (Cidade Sagrada), outra parte para a Espanha, e a terceira parte deveria combater os eslavos que viviam perto de nós". Alguns contemporâneos então apresentaram a Segunda Cruzada como uma empreitada única e grandiosa, moldada e dirigida por seus visionários "iniciadores", o papa Eugênio e o abade de Claraval. Em décadas recentes, historiadores modernos têm apoiado esse conceito para sugerir que o extraordinário alcance do empreendimento das cruzadas entre 1147 e 1149 resultou de planejamento consciente e proativo por parte da Igreja Romana. De acordo com essa narrativa dos eventos, o papado tinha o poder de moldar e definir a cruzada, e foi tão somente a força elementar da pregação da Segunda Cruzada – a sofisticação por encomenda da mensagem do

Quantum Praedecessores e o carisma inspirador de Bernardo – que estimulou uma quantidade sem paralelo de atividade cruzada em novos cenários após 1146.

A luta na Ibéria e no Báltico talvez não tenham influenciado de modo imediato a guerra pela Terra Santa além de algum redirecionamento de homens e recursos. Mas as consequências dessa interpretação da Segunda Cruzada são fundamentais e de longo alcance, pois afetam a futura dimensão e a natureza da guerra santa cristã. Duas questões são imperativas. A Igreja Romana realmente tomou a iniciativa vital de expandir a cruzada como parte de um projeto premeditado, ou esse desenvolvimento foi mais acidental? E, por extensão, o papa estava realmente no controle do movimento cruzado em meados do século XII?

A concepção de que as guerras travadas fora do Levante deviam ser santificadas certamente não era sem precedentes e, entre 1147 e 1149, outras zonas de conflito foram, sem dúvida, atraídas para o âmbito da Segunda Cruzada. No verão de 1147, cristãos saxões e dinamarqueses lutaram como cruzados contra seus vizinhos pagãos, os Wend, na região báltica do noroeste europeu. O impacto da Segunda Cruzada foi ainda mais poderosamente sentido na Ibéria. Uma frota de cerca de duzentos navios, com cruzados de Inglaterra, Flandres e Renânia, zarpou para o Levante partindo de Dartmouth em maio de 1147. Esses navios pararam *en route* em Portugal, e lá ajudaram o rei cristão Afonso Henriques a conquistar Lisboa dos muçulmanos em 24 de outubro. O rei Alfonso VII, de Leão e Castela, propôs outra ofensiva cristã, com ajuda genovesa que desfrutou do *status* de cruzada. Isto culminou na captura de Almería, no extremo sudeste da Espanha, em outubro de 1147, e de Tortosa, no noroeste, em dezembro de 1148.

As tropas cristãs estavam lutando sob a insígnia cruzada em múltiplas frentes no final da década de 1140, mas é equivocada a ideia de que essas vertentes discrepantes estariam interligadas em uma só empreitada como parte de um plano abrangente e premeditado. O ramo báltico da Segunda Cruzada na verdade foi resultado da ação da Igreja, que sobrepôs a concepção da cruzada sobre um conflito preexistente. Na assembleia de Frankfurt, em março de 1147, uma delegação saxã indicou a Bernardo de Claraval que estavam relutando profundamente em ir para a Terra Santa. Esses guerreiros estavam dispostos a lutar mais perto de casa contra seus vizinhos pagãos, os Wend. O abade percebeu que os saxões não podiam ser persuadidos a participar da principal expedição ao Oriente Próximo, mas Bernardo ainda estava disposto a estender o poder e a influência papal sobre os eventos do Leste Europeu. Assim, ele projetou a campanha báltica para dentro da esfera cruzada, prometendo a seus participantes "os mesmos privilégios espirituais dos que foram para Jerusalém", e em abril de 1147 o papa Eugênio lançou uma encíclica confirmando essa concessão.

Os elementos ibéricos da Segunda Cruzada também precisavam ser reavaliados. A contribuição cruzada para a tomada de Lisboa foi quase certamente resultado de uma decisão não planejada de parar para lutar em Portugal. As campanhas contra Almería e Tortosa aparentemente foram apropriadas para a causa. Participantes catalães, do sul da França e genoveses de fato pareciam se considerar engajados em uma guerra santa com alguns paralelos com a Primeira Cruzada. Mas não existe prova concreta do envolvimento papal no planejamento ou instigação dessas guerras, e é bem provável que elas tenham sido concebidas e praticadas por governadores seculares cristãos da Ibéria. O endosso papal a essas empreitadas, que se deu em abril de 1148, foi quase uma reflexão tardia, projetada para trazer a Espanha para debaixo do guarda-chuva cruzado.

Os acadêmicos modernos aceitaram rápido demais a ideia de que a Segunda Cruzada foi uma expressão da habilidade papal de se expandir e dirigir o movimento cruzado. Na verdade, os eventos do final da década de 1140 sugerem que Eugênio, Bernardo e a cúria romana ainda estavam tendo dificuldades para dominar e controlar essa forma de guerra santa, mesmo enquanto procuravam afirmar a primazia de Roma no contexto da cristandade latina.[104]

O TRABALHO DOS REIS

A concepção da Segunda Cruzada foi especialmente notável em um aspecto a mais. Até esse ponto, expedições cruzadas haviam sido conduzidas no campo por nobres de proeminência – condes, duques e príncipes – vindos das altas rodas da sociedade latina, mas nenhum monarca ocidental tomou a cruz.[h] A decisão do rei Luís VII da França e do rei Conrado III da Alemanha de atender ao chamado às armas do *Quantum Praedecessores* estabeleceu então um importante precedente, acrescentando uma nova e duradoura dimensão à cruzada. As consequências imediatas foram notáveis. O recrutamento fluiu em parte através do poder do endosso e do exemplo da realeza, e também devido à natureza hierárquica da sociedade medieval, que impulsionou uma reação em cadeia de alistamento. O envolvimento da coroa também contribuiu com recursos materiais empregados em nome da cruz, pelo menos até certo ponto. Uma recente onda de colheitas ruins no Oeste Europeu significou que até homens da estatura de Luís e Conrado tiveram de lutar para fazer frente a todas as demandas financeiras de uma campanha tão longa e comprometida. Nenhum dos dois parece ter conseguido impor taxas gerais dentro de seus respectivos reinos, então procuraram levantar dinheiro com cidades e igrejas, mas isso se mostrou apenas parcialmente bem-sucedido e, a semanas da partida, o monarca franco estava com pouco dinheiro.

A participação da realeza veio com um preço considerável. No passado, a maioria dos cruzados havia procurado arranjar suas questões antes de partir, mas as múltiplas complexidades que envolviam o evento de um rei abandonar seu reino por meses, talvez anos, tinha o potencial de aumentar enormemente o alcance e a duração dessas preparações. Em 1147, regentes foram nomeados para proteger o trono e supervisionar o governo cotidiano, a lei, a ordem econômica: na França, o abade Suger de Saint-Denis, aliado capetíngio de longa data e tutor de Luís na infância, foi o escolhido; e na Alemanha, Henrique, filho de dez anos de idade de Conrado, foi nomeado seu herdeiro, e o reino, confiado a um líder clerical, o abade Wibaldo de Corvey e Stavelot.

A natureza turbulenta da política medieval europeia também significava que o envolvimento da coroa na cruzada se aprofundou e estendeu o potencial de um antagonismo danoso entre os contingentes. A tensão entre o norte e o sul da França por si só já quase estagnou a Primeira Cruzada. Enquanto um senso inato de identidade nacional ainda precisava

---

h   Sigurdo da Noruega, que fez campanha no Levante em 1110, era rei, mas compartilhava o trono norueguês com dois irmãos.

fazer efeito em ambos os reinos, em 1147, tropas da França e da Alemanha de fato viajaram para a Terra Santa em exércitos distintos liderados por seus respectivos monarcas. As suspeitas e a rivalidade internacional de longa data podiam facilmente ter minado a expedição. Para começar, pelo menos, os dois poderes exibiam sinais definitivos de cooperação, coordenação e comunicação. Luís se reuniu com os representantes de Conrado para discutir as preparações, na presença de Bernardo de Claraval, em um encontro em Châlons-sur-Marne em 2 de fevereiro de 1147. Os franceses e os alemães então fizeram assembleias de planejamento separadas em Étampes e Frankfurt.

A presença desses dois reis na cruzada também ameaçava romper o delicado equilíbrio diplomático que reinava na cristandade latina em meados do século XII. Essa questão foi de grande preocupação em relação a Rogério II da Sicília, chefe de um formidável reino ao sul da Itália normanda que estava rapidamente se tornando um dos grandes poderes do Mediterrâneo. Nos anos 1140, o papado e Bizâncio foram diretamente ameaçados pelas políticas expansionistas de Rogério e, portanto, procuraram seu aliado mútuo, a Alemanha, para conter a agressão siciliana. A decisão de Conrado de se juntar à cruzada ameaçou romper essa teia de interdependência, expondo Roma e Constantinopla a um ataque. As coisas se complicaram ainda mais com as relações relativamente amigáveis de Luís VII com o rei Rogério, um fato que desconcertava Eugênio III e fazia com que os gregos temessem um plano de invasão franco-siciliano. Manuel Comneno – que havia agora assumido o controle de Bizâncio – enviou emissários para Luís VII e Conrado III em uma tentativa de abrir caminho para uma colaboração pacífica com a cruzada, mas as dúvidas permaneciam na mente do imperador e o papa também devia estar relutante em ver Conrado deixar a Europa.

A diplomacia da realeza também teve um impacto prático na rota tomada pela expedição. Considerando-se o estado da tecnologia naval ocidental nos anos 1140, zarpar em direção ao Levante com a cruzada inteira talvez tenha sido impraticável. Não obstante, Rogério II se ofereceu para levar tropas francesas para o leste, mas no final isso foi recusado devido à tensão entre a Sicília e Bizâncio como ocorrido na Primeira Cruzada. Assim, a maioria da expedição de 1147 se preparou para tomar o rumo do

Oriente Próximo por via terrestre, passando por Constantinopla e atravessando a Ásia Menor. Isso levaria a graves consequências.

Ainda havia mais uma questão: como dois dos líderes mais poderosos da cristandade latina iriam interagir com os governantes dos Estados cruzados? Será que Luís e Conrado se deixariam comandar por um príncipe de Antioquia, um conde de Edessa ou mesmo um rei de Jerusalém? Ou será que os monarcas franceses e alemães seguiriam mantendo sua própria independência, com suas ambições e pautas potencialmente conflitantes?

Por mais notáveis que fossem, os efeitos de curto prazo ou imediatos do envolvimento de Luís e Conrado na expedição de 1146 a 1149 não são nada em comparação com o significado histórico mais amplo da união entre os cruzados e a realeza medieval. Ambos seriam transformados por esse relacionamento íntimo, muitas vezes desconcertante, ao longo das décadas e séculos seguintes. O Ultramar e a cristandade ocidental estavam sujeitos aos mesmos problemas e possibilidades – fortuna concedida, recursos e homens; mas ainda assim paralisados pela desunião e prejudicados pela falta de ideais compartilhados. Cruzadas com a participação de reis se mostraram laboriosas e até mesmo inertes para com as necessidades do Oriente Próximo, e sempre foram capazes de desestabilizar as políticas europeias. Ao mesmo tempo, o ideal de guerra santa começou a influenciar a prática da realeza por todo o Oeste latino. O comprometimento com a causa cruzada se tornou um dever essencial para governantes cristãos, uma obrigação religiosa que servia para confirmar suas qualidades marciais, mas que também tinha de ser administrada junto com os negócios governamentais.[105]

A CAMINHO DA TERRA SANTA

Desfrutando agora de mais segurança em Roma, o papa Eugênio III foi a Paris na Páscoa de 1147 para supervisionar os preparativos finais para a Segunda Cruzada. Naquele mês de abril, um grupo de cerca de cem cavaleiros templários também se juntou ao exército cruzado. Em 11 de junho de 1147, o papa, junto a seu mentor, o abade Bernardo, comandou uma cerimônia pública profundamente encenada na grandiosa igreja de Saint-Denis, distante poucos quilômetros ao norte de Paris, na qual Luís fez uma partida dramática e ritualizada para a Terra Santa. Esse encontro encapsulou a nova dimensão real da cruzada, mas também oferece uma autêntica percepção do nascente senso religioso e pessoal do jovem rei. A caminho do encontro em Saint-Denis, Luís decidiu que tinha de fazer uma turnê de improviso de duas horas ao leprosário local como demonstração de sua subserviência a Deus, deixando tanto sua glamourosa esposa, Leonor de Aquitânia, como o papa literalmente esperando no altar. Dizem que a rainha estava quase "desmaiando de emoção e calor".

Quando Luís finalmente chegou a Saint-Denis, silenciosos grupos de nobres, apinhados em fileiras, observaram perplexos enquanto "ele humildemente se prostrou no chão e adorou seu santo patrono, Denis". O papa presenteou o rei com seu bordão e alforje de peregrino, e Luís então levantou a antiga *Auriflama*, que acreditavam ter sido o estandarte de batalha de Carlos Magno, o próprio símbolo da monarquia francesa. Em dado momento, essa atuação apaixonada enviou uma sucessão de mensagens poderosas entrelaçadas: a cruzada era um ato de genuína devoção cristã; Luís era um rei verdadeiramente régio, e a Igreja Romana estava no centro do movimento cruzado.[106]

Os principais exércitos da Segunda Cruzada começaram suas jornadas no começo do verão de 1147. A intenção deles era recriar as glórias da Primeira Cruzada, viajando para o leste por terra atravessando Bizâncio e a Ásia Menor. Após a cerimônia em Saint-Denis, Luís saiu de Metz com os franceses; Conrado III, já tendo reunido suas forças alemãs em Regensburg, partiu em maio. Essas partidas cambaleantes foram aparentemente coordenadas de propósito, talvez como resultado dos planos decididos em Châlons-sur-Marne, cujo objetivo era permitir que ambos os contingentes seguissem a mesma rota para Constantinopla – através da Alemanha e da Hungria – sem exaurir os recursos locais. Mas, apesar dessa promessa inicial de cooperação e de todos os sonhos cuidadosamente nutridos de reviver explorações e conquistas do passado, a tentativa de alcançar a Terra Santa se mostrou um desastre quase impossível de mitigar.

Em grande parte isso se deu devido ao fracasso em colaborar efetivamente com o Império Bizantino. Meio século antes, Aleixo I Comneno ajudou a desencadear a Primeira Cruzada e então conseguiu aproveitar sua força para reconquistar o oeste da Ásia Menor. Em 1147, a posição e a perspectiva de seu neto, o imperador Manuel, eram consideravelmente diferentes. Manuel não tinha nenhum interesse em convocar esta nova expedição latina e sofreu perda de poder e influência agora que a expedição estava acontecendo. No Ocidente, a ausência de Conrado III liberou Rogério da Sicília para atacar o território grego, e a ideia de ter dois exércitos francos marchando pelo império, passando pela própria Constantinopla, horrorizou Manuel. Enquanto isso, ao leste, a nova cruzada parecia pronta para revitalizar Ultramar, decorrente do recente ressurgimento da autoridade bizantina no norte da Síria; uma preocupação que foi apenas exacerbada pelas ligações de família do rei Luís VII com o príncipe Raimundo de Antioquia. Para Manuel, a Segunda Cruzada era uma ameaça preocupante. Quando os exércitos franceses abordaram o império, as preocupações do imperador se aprofundaram tanto que ele decidiu defender sua fronteira ao leste ao concordar com uma trégua temporária com Ma'sud, o sultão seljúcida de Anatólia. Para os gregos, este era um passo lógico que permitia que Manuel se concentrasse nas milhares de tropas latinas se aproximando de suas fronteiras ocidentais. Mas quando souberam do acordo, muitos cruzados o entenderam como um ato de traição.

Os problemas começaram tão logo os francos cruzaram o Danúbio e entraram no império. O grande e pesado exército de Conrado marchou de forma indisciplinada para o sudeste, passando por Filipópolis e Adrianópolis, em um trajeto pontuado por surtos de pilhagem e conflito com tropas gregas. Desesperado para salvaguardar sua capital, Manuel correu para instigar os alemães a atravessar o Bósforo. Inicialmente, o avanço do pequeno contingente franco se deu mais pacificamente. Contudo, quando acamparam nos arredores de Constantinopla, os francos se tornaram cada vez mais beligerantes. As notícias do novo pacto de Manuel com Ma'sud foram recebidas com horror, escárnio e arraigada desconfiança. Godofredo, bispo de Langres, um dos clérigos líderes da cruzada, chegou a tentar incitar um ataque direto a Constantinopla, estratégia rejeitada pelo rei Luís. O imperador de fato forneceu guias aos cruzados, mas até eles aparentemente ofereceram apenas assistência limitada.

Sem contar com pleno apoio de Bizâncio, os latinos precisavam acima de tudo reunir suas próprias forças contra o Islã assim que chegassem à Ásia Menor. Infelizmente, a coordenação entre os contingentes franco e alemão se rompeu no outono de 1147. Conrado tomou a nada sábia decisão de avançar sem Luís no final de outubro, marchando de seu ponto de paragem em Niceia em direção a um cenário árido e inóspito, controlado mal e parcamente pelos gregos. O plano era, mais uma vez, seguir uma rota semelhante à dos primeiros cruzados, mas os seljúcidas de Anatólia estavam mais bem preparados do que em 1097. A coluna alemã, desacostumada às táticas de batalha muçulmanas, logo sofreu repetidos e arrasadores ataques de bandos de turcos montados, esquivos e velozes. Passando por Dorileia em marcha manca, com perdas se acumulando e suplementos se esvaindo, os cruzados finalmente decidiram retornar. Quando recuavam para Niceia no começo de novembro, milhares haviam perecido e até mesmo o rei Conrado fora ferido. O moral estava esfacelado. Muitos dos sobreviventes desgrenhados tentaram diminuir as perdas seguindo de volta para a Alemanha.

Castigado, Conrado juntou forças com os franceses, que a essa altura haviam cruzado o Bósforo, para tentar um segundo avanço. Tiveram sucesso traçando uma rota diferente pelo sul em direção à antiga metrópole romana de Éfeso, onde o surgimento de doenças forçou o rei alemão a ficar para trás. No final de dezembro, com a chuva e a neve caindo, Luís abandonou o litoral, deixando o exército ao longo do Vale Meander em direção às terras altas de Anatólia. No começo, a disciplina militar conseguiu conter a situação e as primeiras ondas de ataques seljúcidas foram repelidas, mas por volta de 6 de janeiro de 1148 os cruzados se desestruturaram enquanto tentavam atravessar o imponente obstáculo físico que era o Monte Cadmus e sofreram um amargo ataque turco. As perdas foram pesadas e o próprio Luís foi cercado, escapando por pouco ao se refugiar em uma árvore. Abalado pela experiência, o rei agora pediu aos cavaleiros templários que se juntassem ao seu exército na volta para a França liderando os sobreviventes em uma marcha estritamente controlada do sul para o leste para o porto de Adália, controlado pelos gregos – uma decisão que ilustra tanto a situação periclitante dos cruzados quanto a reputação marcial já conquistada pela Ordem dos Templários. Luís depois enviou uma carta para o abade de Saint-Denis relembrando esses dias sombrios: "Havia emboscadas constantes de bandidos, graves dificuldades para viajar, batalhas diárias com os turcos... Nós mesmos vivíamos em constante perigo de vida, mas com a graça de Deus nos libertamos de todos esses horrores e conseguimos escapar". Exaustos e famintos, os franceses alcançaram a costa por volta de 20 de janeiro. Foi cogitado marchar adiante, mas Luís acabou decidindo zarpar para a Síria com uma parte de seu exército. Os que ficaram para trás tiveram a promessa de apoio bizantino, mas a maioria morreu de fome ou em algum dos ataques turcos. O rei franco chegou a Antioquia em março de 1148. Enquanto isso, após recuperar Constantinopla, Conrado também decidiu completar sua jornada ao leste por mar e navegou para Acre.

Os segundos cruzados que tomaram o rumo por terra para o Oriente Próximo, orgulhosamente esperando emular o heroísmo de seus antepassados, acabaram esmagados; milhares foram perdidos em combate por fome ou desertaram. A expedição fora arrasada antes mesmo de chegar à Terra Santa. Muitos culparam os gregos por esse terrível revés, nivelando acusações de traição e deslealdade. Mas, apesar de Manuel de fato ter oferecido a Luís e Conrado apenas um apoio limitado, foi a própria imprudência dos latinos perante a intensificada agressão turca que precipitou o desastre. Tanto os alemães quanto os franceses estavam cercados e ignominiosamente derrotados, levando Guilherme de Tiro a concluir que os cruzados que uma vez tiveram "gloriosa reputação por sua bravura" agora jaziam em farrapos. "Doravante", ele escreveu, "passou a ser nada mais que uma piada aos olhos daquelas pessoas impuras a quem um dia aterrorizaram". Luís e Conrado haviam finalmente chegado ao Levante; a questão agora era se suas forças tão enfraquecidas poderiam ter esperança de conquistar qualquer resultado relevante e reacender a chama cruzada.[107]

NOTAS

1   Apesar do significado histórico deste discurso, não sobreviveu nenhum registro preciso das palavras de Urbano. Numerosas versões de sua fala, inclusive três, feitas por testemunhas oculares foram escritas depois do fim da Primeira Cruzada, mas todas coloridas por uma visão em retrospectiva do papa e nenhuma pode ser considerada abalizada. Não obstante, comparando esses relatos com referências à "cruzada" em cartas escritas pelo papa em 1095-6, os traços principais de sua mensagem podem ser reconstruídos. Para as fontes primárias do relato sobre o sermão do papa Urbano II em Clermont, ver: Fulcher of Chartres, *Historia Hierosolymitana (1095-1127)*, ed. H. Hagenmeyer (Heidelberg, 1913), pp. 130-38; Robert the Monk, *Historia Iherosolimitana*, *RHC Occ.* III, pp. 727-30; Guibert of Nogent, *Dei gesta per Francos*, ed. R. B. C. Huygens, *Corpus Christianorum, Continuatio Mediaevalis*, 127A (Turnhout, 1996), pp. 111-17; Baldric of Bourgueil, bishop of Dol, *Historia Jerosolimitana*, *RHC Occ.* IV, pp. 12-16. Para as cartas escritas por Urbano no período da Primeira Cruzada, ver: H. Hagenmeyer, *Die Kreuzzugsbriefe aus den Jahren 1088-1100* (Innsbruck, 1901), pp. 136-8; 'Papsturkunden in Florenz', ed. W. Wiederhold, *Nachrichten von der Gesellschaft der Wissenschaften zu Göttingen*, Phil.-hist. Kl. (Göttingen, 1901), pp. 313-14; *Papsturkunden in Spanien. I Katalonien*, ed. P.F. Kehr (Berlim, 1926), pp. 287-8. Na English translation of these accounts and letters is given in: L. and J.S.C. Riley-Smith, *The Crusades: Idea and Reality, 1095-1274* (Londres, 1981), pp. 37-53.

2   Sobre o papa Urbano II e o sermão de Clermont ver: A. Becker, *Papst Urban II. (1088-1099), Schriften der Monumenta Germaniae Historica 19*, 2 vols. (Stuttgart, 1964-88); H. E. J. Cowdrey, 'Pope Urban II's preaching of the irst Crusade', *History*, vol. 55 (1970), pp. 177-88; P. Cole, *The Preaching of the Crusades to the Holy Land, 1095-1270* (Cambridge, Mass., 1991), pp. 1-36; J. S. C. Riley-Smith, *The First Crusaders, 1095-1131* (Cambridge, 1997), pp. 60-75. Mais em geral sobre a pregação e o progresso da Primeira Cruzada, ver: J. S. C. Riley-Smith, *The First Crusade and the Idea of Crusading* (Londres, 1986); J. France, *Victory in the East: A Military History of the First Crusade* (Cambridge, 1994); J. Flori, *La Première Croisade: L'Occident chrétien contre l'Islam* (Bruxelas, 2001); T. Asbridge, *The First Crusade: A New History* (Londres, 2004). Para um relato datado e não muito confiável, mas bastante vivo, ver: S. Runciman, 'The First Crusade and the foundation of the kingdom of Jerusalem', *A History of the Crusades*, vol. 1 (Cambridge, 1951). As fontes primárias para a reconstrução da história da Primeira Cruzada são: *Gesta Francorum et aliorum Hierosolimitanorum*, ed. and trans. R. Hill (Londres, 1962); Fulcher of Chartres, *Historia Hierosolymitana (1095-1127)*, ed. H. Hagenmeyer

(Heidelberg, 1913); Raymond of Aguilers, *Le 'Liber' de Raymond d'Aguilers*, ed. J. H. Hill and L. L. Hill (Paris, 1969); Peter Tudebode, *Historia de Hierosolymitano itinere*, ed. J. H. Hill and L. L. Hill (Paris, 1977); Caffaro di Caschifellone, 'De liberatione civitatum orientis', ed. L. T. Belgrano, *Annali Genovesi*, vol. 1 (Genoa, 1890), pp. 3-75; Ekkehard of Aura, 'Hierosolimita', *RHC Occ.* V, pp. 1-40; Ralph of Caen, *Gesta Tancredi in expeditione Hierosolymitana*, *RHC Occ.* III, pp. 587-716; *Historia Belli Sacri*, *RHC Occ.* III, pp. 169-229; Albert of Aachen, *Historia Iherosolimitana*, ed. and trans. S. B. Edgington (Oxford, 2007); H. Hagenmeyer, *Die Kreuzzugsbriefe aus den Jahren 1088-1100* (Innsbruck, 1901); Anna Comnena, *Alexiade*, ed. and trans. B. Leib, 3 vols. (Paris, 1937-76), vol. 2, pp. 205-36, vol. 3, pp. 7-32; Ibn al-Qalanisi, *The Damascus Chronicle of the Crusades, extracted and translated from the Chronicle of Ibn al-Qalanisi*, trans. H. A. R. Gibb (Londres, 1932), pp. 41-9; Ibn al-Athir, *The Chronicle of Ibn al-Athir for the crusading period from al-Kamil fi'l-Ta'rikh*, trans. D. S. Richards, vol. 1 (Aldershot, 2006), pp. 13-22; Matthew of Edessa, *Armenia and the Crusades, Tenth to Twelfth Centuries: The Chronicle of Matthew of Edessa*, trans. A. E. Dostourian (Lanham, 1993), pp. 164-73. Para uma seleção de fontes traduzidas em inglês, ver: E. Peters (ed.), *The First Crusade: The Chronicle of Fulcher of Chartres and other source materials*, 2nd ed (Philadelphia, 1998). Para uma introdução sobre essas fontes, ver: S. B. Edgington, 'The First Crusade: Reviewing the Evidence', *The First Crusade: Origins and Impact*, ed. J. P. Phillips (Manchester, 1997), pp. 55-77. Ver também: S. D. Goitein, 'Geniza Sources for the Crusader period: A survey', *Outremer*, ed. B. Z. Kedar, H. E. Mayer and R. C. Smail (Jerusalem, 1982), pp. 308-12.

3   Fulcher of Chartres, pp. 132-3; Robert the Monk, p. 729; Guibert of Nogent, p. 113; Baldric of Bourgueil, p. 13.

4   Fulcher of Chartres, p. 134; Guibert of Nogent, p. 116; Hagenmeyer, *Kreuzzugsbriefe*, p. 136; Robert the Monk, pp. 727-8; B. Hamilton, 'Knowing the enemy: Western understanding of Islam at the time of the crusades', *Journal of the Royal Asiatic Society*, 3rd series, vol. 7 (1997), pp. 373-87.

5   Hagenmeyer, *Kreuzzugsbriefe*, p. 136; Fulcher of Chartres, pp. 134-5; Baldric of Bourgueil, p. 15; J. A. Brundage, 'Adhémar of Le Puy: The bishop and his critics', *Speculum*, vol. 34 (1959), pp. 201-12; J. H. Hill and L. L. Hill, 'Contemporary accounts and the later reputation of Adhémar, bishop of Le Puy', *Mediaevalia et humanistica*, vol. 9 (1955), pp. 30-38; H. E. Mayer, 'Zur Beurteilung Adhemars von Le Puy', *Deutsches Archiv für Erforschung des Mittelalters*, vol. 16 (1960), pp. 547-52. Urbano parece ter tecido uma variedade de temas adicionais em sua mensagem "cruzadista": que aquela batalha em nome do papado enquanto "soldado de Cristo", infligia obrigações quase feudais para com Deus, senhor do "Reino dos céus"; que juntar-se à expedição permitiria seguir os passos de Cristo, imitando o sofrimento da sua Paixão; que os últimos dias estavam se aproximando e que apenas a conquista de Jerusalém poderia inaugurar o que fora profetizado no Apocalipse.

6   Sobre Urbano como progenitor da cruzada, atitudes com relação ao martírio e o desenvolvimento do ideal cruzado, ver: C. Erdmann, *The Origin of the Idea of Crusade*

(Princeton, 1977); J. T. Gilchrist, 'The Erdmann thesis and canon law, 1083-1141', *Crusade and Settlement*, ed. P.W. Edbury (Cardiff, 1985), pp. 37-45; E. O. Blake, 'The formation of the "crusade idea"', *Journal of Ecclesiastical History*, vol. 21 (1970), pp. 11-31; H. E. J. Cowdrey, 'The genesis of the crusades: The springs of western ideas of holy war', *The HolyWar*, ed. T. P. Murphy (Columbus, 1976), pp. 9-32; J. Flori, *La formation de l'idée des croisades dans l'Occident Chrétien* (Paris, 2001); J. S. C. Riley-Smith, 'Death on the First Crusade', *The End of Strife*, ed. D. Loades (Edinburgh, 1984), pp. 14-31; H. E. J. Cowdrey, 'Martyrdom and the First Crusade', *Crusade and Settlement*, ed. P. W. Edbury (Cardiff, 1985), pp. 46-56; J. Flori, 'Mort et martyre des guerriers vers 1100. L'exemple de la Première Croisade', *Cahiers de civilisation médiévale*, vol. 34 (1991), pp. 121-39; C. Morris, 'Martyrs of the Field of Battle before and during the First Crusade', *Studies in Church History*, vol. 30 (1993), pp. 93-104; J. S. C. Riley-Smith, *WhatWere the Crusades?*, 3rd edn (Basingstoke, 2002); C. J. Tyerman, 'Were there any crusades in the twelfth century?', *English Historical Review*, vol. 110 (1995), pp. 553-77; C. J. Tyerman, *The Invention of the Crusades* (Londres, 1998).

7 Guibert of Nogent, p. 121; Anna Comnena, vol. 2, p. 207; E. O. Blake and C. Morris, 'A hermit goes to war: Peter and the origins of the First Crusade', *Studies in Church History*, vol. 22 (1985), pp. 79-107; C. Morris, 'Peter the Hermit and the Chroniclers', *The First Crusade: Origins and Impact*, ed. J. P. Phillips (Manchester, 1997), pp. 21-34; J. Flori, *Pierre l'Ermite et la Première Croisade* (Paris, 1999); Riley-Smith, *The First Crusade and the Idea of Crusading*, pp. 49-57; J. S. C. Riley-Smith, 'The First Crusade and the persecution of the Jews', *Studies in Church History*, vol. 21 (1984), pp. 51-72; R. Chazan, *European Jewry and the First Crusade* (Berkeley, 1987); Asbridge, *The First Crusade*, pp. 78-89, 100-103.

8 Esta estimativa tende para os cálculos feitos por J. France, *Victory in the East*, pp. 122-42. Para outras recentes contribuições sobre esta questão controversa, ver: B. Bachrach, 'The siege of Antioch: A study in military demography', *War in History*, vol. 6 (1999), pp. 127-46; Riley-Smith, *The First Crusaders*, p. 109; J. S. C. Riley-Smith, 'Casualties and the number of knights on the First Crusade', *Crusades*, vol. 1 (2002), pp. 13-28.

9 Guibert of Nogent, p. 87; J.H. and L.L. Hill, *Raymond IV, Count of Toulouse* (Syracuse, 1962).

10 William of Malmesbury, *Gesta Regum Anglorum*, vol. 1, ed. and trans. R. A. B. Mynors, R. M. Thomson and M. Winterbottom, vol. 1 (Oxford, 1998), p. 693; Anna Comnena, vol. 3, pp. 122-3; R. B. Yewdale, *Bohemond I, Prince of Antioch* (Princeton, 1917); R. L. Nicholson, *Tancred: A Study of His Career and Work in Their Relation to the First Crusade and the Establishment of the Latin States in Syria and Palestine* (Chicago, 1940).

11 J. C. Andressohn, *The Ancestry and Life of Godfrey of Bouillon* (Bloomington, 1947); P. Gindler, *Graf Balduin I. von Edessa* (Halle, 1901); C. W. David, *Robert Curthose, Duke of Normandy*, Cambridge, Mass., 1920); W. M. Aird, *Robert Curthose, Duke of Normandy* (Woodbridge, 2008); J. A. Brundage, 'An errant crusader: Stephen of Blois', *Traditio*, vol. 16 (1960), pp. 380-95; *Gesta Francorum*, p. 7; J. A. Brundage, *Medieval Canon Law*

and the Crusader (Madison, 1969), pp. 17-18, 30-39, 115-21; J. A. Brundage, 'The army of the First Crusade and the crusade vow: Some reflections on a recent book', *Medieval Studies*, vol. 33 (1971), pp. 334-43; Riley-Smith, *The First Crusaders*, pp. 22-3, 81-2, 114; Mayer, *The Crusades*, pp. 21-3; Riley-Smith, *The First Crusade and the Idea of Crusading*, p. 47; France, *Victory in the East*, pp. 11-16; Asbridge, *The First Crusade*, pp. 66-76; Housley, *Contesting the Crusades*, pp. 24-47.

12 Anna Comnena, vol. 2, pp. 206-7, 233. Sobre a história bizantina, ver: M. Angold, *The Byzantine Empire, 1025-1204: A Political History*, 2nd edn (Londres, 1997). Sobre as relações cruzado-bizantino durante a Primeira Cruzada, ver: R.-J. Lilie, *Byzantium and the Crusader States 1096-1204*, trans. J. C. Morris and J. E. Ridings (Oxford, 1993), pp. 1-60; J. H. Pryor, 'The oaths of the leaders of the First Crusade to emperor Alexius I Comnenus: fealty, homage, *pistis, douleia*', *Parergon*, vol. 2 (1984), pp. 111-41; J. Shepard, 'Cross purposes: Alexius Comnenus and the First Crusade', *The First Crusade: Origins and Impact*, ed. J. P. Phillip (Manchester, 1997), pp. 107-29; J. Harris, *Byzantium and the Crusades* (Londres, 2006), pp. 53-71.

13 Albert of Aachen, p. 84; Anna Comnena, vol. 2, pp. 220-34; Asbridge, *The First Crusade*, pp. 103-13.

14 Raymond of Aguilers, pp. 42-3; *Gesta Francorum*, p. 15; Fulcher of Chartres, p. 187; Albert of Aachen, pp. 118-20.

15 *Gesta Francorum*, p. 15; Hagenmeyer, *Kreuzzugsbriefe*, pp. 138-40; Anna Comnena, vol. 2, pp. 230, 234.

16 Fulcher of Chartres, pp. 202-3; W. G. Zajac, 'Captured property on the First Crusade', *The First Crusade: Origins and Impact*, ed. J. P. Phillips (Manchester, 1997), pp. 153-86.

17 *Gesta Francorum*, pp. 18-21; Fulcher of Chartres, pp. 192-9; France, *Victory in the East*, pp. 170-85; Asbridge, *The First Crusade*, pp. 133-7.

18 Albert of Aachen, pp. 138-40. A citação foi abreviada. *Gesta Francorum*, p. 23.

19 T. S. Asbridge, *The Creation of the Principality of Antioch 1098-1130* Woodbridge, 2000), pp. 16-19; France, *Victory in the East*, pp. 190-96; Albert of Aachen, p. 170.

20 Eu mesmo expus esta suposição em 2004. Asbridge, *The First Crusade*, pp. 153-7.

21 Hagenmeyer, *Kreuzzugsbriefe*, p. 150; Raymond of Aguilers, pp. 47-8.

22 *Gesta Francorum*, p. 42; Fulcher of Chartres, p. 221; Albert ofAachen, pp. 208-10, 236-8; Hagenmeyer, *Kreuzzugsbriefe*, p. 150; Matthew of Edessa, pp. 167-8.

23 Fulcher of Chartres, pp. 224-6; Asbridge, *The First Crusade*, pp. 169-96. Sobre o debate relacionado com a partida de Tácio, ver: Lilie, *Byzantium and the Crusader States*, pp. 33-7; J. France, 'The departure of Tatikios from the army of the First Crusade', *Bulletin of the Institute of Historical Research*, vol. 44 (1971), pp. 131-47; France, *Victory in the East*, p.

243. Sobre o primeiro cerco de Antioquia, ver também: R. Rogers, *Latin SiegeWarfare in the Twelfth Century* (Oxford, 1992), pp. 25-38.

24 Hagenmeyer, *Kreuzzugsbriefe*, p. 151; Raymond of Aguilers, p. 58. Sobre as relações dos primeiros cruzados com os muçulmanos do Oriente Próximo, ver: M. A. Köhler, *Allianzen und Verträge zwischen frankischen und islamischen Herrschern in Vorderren Orient* (Berlim, 1991), pp. 1-72; T. Asbridge, 'Knowing the enemy: Latin relations with Islam at the time of the First Crusade', *Knighthoods of Christ*, ed. N. Housley (Aldershot, 2007), pp. 17-25; Albert of Aachen, p. 268.

25 Fulcher of Chartres, p. 233; Albert of Aachen, pp. 282-4; *Gesta Francorum*, p. 48.

26 *Gesta Francorum*, p. 48; Peter Tudebode, p. 97; Albert of Aachen, pp. 298-300. Essa citação foi resumida.

27 Raymond of Aguilers, p. 75; *Gesta Francorum*, pp. 65-6.

28 T. Asbridge, 'The Holy Lance of Antioch: Power, devotion and memory on the First Crusade', *Reading Medieval Studies*, vol. 33 (2007), pp. 3-36.

29 Matthew of Edessa, p. 171; Ibn al-Athir, vol. 1, p. 16; Albert of Aachen, p. 320.

30 Ibn al-Qalanisi, p. 46. Sobre a Batalha da Antioquia, ver: France, *Victory in the East*, pp. 280-96; Asbridge, *The First Crusade*, pp. 232-40.

31 Raymond of Aguilers, p. 75; C. Morris, 'Policy and vision: The case of the Holy Lance found at Antioch', *War and Government in the Middle Ages: Essays in honour of J. O. Prestwich*, ed. J. Gillingham and J. C. Holt (Woodbridge, 1984), pp. 33-45.

32 Fulcher of Chartres, pp. 266-7; Raymond of Aguilers, p. 101; T. Asbridge, 'The principality of Antioch and the Jabal as-Summaq', *The First Crusade: Origins and Impact*, ed. J. P. Phillips (Manchester, 1997), pp. 142-52. Para leituras alternativas destes eventos, ver: Hill, *Raymond IV, Count of Toulouse*, pp. 85-109; J. France, 'The crisis of the First Crusade from the defeat of Kerbogha to the departure from Arqa', *Byzantion*, vol. 40 (1970), pp. 276-308.

33 Raymond of Aguilers, pp. 120-24, 128-9; Fulcher of Chartres, pp. 238-41.

34 Albert of Aachen, p. 402.

35 Fulcher of Chartres, pp. 281-92. Sobre a Jerusalém medieval, ver: A. J. Boas, *Jerusalem in the Time of the Crusades* (Londres, 2001); J. Prawer, 'The Jerusalem the crusaders captured: A contribution to the medieval topography of the city', *Crusade and Settlement*, ed. P. W. Edbury (Cardiff, 1985), pp. 1-16; France, *Victory in the East*, pp. 333-5, 337-43.

36 Raymond of Aguilers, pp. 139-41; Albert of Aachen, pp. 410-12. Sobre o cerco de Jerusalém, ver: France, *Victory in the East*, pp. 332-55; Rogers, *Latin Siege Warfare*, pp. 47-63; Asbridge, *The First Crusade*, pp. 298-316.

37 Raymond of Aguilers, pp. 141-2; Albert of Aachen, p. 422.

38 Raymond of Aguilers, pp. 146-8; Albert of Aachen, p. 416.

39 Raymond of Aguilers, pp. 148-9; Fulcher of Chartres, pp. 296-9.

40 Raymond of Aguilers, p. 150; *Gesta Francorum*, p. 91; Robert the Monk, p. 868.

41 Ibn al-Athir, pp. 21-2; Fulcher of Chartres, pp. 304-5; B. Z. Kedar, 'The Jerusalem massacre of 1099 in the western historiography of the crusades', *Crusades*, vol. 3 (2004), pp. 15-75.

42 Os historiadoress continuam a debater a natureza precisa do título de Godofredo. Ele pode muito bem ter empregado "príncipe", mas é relativamente certo que ele se intitulasse "rei de Jerusalém". Sobre este debate, ver: J. S. C. Riley-Smith, 'The title of Godfrey of Bouillon', *Bulletin of the Institute of Historical Research*, vol. 52 (1979), pp. 83-6; J. France, 'The election and title of Godfrey de Bouillon', *Canadian Journal of History*, vol. 18 (1983), pp. 321-9; A. V. Murray, *The Crusader Kingdom of Jerusalem: A Dynastic History 1099-1125* (Oxford, 2000), pp. 63-77.

43 Peter Tudebode, pp. 146-7; France, *Victory in the East*, pp. 360-65; Asbridge, *The First Crusade*, pp. 323-7.

44 Sobre a cruzada de 1101, ver: Riley-Smith, *The First Crusade and the Idea of Crusading*, pp. 120-34; J. L. Cate, 'The crusade of 1101', *A History of the Crusades*, ed. K. M. Setton, vol. 1, 2nd edn (Madison, 1969), pp. 343-67; A. Mullinder, 'The Crusading Expeditions of 1101-2' (unpublished Ph.D. thesis, University of Wales, Swansea, 1996).

45 Sobre o debate em evolução em torno da centralidade da *Gesta Francorum* como fonte para a Primeira Cruzada e sobre a identidade de seu autor, ver: A. C. Krey, 'A neglected passage in the *Gesta* and its bearing on the literature of the First Crusade', *The Crusades and Other Historical Essays presented to Dana C. Munro by his former students*, ed. L. J. Paetow (Nova York, 1928), pp. 57-78; K. B. Wolf, 'Crusade and narrative: Bohemond and the *Gesta Francorum*', *Journal of Medieval History*, vol. 17 (1991), pp. 207-16; C. Morris, 'The *Gesta Francorum* as narrative history', *Reading Medieval Studies*, vol. 19 (1993), pp. 55-71; J. France, 'The Anonymous *Gesta Francorum* and the *Historia Francorum qui ceperunt Iherusalem* of Raymond of Aguilers and the *Historia de Hierosolymitano Itinere* of Peter Tudebode', *The Crusades and Their Sources: Essays Presented to Bernard Hamilton*, ed. J. France and W. G. Zajac (Aldershot, 1998), pp. 39-69; J. France, 'The use of the anonymous *Gesta Francorum* in the early twelfth-century sources for the First Crusade', *From Clermont to Jerusalem: The Crusades and Crusader Societies, 1095-1500*, ed. A. V. Murray (Turnhout, 1998), pp. 29-42; J. Rubenstein, 'What is the *Gesta Francorum* and who was Peter Tudebode?', *Revue Mabillon*, vol. 16 (2005), pp. 179-204.

46 Kedar, 'The Jerusalem massacre of 1099', pp. 16-30; *La Chanson d'Antioche*, ed. S. Duparc-Quioc, 2 vols. (Paris, 1982); *The Canso d'Antioca: An Occitan Epic Chronicle of the First Crusade*, trans. C. Sweetenham and L. Paterson (Aldershot, 2003). Para uma

discussão de Roberto, o Monge, ver: C. Sweetenham, *Robert the Monk's History of the First Crusade* (Aldershot, 2005), pp. 1-71. Sobre o papel da memória, ver: Asbridge, 'The Holy Lance of Antioch', pp. 20-26; S. B. Edgington, 'Holy Land, Holy Lance: religious ideas in the Chanson d'Antioche', *The Holy Land, Holy Lands and Christian History, Studies in Church History*, ed. R. N. Swanson, vol. 36 (Woodbridge, 2000), pp. 142-53; S. B. Edgington, 'Romance and reality in the sources for the sieges of Antioch, 1097-1098', *Porphyrogenita*, ed. C. Dendrinos, J. Harris, E. Harvalia-Crook and J. Herrin (Aldershot, 2003), pp. 33-46; Y. Katzir, 'The conquests of Jerusalem, 1099 and 1187: Historical memory and religious typology', *The Meeting of Two Worlds: Cultural Exchange between East and West in the Period of the Crusades*, ed. V. P. Goss (Kalamazoo, 1986) pp. 103-13; J. M. Powell, 'Myth, legend, propaganda, history: The First Crusade, 1140-c.1300', *Autour de la Première Croisade*, ed. M. Balard (Paris, 1996), pp. 127-41.

47   Ibn al-Qalanisi, pp. 44, 48; Ibn al-Athir, pp. 21-2; al-Azimi, pp. 372-3; C. Hillenbrand, 'The First Crusade: The Muslim perspective', *The First Crusade: Origins and Impact*, ed. J. P. Phillips (Manchester, 1997), pp. 130-41; Hillenbrand, *The Crusades: Islamic Perspectives*, pp. 50-68.

48   Hillenbrand, *The Crusades: Islamic Perspectives*, pp. 68-74; J. Drory, 'Early Muslim reflections on the Crusaders', *Jerusalem Studies in Arabic and Islam*, vol. 25 (2001), pp. 92-101; D. Ephrat and M. D. Kahba, 'Muslim reaction to the Frankish presence in Bilad al-Sham: intensifying religious fidelity within the masses', *Al-Masaq*, vol. 15 (2003), pp. 47-58; W. J. Hamblin, 'To wage *jihad* or not: Fatimid Egypt during the early crusades', *The Jihad and its Times*, ed. H. Dajani-Shakeel and R. A. Mossier (Ann Arbor, 1991), pp. 31-40. Al-Sulami foi particularmente incomum, pois identificou com precisão que os francos estavam deslanchando uma guerra santa por Jerusalém. Ele também via a cruzada como parte de uma ofensiva cristã mais ampla contra o Islã que incluía conflitos na Ibéria e Sicília. E. Sivan, 'La genèse de la contre-croisade: un traité Damasquin du début du XIIe siècle', *Journal Asiatique*, vol. 254 (1966), pp. 197-224; N. Christie, 'Jerusalem in the *Kitab al-Jihad* of Ali ibn Tahir al-Sulami', *Medieval Encounters*, vol. 13.2 (2007), pp. 209-21; N. Christie and D. Gerish, 'Parallel preaching: Urban II and al-Sulami', *Al-Masaq*, vol. 15 (2003), pp. 139-48.

49   O termo "Estados cruzados" é um tanto impreciso, pois dá a impressão de que esses assentamentos eram exclusivamente habitados por cruzados e e que sua história poderia ser interpretada como exemplo de uma atividade cruzada em movimento. A maioria dos homens da Primeira Cruzada voltaram para o Ocidente em 1099, deixando o Ultramar diante de uma perpétua falta de homens e dependente do influxo de novos colonos, a maioria dos quais não havia aceitado formalmente a cruz. A questão da continuada influência da ideologia cruzada sobre a história do Oriente latino é uma questão mais complexa. J. S. C. Riley-Smith, 'Peace never established: the of the Kingdom of Jerusalem', *Transactions of the Royal Historical Society*, 5th series, vol. 28 (1978), pp. 87-102.

50 Para uma visão geral dos Estados cruzados na primeira metade do século XII, ver: Mayer, *The Crusades*, pp. 58-92; Richard, *The Crusades*, pp. 77-169; Jotischky, *Crusading and the Crusader States*, pp. 62-102. Para um relato detalhado e vívido (embora nem sempre confiável) deste período, ver: S. Runciman, 'The kingdom of Jerusalem and the Frankish East 1100-1187', *A History of the Crusades*, vol. 2 (Cambridge, 1952). Para estudos regionais mais detalhados, ver: J. Prawer, *Histoire du Royaume Latin de Jérusalem*, 2nd edn, 2 vols. (Paris, 1975); J. Richard, *The Latin Kingdom of Jerusalem*, trans. J. Shirley, 2 vols. (Oxford, 1979); A. Murray, *The Crusader Kingdom of Jerusalem: A Dynastic History 1099-1125* (Oxford, 2000); C. Cahen, *La Syrie du Nord à l'époque des Croisades et la principauté Franque d'Antioche* (Paris, 1940); T. Asbridge, *The Creation of the Principality of Antioch* (Woodbridge, 2000); J. Richard, *La comté de Tripoli sous la dynastie toulousaine (1102-1187)* (Paris, 1945); M. Amouroux-Mourad, *Le comté d'Édesse, 1098-1150* (Paris, 1988); C. MacEvitt, *The Crusades and the ChristianWorld of theEast* (Philadelphia, 2008). As fontes básicas de crônicas e narrativas sobre a história primitiva do Ultramar são: Fulcher of Chartres, *Historia Hierosolymitana (1095-1127)*, ed. H. Hagenmeyer (Heidelberg, 1913); Albert of Aachen, *Historia Iherosolimitana*, ed. and trans. S. B. Edgington (Oxford, 2007); Walter the Chancellor, *Bella Antiochena*, ed. H. Hagenmeyer (Innsbruck, 1896); Orderic Vitalis, *The Ecclesiastical History of Orderic Vitalis*, ed. and trans. M. Chibnall, vols 5 and 6 (Oxford, 1975); Guilherme de Tiro, *Chronicon*, ed. R. B. C. Huygens, *Corpus Christianorum, Continuatio Mediaevalis*, 63-63A, 2 vols. (Turnhout, 1986); Ibn al-Qalanisi, *The Damascus Chronicle of the Crusades, extracted and translated from the Chronicle of Ibn al-Qalanisi*, trans. H. A. R. Gibb (Londres, 1932); Ibn al-Athir, *The Chronicle of Ibn al-Athir. Part 1*, trans. D. S. Richards (Aldershot, 2006); Kemal ad-Din, *La Chronique d'Alep, RHC Or*. III, pp. 577-732; Anna Comnena, *Alexiade*, ed. and trans. B. Leib, vol. 3 (Paris, 1976); John Kinnamos, *The Deeds of John and Manuel Comnenus*, trans. C. M. Brand (Nova York, 1976); Matthew of Edessa, *Armenia and the Crusades, Tenth to Twelfth Centuries: The Chronicle of Matthew of Edessa*, trans. A. E. Dostourian (Lanham, 1993); Michael the Syrian, *Chronique de Michel le Syrien, patriarche jacobite d'Antioche (1166-1199)*, ed. and trans. J. B. Chabot, 4 vols. (Paris, 1899-1910); Anonymous Syriac Chronicle, 'The First and Second Crusades from an Anonymous Syriac Chronicle', ed. and trans. A. S. Tritton and H. A. R. Gibb, *Journal of the Royal Asiatic Society*, vol. 92 (1933), pp. 69-102, 273-306.

51 Albert of Aachen, p. 514. Murray, *The Crusader Kingdom of Jerusalem*, pp. 81-93; B. Hamilton, *The Latin Church in the Crusader States. The Secular Church* (1980), pp. 52-5.

52 Guilherme de Tiro, p. 454; Fulcher of Chartres, p. 353.

53 Sobre a fundação da Igreja Latina na Palestina e as relações entre o patriarca e o rei de Jerusalém, ver: Hamilton, *The Latin Church in the Crusader States*, pp. 52-85; K.-P. Kirstein, *Die lateinischen Patriarchen von Jerusalem* (Berlim, 2002). Sobre a Verdadeira Cruz de Jerusalém, ver: A. V. Murray, '"Mighty against the enemies of Christ": The relic of the True Cross in the armies of the kingdom of Jerusalem', *The Crusades and Their Sources: Essays Presented to Bernard Hamilton*, ed. J. France and W. G. Zajac (Aldershot, 1998), pp. 217-37.

54 Fulcher of Chartres, pp. 387-8, 460-61; J. Wilkinson (trans.), *Jerusalem Pilgrimage 1099-1185* (Londres, 1988), pp. 100-101; Albert of Aachen, p. 664. Um clérigo do norte da França, Fulquério de Chartres, iniciou a Primeira Cruzada na companhia do conde Estêvão de Blois-Chartres, mas depois passou para o contingente de Balduíno de Bolonha, tornando-se seu capelão. Fulcher acompanhou Balduíno até Edessa e, depois, com ele deslocou-se para Jerusalém em 1100, continuando a ser residente da Cidade Santa pelas três décadas seguintes. Nos primeiros anos do século XII, Fulquério escreveu uma história da Primeira Cruzada (baseada, em parte, na *Gesta Francorum*). Mais tarde, ele ampliou seu relato para cobrir os eventos no Ultramar entre 1100 e 1127, quando sua crônica termina abruptamente. Como obra de uma testemunha bem informada, a *Historia* de Fulquério é uma fonte inestimável. V. Epp, *Fulcher von Chartres: Studien zur Geschichtsschreibung des ersten Kreuzzuges* (Düsseldorf, 1990).

55 Fulcher of Chartres, pp. 397, 403. Sobre as relações do Ultramar com as comunidades mercantis italianas, ver: M.L. Favreau-Lilie, *Die Italiener im Heiligen Land vom ersten Kreuzzug bis zum Tode Heinrichs von Champagne (1098-1197)* (Amsterdam, 1989).

56 Em 1103, a Acre muçulmana foi salva de um primeiro cerco franco quando da chegada oportuna de uma frota fatímida. É possível que os genoveses tenham feito uma pilhagem depois da queda de Acre em 1104.

57 Este incidente foi registrado por fontes latinas e muçulmanas: Albert of Aachen, pp. 808-10; Ibn al-Qalanisi, pp. 108-10.

58 Sobre a relação entre a coroa de Jerusalém e a aristocracia franca, ver: Murray, *The Crusader Kingdom of Jerusalem*, pp. 97-114; S. Tibble, *Monarchy and Lordships in the Latin Kingdom of Jerusalem 1099-1291* (Oxford, 1989).

59 Fulcher of Chartres, pp. 407-24; Albert of Aachen, pp. 580-82. Sobre a primeira Batalha de Ramla e as duas campanhas que se seguiram em 1102 e 1105, ver: R. C. Smail, *Crusading Warfare 1097-1193* (Cambridge, 1956), pp. 175-7; M. Brett, 'The battles of Ramla (1099-1105)', *Egypt and Syria in the Fatimid, Ayyubid and Mamluk Eras*, ed. U. Vermeulen and D. De Smet (Leuven, 1995), pp. 17-39. Sobre as guerras fatímidas, ver: B. J. Beshir, 'Fatimid military organization', *Der Islam*, vol. 55 (1978), pp. 37-56; W. J. Hamblin, 'The Fatimid navy during the early crusades: 1099-1124', *American Neptune*, vol. 46 (1986), pp. 77-83.

60 William of Malmesbury, p. 467; Fulcher of Chartres, p. 446; Albert of Aachen, p. 644.

61 Um peregrino muçulmano da Península Ibérica, Ibn Jubayr, viajou pela Terre de Sueth setenta anos depois e deu testemunho ao fato de que a cooperativa exploração agrária latino-muçulmana dessa fértil região prosseguiu, aparentemente não afetada pela guerra entre Saladino e o reino de Jerusalém. Ibn Jubar descreveu como "o cultivo do vale é dividido entre os francos e os muçulmanos... Eles dividem as colheitas igualmente, e seus animais são misturados, mas nenhuma disputa ocorre entre eles." Ibn Jubayr, *The Travels of Ibn Jubayr*, trans. R. J. C. Broadhurst (Londres, 1952), p. 315.

62 Matthew of Edessa, p. 192. Sobre os inícios da história da Antioquia francesa, ver: Asbridge, *The Creation of the Principality of Antioch*, pp. 47-58.

63 Ibn al-Qalanisi, p. 61; Ralph of Caen, p. 712; Smail, *CrusadingWarfare*, pp. 177-8, no. 6.

64 Ralph of Caen, pp. 713-14. Sacerdote normando que se juntou à cruzada de Boemundo de 1107-08 e depois se estabeleceu no principado de Antioquia. Ralph de Caen escreveu uma história da Primeira Cruzada e dos Estados cruzados até c.1106. Seu relato centra-se nas carreiras de Boemundo e de Tancredo. Para uma introdução ao relato de Ralph, ver: B. S. Bachrach and D. S. Bachrach (trans.), *The Gesta Tancredi of Ralph of Caen* (Aldershot, 2005), pp. 1-17.

65 Albert of Aachen, p. 702; Ralph of Caen, pp. 714-15; Asbridge, *The Creation of the Principality of Antioch*, pp. 57-65.

66 Anna Comnena, vol. 3, p. 51. Até hoje, a obra padrão da aventura de Bohemond é: J. G. Rowe, 'Paschal II, Bohemund of Antioch and the Byzantine empire', *Bulletin of the John Rylands Library*, vol. 49 (1966), pp. 165-202. Os argumentos de Rowe estão no ponto para reavaliação. Ver também: Yewdale, *Bohemond I*, pp. 106-31.

67 É possível que Tancredo tenha lutado ao lado de Ridwan de Alepo num segundo conflito contra Chavli de Mossul e Balduíno de Edessa em 1109. Ibn al-Athir, vol. 1, p. 141; Asbridge, *The Creation of the Principality of Antioch*. pp. 112-14.

68 Albert of Aachen, pp. 782, 786, 794-6; Asbridge, *The Creation of the Principality of Antioch*, pp. 114-21. Sobre os inícios da história da Igreja Latina no norte da Síria e a disputa eclesiástica entre Antioquia e Jerusalém, ver: Hamilton, *The Latin Church in the Crusader States*, pp. 18-51; J. G. Rowe, 'The Papacy and the Ecclesiastical Province of Tyre 1110-1187', *Bulletin of John Rylands Library*, vol. 43 (1962), pp. 160-89; Asbridge, *The Creation of the Principality of Antioch*, pp. 195-213.

69 Os contemporâneos estavam cientes do obstáculo representado pelas Colinas Belus, com uma testemunha ocular latina, Walter o Chanceler (p. 79), comentando sobre a proteção oferecida a Antioquia pelas "montanhas (e) despenhadeiros, mas os historiadores modernos ignoraram amplamente o significados das Colinas Belus. Sendo de altitude tão limitada, elas raramente aparecem nos mapas da região. Eu tropecei (quase literalmente) com elas ao viajar a pé por essa bela área, embora acidentada, uma experiência que me levou a reavaliar o impacto desta característica topográfica na história de Antioquia". P. Deschamps, 'Le défense du comté de Tripoli et de la principauté d'Antioche', *Les Châteaux des Croisés en Terre Sainte*, vol. 3 (Paris, 1973), pp. 59-60; Asbridge, *The Creation of the Principality of Antioch*, p. 50; T. Asbridge, 'The significance and causes of the battle of the Field of Blood', *Journal of Medieval History*, vol. 23.4 (1997), pp. 301-16.

70 Matthew of Edessa, p. 212; T. Asbridge, 'The "crusader" community at Antioch: The impact of interaction with Byzantium and Islam', *Transactions of the Royal Historical*

Society, 6th series, vol. 9 (1999), pp. 305-25; Asbridge, *The Creation of the Principality of Antioch*, pp. 65-7, 134-9.

71 Fulcher of Chartres, p. 426; Runciman, *A History of the Crusades*, vol. 2, p. 126; Smail, *Crusading Warfare*, p. 125; Richard, *The Crusades*, p. 135; Ibn al-Qalanisi, p. 137.

72 Sobre os Assassinos, ver: M. G. S. Hodgson, *The Secret Order of the Assassins* (The Hague, 1955); B. Lewis, *The Assassins* (Londres, 1967); B. Lewis, 'The Isma'ilites and the Assassins', *A History of the Crusades*, ed. K. M. Setton, vol. 1, 2nd edn (Madison, 1969), pp. 99-132; F. Daftary, *The Isma'ilis: Their History and Doctrines* (Cambridge, 1990).

73 Smail, *Crusading Warfare*, pp. 143-8, 178-9; Asbridge, *The Creation of the Principality of Antioch*, pp. 70-73.

74 Albert of Aachen, pp. 866-8. Em meio à sua doença no início de 1117, a capacidade do rei Balduíno de dominar a aristocracia franco-palestina foi freada. Não tendo produzido um herdeiro, ele foi obrigado pela nobreza latina a repudiar Adelaide, sua terceira esposa (e mãe viúva do jovem conde da Sicília, Rogerio II) com base na bigamia, para evitar a possibilidade de um governante siciliano ascender ao trono de Jerusalém. Murray, *The Crusader Kingdom of Jerusalem*, pp. 115-17.

75 Kemal al-Din, p. 617; C. Hillenbrand, 'The career of Najm al-Din Il-Ghazi', *Der Islam*, vol. 58 (1981), pp. 250-92. O rei Balduíno II chegou ao poder em Jerusalém em 1118, após uma disputada sucessão na qual o irmão de Balduíno I, Eustácio de Bolonha, era um candidato alternativo. H. E. Mayer, 'The Succession of Baldwin II of Jerusalem: English Impact on the East', *Dumbarton Oaks Papers*, vol. 39 (1985), pp. 139-47; A. Murray, 'Dynastic Continuity or Dynastic Change? The Accession of Baldwin II and the Nobility of the Kingdom of Jerusalem', *Medieval Prosopography*, vol. 13 (1992), pp. 1-27; A. Murray, 'Baldwin II and his Nobles: Baronial Faction and Dissent in the Kingdom of Jerusalem, 1118-1134', *Nottingham Medieval Studies*, vol. 38 (1994), pp. 60-85.

76 Walter the Chancellor, pp. 88, 108; Ibn al-Qalanisi, pp. 160-61; Smail, *Crusading Warfare*, pp. 179-81.

77 Walter the Chancellor, p. 78; Asbridge, 'The significance and causes of the battle of the Field of Blood', pp. 301-16. Pode ter havido algo de verdadeiro nas acusações de impropriedade sexual – até seu apoiador Walter o Chanceler insinuou esse delito –, mas, por outro lado, Rogério parece ter governado inconteste como legítimo príncipe. A ideia de que ele tenha ilegalmente privado Boemundo II de sua herança foi provavelmente disseminada postumamente, devido à morte do ofensor e para validar a posição do jovem príncipe designado. Infelizmente para Rogério, a difamação se consolidou e, desde então, ele geralmente tem sido pintado como regente malfadado e ambicioso. Sobre as atitudes com relação ao status e à moral de Robério, ver: Asbridge, *The Creation of the Principality of Antioch*, pp. 139-43; T. Asbridge and S. E. Edgington (trans.), *Walter the Chancellor's The Antiochene Wars* (Aldershot, 1999), pp. 12-26.

78 Murray, *The Crusader Kingdom of Jerusalem*, pp. 135-46; H. E. Mayer, 'Jérusalem et Antioche au temps de Baudoin II', *Comptes-rendus de l'Académie des Inscriptions et Belles-Lettres, Nov.-Déc. 1980* (Paris, 1980); T. Asbridge, 'Alice of Antioch: a case study of female power in the twelfth century', *The Experience of Crusading 2: Defining the Crusader Kingdom*, ed. P. W. Edbury and J. P. Phillips (Cambridge, 2003), pp. 29-47.

79 'Liber ad milites Templi de laude novae militiae', *Sancti Bernardi Opera*, vol. 3, ed. J. Leclercq and H.M. Rochais (Rome, 1963), pp. 205-39. Para uma coleção de fontes primárias relacionadas aos templários traduzidas em inglês, ver: M. Barber and K. Bate (trans.), *The Templars: Selected Sources Translated and Annotated* (Manchester, 2002). Sobre a história dos templários e hospitalários, ver: M. Barber, *The New Knighthood. A History of the Order of the Templars* (Cambridge, 1994); H. Nicholson, *The Knights Templar* (Londres, 2001); J.S.C. Riley-Smith, *The Knights of St John in Jerusalem and Cyprus, 1050-1310* (Londres, 1967); H. Nicholson, *The Knights Hospitaller* (Woodbridge, 2001); A. Forey, *The Military Orders. From the Twelfth to the Early Fourteenth Centuries* (Londres, 1992). Sobre os castelos nos Estados cruzados durante o século XII, ver: Smail, *Crusading Warfare*, pp. 204-50; H. Kennedy, *Crusader Castles* (Cambridge, 1994); R. Ellenblum, 'Three generations of Frankish castle-building in the Latin kingdom of Jerusalem', *Autour de la Première Croisade*, ed. M. Balard (Paris, 1996), pp. 517-51.

80 Lilie, *Byzantium and the Crusader States*, pp. 109-41; Harris, *Byzantium and the Crusades*, pp. 74-92.

81 Guilherme de Tiro, p. 656; H. E. Mayer, 'The Concordat of Nablus', *Journal of Ecclesiastical History*, vol. 33 (1982), pp. 531-43. Sobre as relações do Ultramar com a Europa Ocidental no período, ver: J. P. Phillips, *Defenders of the Holy Land. Relations between the Latin West and East, 1119-87* (Oxford, 1996). Sobre o progresso e as consequências da disputa entre o rei Fulco e a rainha Melisenda, ver: H. E. Mayer, 'Studies in the History of Queen Melisende of Jerusalem', *Dumbarton Oaks Papers*, vol. 26 (1972), pp. 93-183; H. E. Mayer, 'Angevins *versus* Normans: The New Men of King Fulco of Jerusalem', *Proceedings of the American Philosophical Society*, vol. 133 (1989), pp. 1-25; H. E. Mayer, 'The Wheel of Fortune: Seignorial Vicissitudes under Kings Fulco and Baldwin III of Jerusalem', *Speculum*, vol. 65 (1990), pp. 860-77; B. Hamilton, 'Women in the Crusader States. The Queens of Jerusalem (1100-1190)', *Medieval Women*, ed. D. Baker (*Studies in Church History, Subsidia*, 1) (1978), pp. 143-74; J. S. C. Riley-Smith, 'King Fulco of Jerusalem and "the Sultan of Babylon"', *Montjoie: Studies in Crusade History in Honour of Hans Eberhard Mayer*, ed. B. Z. Kedar, J. S. C. Riley-Smith and R. Hiestand (Aldershot, 1997), pp. 55-66.

82 Melisende Psalter, Egerton 1139, MS London, British Library; J. Folda, *The Art of the Crusaders in the Holy Land, 1098-1187* (Cambridge, 1995), pp. 137-63; L.-A. Hunt, 'Melisende Psalter', *The Crusades: Na Encyclopaedia*, ed. A. Murray, vol. 3 (Santa Barbara, 2006), pp. 815-17. Sobre arte cruzada em geral, ver: J. Folda, *Crusader Art in the Twelfth Century* (Oxford, 1982); J. Folda, *The Nazareth Capitals and the Crusader Shrine of the Annunciation* (University Park, PA, 1986); J. Folda, *The Art of the Crusaders in the*

Holy Land, 1098-1187(Cambridge, 1995); J. Folda, 'Art in the Latin East, 1098-1291', *The Oxford Illustrated History of the Crusades*, ed. J. S. C. Riley-Smith (Oxford, 1995), pp. 141-59; J. Folda, 'Crusader Art. A multicultural phenomenon: Historiographical reflections', *Autour de la Première Croisade*, ed. M. Balard (Paris, 1996), pp. 609-15; J. Folda, *Crusader Art in the Holy Land, 1187-1291* (Cambridge, 2005); J. Folda, *Crusader Art: The Art of the Crusaders in the Holy Land, 1099-1291* (Aldershot, 2008); H.W. Hazard (ed.), *Art and Architecture of the Crusader States (History of the Crusades*, vol. 4) (Madison, Wis., 1977); L.-A. Hunt, 'Art and Colonialism: The Mosaics of the Church of the Nativity at Bethlehem and the Problem of Crusader Art', *Dumbarton Oaks Papers*, vol. 45 (1991), pp. 65-89; N. Kenaan-Kedar, 'Local Christian Art in Twelfthcentury Jerusalem', *Israel Exploration Journal*, vol. 23 (1973), pp. 167-75, 221-9; B. Kühnel, *Crusader Art of the Twelfth Century* (Berlin, 1994); G. Kühnel, *Wall Painting in the Latin Kingdom of Jerusalem* (Berlin, 1988).

83   No século XIX e início do XX, os Estados cruzados eram comumente interpretados, sob um aspecto positivo, como forma de protocolonialismo. Particularmente entre os eruditos franceses, como Emmanuel Rey, as forças de integração, adaptação e aculturação eram enfatizadas, e o Ultramar pintado como uma gloriosa nação franco-síria. Em contraste, em meados do século XX, a visão oposta foi defendida por nomes como o acadêmico israelense Joshua Prawer: os Estados cruzados foram apresentados como regimes coloniais opressores e intolerantes, em que os conquistadores latinos exploravam o Levante para seu próprio benefício material e de seus países na Europa Ocidental, enquanto mantinham ferrenhamente sua própria identidade franca pela imposição de uma separação semelhantes ao *apartheid* da população indígena. E. G. Rey, *Les Colonies Franques de Syrie au XIIe et XIIIe siècles* (Paris, 1883); J. Prawer, 'Colonisation activities in the Latin Kingdom of Jerusalem', *Revue Belge de Philologie et d'Histoire*, vol. 29 (1951), pp. 1063-1118; J. Prawer, *The Latin Kingdom of Jerusalem: European Colonialism in the Middle Ages* (Londres, 1972); J. Prawer, 'The Roots of Medieval Colonialism', *The Meeting of Two Worlds: Cultural Exchange between East and West during the Period of the Crusades*, ed. V. P. Goss (Kalamazoo, 1986), pp. 23-38. Para o registro de um simpósio esclarecedor sobre esta questão, realizado em 1987, ver: 'The Crusading kingdom of Jerusalem – The first European colonial society?', *The Horns of Hattin*, ed. B. Z. Kedar (Jerusalem, 1992), pp. 341-66. Para visões mais atualizadas, ver: Jotischky, *Crusading and the Crusader States*, pp. 123-54; Ellenblum, *Crusader Castles and Modern Histories*, pp. 3-31.

84   Fulcher of Chartres, p. 748. Em circunstâncias excepcionais, os nobres muçulmanos podiam receber terras num Estado cruzado. Uma dessas figuras, Abd al-Rahim, ganhou a amizade de Alon, senhor de al-Atarib depois de 1111, e foi-lhe garantida a posse de uma vila das vizinhanças, tendo servido como administrador na fronteira oriental do principado de Antioquia. R. Ellenblum, *Frankish Rural Settlement in the Latin Kingdom of Jerusalem* (Cambridge, 1998); H. E. Mayer, 'Latins, Muslims and Greeks in the Latin Kingdom of Jerusalem', *History*, vol. 63 (1978), pp. 175-92; B. Z. Kedar, 'The Subjected Muslims of the Frankish Levant', *Muslims under Latin Rule*, ed. J. M. Powell (Princeton, 1990), pp. 135-74; Asbridge, 'The "crusader" community at Antioch', pp. 313-16; J. S. C. Riley-Smith, 'The Survival in Latin Palestine of Muslim Administration', *The Eastern*

Mediterranean Lands in the Period of the Crusades, ed. P. Holt (Warminster, 1977), pp. 9-22.

85 Usama ibn Munqidh, *The Book of Contemplation*, trans. P. M. Cobb (Londres, 2008), pp. 144, 147, 153. Sobre a vida e obra de Usama, ver: R. Irwin, 'Usamah ibn-Munqidh, an Arab-Syrian gentleman at the time of the crusades', *The Crusades and Their Sources: Essays Presented to Bernard Hamilton*, ed. J. France andW. G. Zajac (1998), pp. 71-87; P.M. Cobb, *Usama ibn Munqidh: Warrior-Poet of the Age of the Crusades* (Oxford, 2005); P. M. Cobb, 'Usama ibn Munqidh's *Book of the Staff*: Autobiographical and historical excerpts', *Al-Masaq*, vol. 17 (2005), pp. 109-23; P. M. Cobb, 'Usama ibn Munqidh's Kernels of Refinement (*Lubab al-Adab*): Autobiographical and historical excerpts', *Al-Masaq*, vol. 18 (2006); N. Christie, 'Just a bunch of dirty stories? Women in the memoirs of Usamah ibn Munqidh', *Eastward Bound: Travel and Travellers, 1050-1550*, ed. R. Allen (Manchester, 2004), pp. 71-87. Ao lado desta adoção de costumes, parece ter havido uma certa adaptação à maneira de vestir adaptada ao clima levantino – incluindo o uso maior de seda pela aristocracia e o alto clero – mas isto não foi universal. Enviados franceses do Ultramar visitando o grande líder muçulmano Saladino em fevereiro de 1193 parecem ter assustado o filho pequeno do sultão devido a seus "queixos barbeados e suas cabeças com cabelos cortados curtos, além das roupas incomuns que usavam". Baha al-Din Ibn Shaddad, *The Rare and Excellent History of Saladin*, trans. D. S. Richards (Aldershot, 2001), p. 239.

86 Ibn Jubayr, pp. 316-17, 321-2. Deve-se observar, contudo, que Ibn Jubayr viajou apenas por um pequeno canto do Ultramar, e que esta seção de sua viagem levou apenas algumas semanas; assim, seu testemunho pode não ser totalmente representativo. Também fica claro que ele escreveu seu relato em parte para advogar um tratamento mais justo dos camponeses muçulmanos sob o governo mouro da Espanha, de modo que ele pode ter abrandado sua descrição do governo latino.

87 Em 1978, Hans Mayer concluiu que "os muçulmanos (certamente no Reino de Jerusalém) não tinham liberdade de culto" (Mayer, 'Latins, Muslims and Greeks in the Latin Kingdom of Jerusalem', p. 186), mas sua análise tem sido rebatida de maneira convincente (Kedar, 'The Subjected Muslims of the Frankish Levant', pp. 138-9). Nem todos os muçulmanos residentes no Ultramar eram camponeses ou fazendeiros: em Nablus, por exemplo, Usama ibn Munqidh ficou numa estalagem comandada por muçulmanos. Contudo, alguns muçulmanos agricultores hambalis vivendo perto de Nablus (e sob a autoridade de Balduíno de Ibelin) decidiram deixar o território franco como refugiados e se reinstalarem em Damasco na década de 1150. O cronista muçulmano Diya al-Din registrou que Balduíno aumentou os impostos dos agricultores ("de um para quatro dinares" e que "também costumava mutilar-lhes as pernas". Vale observar, contudo, que os hambalis tinham opiniões drásticas com relação aos francos e até Diya al-Din reconhecia que o líder do grupo "foi o primeiro a imigrar temendo por sua vida e porque não podia praticar sua religião". J. Drory, 'Hanbalis of the Nablus region in the eleventh and twelfth centuries', *Asian and African Studies*, vol. 22 (1988), pp. 93-112; D. Talmon-Heller, 'Arabic sources on Muslim villagers under Frankish rule',

From Clermont to Jerusalem. The Crusades and Crusader Society, 1095-1500, ed. A. Murray (Turnhout, 1998), pp. 103-17; D. Talmon-Heller, 'The Shaykh and the Community: Popular Hanbalite Islam in 12th-13th Century Jabal Nablus and Jabal Qasyun', *Studia Islamica*, vol. 79 (1994), pp. 103-20; D. Talmon-Heller, '"The Cited Tales of the Wondrous Doings of the Shaykhs of the Holy Land" by Diya' al-Din Abu 'Abd Allah Muhammad b. 'Abd al-Wahid al-Maqdisi (569/1173-643/1245): Text, Translation and Commentary', *Crusades*, vol. 1 (2002), pp. 111-54.

88 Fulcher of Chartres, pp. 636-7; Ibn al-Qalanisi, pp. 162-3, 246. Zengui também concordou com um "armistício" com a Antioquia franca que aparentemente permitiu que centenas de "mercadores, homens muçulmanos e comerciantes de Alepo operassem no principado latino. Este pacto de comércio valeu até 1138, quando foi rompido pelo príncipe Raimundo (talvez devido à chegada do exército imperial bizantino no norte da Síria). Sobre negócios e comércio nos Estados cruzados, ver: E. Ashtor, *A Social and Economic History of the Near East in the Middle Ages* (Londres, 1976); J. H. Pryor, *Commerce, Shipping and NavalWarfare in the Medieval Mediterranean* (Londres, 1987); D. Jacoby, 'The Venetian privileges in the Latin kingdom of Jerusalem: Twelfth-and thirteenth-century interpretations and implementation', *Montjoie: Studies in Crusade History in Honour of Hans Eberhard Mayer*, ed. B. Z. Kedar, J. S. C. Riley-Smith and R. Hiestand (Aldershot, 1997), pp. 155-75. Para uma seleção de artigos do mesmo autor, ver: D. Jacoby, *Studies on the Crusader States and on Venetian Expansion* (Londres, 1989); D. Jacoby, *Commercial Exchange across the Mediterranean* (Aldershot, 2005).

89 C. Burnett, 'Antioch as a link between Arabic and Latin culture in the twelfth and thirteenth centuries', *Occident et Proche-Orient: contacts scientifiques au temps des croisades*, ed. I. Draelants, A. Tihon and B. van den Abeele (Louvain-la-Neuve, 2000), pp. 1-78. Guilherme de Tiro, o historiador latino do Ultramar, certamente ficou intrigado pelo Islã. Por volta da década de 1170, pesquisou e escreveu uma história detalhada do mundo muçulmano, mas provavelmente não soubesse ler persa ou árabe e tivesse que confiar em tradutores. Infelizmente, nenhum manuscrito deste texto sobreviveu – mas isto pode sugerir que a obra só conquistou uma audiência limitada no Ocidente. P. W. Edbury and J. G. Rowe, *Guilherme de Tiro: Historian of the Latin East* (Cambridge, 1988), pp. 23-4.

90 C. Burnett, 'Stephen, the disciple of philosophy, and the exchange of medical learning in Antioch', *Crusades*, vol. 5 (2006), pp. 113-29. O *Livro Real de* Al-Majusi detalhava uma notável gama de tratamentos médicos, alguns deles práticos até pelos padrões modernos, alguns surpreendentemente bizarros. A seção "Sobre o adorno do corpo" inclui conselhos sobre como remover os pelos e lidar com rachaduras nos lábios e nas mãos, moderar o crescimento dos seios e dos testículos e lidar com o odor corpóreo. A seção "Sobre o regime dos viajantes por terra e por mar" era uma mina de informações úteis para os peregrinos: a insolação podia ser aliviada jogando água de rosas fresca na cabeça; as partes do corpo afetadas pelas frieiras deviam ser friccionadas com óleos e pele de esquilo cinzento; e a cura para o enjoo marítimo era um xarope feito de uvas azedas, romã, hortelã, maçã e tamarindo. A sugestão de que uma infestação de

piolhos podia ser resolvida esfregando o corpo com um cataplasma de mercúrio não era tão sensata.

91 Vale a pena lembrar o que essa evidência efetivamente revela sobre o Ultramar no século XII. Será que os patronos que comissionavam obras exigiam expressamente peças que refletissem a variada cultura do Oriente; será que eles empregavam artesãos latinos que absorviam os estilos e as técnicas orientas, por meio do estudo deliberado ou por transmissão orgânica? Se assim for, poder-se-ia sugerir razoavelmente que uma cultura artística florescente e imersiva estava se desenvolvendo no Levante franco. É possível, contudo, que considerações mais práticas também estivessem em ação; que os patronos latinos simplesmente empregavam os melhores artesãos disponíveis. Usama ibn Munqidh, pp. 145-6; S. Edgington, 'Administrative regulations for the Hospital of St John in Jerusalem dating from the 1180s', *Crusades*, vol. (2005), pp. 21-37. Sobre a Igreja do Santo Sepulcro, arquitetura cruzada e cultura material no Ultramar, ver: Folda, *The Art of the Crusaders*, pp. 175-245; A. Boas, *Crusader Archaeology: The Material Culture of the Latin East* (Londres, 1999); N. Kenaan-Kedar, 'The Figurative Western Lintel of the Church of the Holy Sepulchre in Jerusalem', *The Meeting of Two Worlds, Cultural Exchange between East and West during the Period of the Crusades*, ed. V. P. Goss (Kalamazoo, 1986), pp. 123-32; N. Kenaan-Kedar, 'A Neglected Series of Crusader Sculpture: the ninety-six corbels of the Church of the Holy Sepulchre', *Israel Exploration Journal*, vol. 42 (1992), pp. 103-14; D. Pringle, 'Architecture in the Latin East', *The Oxford Illustrated History of the Crusades*, ed. J. S. C. Riley-Smith (Oxford, 1995), pp. 160-84; D. Pringle, *The Churches of the Latin Kingdom of Jerusalem*, 3 vols. (Cambridge, 1993-2007).

92 B. Hamilton, 'Rebuilding Zion: the Holy Places of Jerusalem in the Twelfth Century', *Studies in Church History*, vol. 14 (1977), pp. 105-16; B. Hamilton, 'The Cistercians in the Crusader States', *Monastic Reform, Catharism and the Crusade* (1979), pp. 405-22; B. Hamilton, 'Ideals of Holiness: Crusaders, Contemplatives, and Mendicants', *International History Review*, vol. 17 (1995), pp. 693-712; A. Jotischky, *The Perfection of Solitude: Hermits and Monks in the Crusader States* (University Park, PA, 1995); A. Jotischky, 'Gerard of Nazareth, Mary Magdalene and Latin Relations with the Greek Orthodox Church in the Crusader East in the Twelfth Century', *Levant*, vol. 29 (1997), pp. 217-26; B. Z. Kedar, 'Gerard of Nazareth, a neglected twelfth-century writer of the Latin East', *Dumbarton Oaks Papers*, vol. 37 (1983), pp. 55-77; B. Z. Kedar, 'Multidirectional conversion in the Frankish Levant', *Varieties of Religious Conversion in the Middles Ages*, ed. J. Muldoon (1997), pp. 190-97; B. Z. Kedar, 'Latin and Oriental Christians in the Frankish Levant', *Sharing the Sacred: Contacts and Conflicts in the Religious History of the Holy Land*, ed. A. Kofsky and G. Stroumsa (1998), pp. 209-22; B. Z. Kedar, 'Convergences of Oriental Christian, Muslim and Frankish worshippers: the case of Saydnaya and the knights Templar', *The Crusades and the Military Orders*, ed. Z. Hunyadi and J. Laszlovszky (Budapest, 2001), pp. 89-100.

93 Até Ibn Jubayr – fonte de tantas revelações dos encontros transculturais – pontilhou seu testemunho com a linguagem do ódio e do preconceito: ao descrever Balduíno IV de Jerusalém como "o rei amaldiçoado" e um "porco", além de caracterizar Acre como

um viveiro fétido de "descrença e de impiedade" que ele esperava que Deus destruísse (pp. 316, 318). Hillenbrand, *The Crusades: Islamic Perspectives*, pp. 257-429.

94 C. Hillenbrand, 'Abominable acts: the career of Zengi', *The Second Crusade: Scope and Consequences*, ed. J. P. Phillips and M. Hoch (Manchester, 2001), pp. 111-32; Holt, *The Age of the Crusades*, pp. 38-42; H. Gibb, 'Zengi and the fall of Edessa', *A History of the Crusades*, vol. 1, ed. K. M. Setton and M.W. Baldwin (Philadelphia, 1958), pp. 449-62.

95 Em 1140 Zengui ganhou uma menção a seu nome na *khutba* (oração de sexta-feira) como suserano de Damasco, mas esta era, na verdade, um título honorífico vazio. Guilherme de Tiro, p. 684.

96 Matthew of Edessa (Continuação), p. 243; Guilherme de Tiro, p. 739; Bernard of Claraval, '*Epistolae*', *Sancti Bernardi Opera*, vol. 8, ed. J. Leclercq and H. M. Rochais (Rome, 1977), pp. 314-15.

97 Sobre a história e o significado de se atribuírem números às expedições cruzadas, ver: Constable, 'The Historiography of the Crusades', pp. 16-17.

98 Calixtus II, *Bullaire*, ed. U. Roberts (Paris, 1891), vol. 2, pp. 266-7; D. Girgensohn, 'Das Pisaner Konzil von 1153 in der Überlieferung des Pisaner Konzils von 1409', *Festschrift für Hermann Heimpel*, vol. 2 (Göttingen, 1971), pp. 1099-100; Bernard of Claraval, '*Epistolae*', p. 435.

99 Para o texto de *Quantum praedecessores*, ver: R. Grosse, 'Überlegungen zum kreuzzugeaufreuf Eugens III. von 1145/6. Mit einer Neueedition von JL 8876', *Francia*, vol. 18 (1991), pp. 85-92. Sobre a história da Segunda Cruzada, ver: V. Berry, 'The Second Crusade', *A History of the Crusades*, vol. 1, ed. K. M. Setton and M. W. Baldwin (Philadelphia, 1958), pp. 463-511; G. Constable, 'The Second Crusade as Seen by Contemporaries', *Traditio*, vol. 9 (1953), pp. 213-79; M. Gervers (ed.), *The Second Crusade and the Cistercians* (Nova York, 1992); A. Grabois, 'Crusade of Louis VII: a Reconsideration', *Crusade and Settlement*, ed. P. W. Edbury (Cardiff, 1985), pp. 94-104; J. P. Phillips and M. Hoch (eds), *The Second Crusade: Scope and Consequences* (Manchester, 2001); J. P. Phillips, *The Second Crusade: Extending the Frontiers of Christendom* (Londres, 2007). As duas fontes primárias para o elemento Oriente Próximo da Segunda Cruzada são: Odo of Deuil, *De profectione Ludovici VII in Orientem*, ed. and trans. V. G. Berry (Nova York, 1948); Otto of Freising, *Gesta Frederici seu rectius Chronica*, ed. G. Waitz, B. Simon and F.-J. Schmale, trans. A. Schmidt (Darmstadt, 1965); Guilherme de Tiro, pp. 718-70; John of Salisbury, *Historia Pontificalis*, ed. and trans. M. Chibnall (Londres, 1956), pp. 52-9; John Kinnamos, *The Deeds of John and Manuel Comnenus*, trans. C. M. Brand (Nova York, 1976), pp. 58-72; Niketas Choniates, *O' City of Byzantium: Annals of Niketas Choniates* (Detroit, 1984), pp. 35-42; Ibn al-Qalanisi, pp. 270-89; Ibn al-Athir, *The Chronicle of Ibn al-Athir for the Crusading Period from al-Kamil fi'l-Ta'rikh*, trans. D. S. Richards, vol. 2 (Aldershot, 2007), pp. 7-22; Sibt ibn al-Jauzi, 'The Mirror of the Times', *Arab Historians of the Crusades*, trans. F. Gabrieli, pp. 62-3; Michael the Syrian, *Chronique de Michel le Syrien, patriarche jacobite d'Antioche(1166-1199)*, ed. and trans. J.

B. Chabot, vol. 3 (Paris, 1905); Anonymous Syriac Chronicle, 'The First and Second Crusades from na Anonymous Syriac Chronicle', ed. and trans. A. S. Tritton and H. A. R. Gibb, *Journal of the Royal Asiatic Society*, vol. 92 (1933), pp. 273-306.

100 Sobre São Bernardo e os cistercienses, ver: G. R. Evans, *Bernard of Claraval* (Nova York, 2000); C. H. Berman, *The Cistercian Evolution* (Philadelphia, 2000).

101 Odo of Deuil, pp. 8-9; Bernard of Claraval, '*Epistolae*', pp. 314-15, 435; Phillips, *The Second Crusade: Extending the Frontiers of Christendom*, pp. 61-79.

102 '*Vita Prima Sancti Bernardi*', *Patrologia Latina*, J. P. Migne, vol. 185 (Paris, 1855), col. 381; Tyerman, *God's War*, p. 280; J. Phillips, 'Papacy, empire and the Second Crusade', *The Second Crusade: Scope and Consequences*, ed. J. P. Phillips and M. Hoch (Manchester, 2001), pp. 15-31; G. A. Loud, 'Some reflections on the failure of the Second Crusade', *Crusades*, vol. 4 (2005), pp. 1-14. Apesar da convincente refutação de Graham Loud dos argumentos apresentados por Jonathan Phillips em 2001, Phillips fez uma tentativa um tanto imprudente em 2007 de defender sua sugestão de que o papa Eugênio estivesse envolvido no recrutamento de Conrado. Em contraste, as observações de Phillips sobre o impacto da memória e da consanguinidade sobre o recrutamento são persuasivas (Phillips, *The Second Crusade: Extending the Frontiers of Christendom*, pp. 25, 87-98, 99-103, 129-30).

103 'Chevalier, Mult es Guariz', *The Crusades: A Reader*, ed. S. J. Allen and E. Amt (Peterborough, Ontario, 2003), pp. 213-14. Para uma introdução sobre as canções das cruzadas, ver: M. Routledge, 'Songs', *The Oxford Il Illustrated History of the Crusades*, ed. J. S. C. Riley-Smith (Oxford, 1995), pp. 91-111.

104 Helmold of Bosau, *Chronica Slavorum*, ed. and trans. H. Stoob Darmstadt, 1963), pp. 216-17; Eugenius III, '*Epistolae et privilegia*', *Patrologia Latina*, J. P. Migne, vol. 180 (Paris, 1902), col. 1203-4; Constable, 'The Second Crusade as Seen by Contemporaries', pp. 213-79; A. Forey, 'The Second Crusade: Scope and Objectives', *Durham University Journal*, vol. 86 (1994), pp. 165-75; A. Forey, 'The siege of Lisbon and the Second Crusade', *Portuguese Studies*, vol. 20 (2004), pp. 1-13; Phillips, *The Second Crusade: Extending the Frontiers of Christendom*, pp. 136-67, 228-68.

105 Lilie, *Byzantium and the Crusader States*, pp. 142-69; Phillips, *Defenders of the Holy Land*, pp. 73-99; P. Magdalino, *The Empire of Manuel Komnenos, 1143-1180* (Cambridge, 1994).

106 Odo of Deuil, pp. 16-17.

107 Suger, '*Epistolae*', *Recueil des historiens des Gaules et de la France*, ed. M. Bouquet et al., vol. 15 (Paris, 1878), p. 496; Guilherme de Tiro, pp. 751-2.

Compartilhando propósitos e conectando pessoas

Visite nosso site e fique por dentro dos nossos lançamentos:
www.novoseculo.com.br

- facebook/novoseculoeditora
- @novoseculoeditora
- @NovoSeculo
- novo século editora

Edição: 1
Fonte: Arno Pro

gruponovoseculo.com.br